TU VIDA
NO TIENE QUE SER
UNA NOVELA

TU VIDA NO TIENE QUE SER UNA NOVELA

POR:
RICARDO CHÁVEZ

ART&SOUL
PUBLISHING COMPANY

Para recibir información, por favor contacte a: Art & Soul Publishing Company, 287 S. Robertson Blvd. Suite 463, Beverly Hills, CA 90211-2810.
www.ArtAndSoulBooks.com

Este libro está también disponible en idioma inglés.

A pesar de que el autor y la compañía editorial han realizado todos los esfuerzos posibles para asegurar la exactitud y vastedad de la información contenida en este libro, no asumimos ninguna responsabilidad por errores, inexactitudes, omisiones o cualquier inconsistencia en el mismo.

Cualquier incomodidad que pueda causar el contenido de este libro a cualquier persona u organización es totalmente intencional.

Primera edición 2012

Cualquier cita no atribuida es de autoría de Ricardo Chávez.

ISBN 978-0-9834992-3-7
LCCN 2011908350

ATENCIÓN CORPORACIONES, UNIVERSIDADES, ESCUELAS, EMPRESAS Y ORGANIZACIONES PROFESIONALES: Hay descuentos disponibles en compras de este libro al mayoreo o para fines educacionales, regalos, o como promociones para incrementar suscripciones o renovaciones de revistas. Extractos del libro podrán ser creados para sus necesidades específicas.

Para más información, por favor contacte a: Art & Soul Publishing Company, 287 S. Robertson Blvd. Suite 463, Beverly Hills, CA 90211; Número Gratuito dentro de los Estados Unidos 1-800-857-1341 o para llamadas desde el exterior (1) (310) 933-4457.
www.ArtAndSoulBooks.com

DEDICO ESTE LIBRO

A MIS PADRES, QUIENES ME PERMITIERON NACER, DÁNDOME
LO NECESARIO PARA CONVERTIRME EN EL HOMBRE QUE SOY
EL DÍA DE HOY Y CUMPLIR MI MISIÓN REENCARNATORIA.
SU EJEMPLO, DECENCIA Y SENTIDO DE RECTITUD
HAN SIDO EL FARO QUE ME HA GUIADO
SIEMPRE HACIA PUERTO SEGURO.

A MIS HIJOS, ADORADOS MAESTROS QUE CADA DÍA ME
ENSEÑAN EL VERDADERO SIGNIFICADO DEL VERBO
AMAR. EJEMPLOS VIVOS DE LO MAJESTUOSO
Y SAGRADO QUE ES EL ESPÍRITU HUMANO.
ESTE LIBRO ES EL MAPA AL CAMINO
DE LA LUZ. ES UN PRIVILEGIO
SER SU PADRE.

A MARCIA, POR HABERME MOSTRADO EL TESORO DE LA
TERCERA REVELACIÓN QUE DIOS HA RESERVADO PARA
LA HUMANIDAD; POR SER PARTE DE MI VIDA DESDE
EL SIGLO XVI Y POR MOSTRARME QUE EL AMOR ES,
CIERTAMENTE INMORTAL.
SEMPITERNUS...

A CONSTANZA FRANCESCA, UNA LUZ QUE LLEGÓ A ILUMINAR
MI VIDA CUANDO MÁS PERDIDO ME ENCONTRABA. ESTA
PRINCESA GUERRERA VINO A SALVAR MI VIDA,
DEJANDO EN SU LUGAR, MÁGICAS MARIPOSAS
COMO PERENNES MENSAJERAS DE
AMOR, ESPERANZA Y FE.

ÍNDICE

PREFACIO

L a otra noche estaba en el balcón de mi apartamento en Los Ángeles   mirando la luna mientras tomaba un café expreso de esos que tanto me gustan. Que más que ser expreso, es una combinación de café expreso y café Cubano, o "Cuxpresso" como seguramente mis hijos le llamarían.

El caso es que me encontraba yo en uno de esos impases existenciales que me dan de cuando en cuando pensando en mi presente, mi pasado y mi futuro, o como diría mi tía Lilia, pensaba en la "inmortalidad del cangrejo".

Había yo estado sintiendo la necesidad de expresar muchas cosas. De dar... de entregar algo de lo bueno que hay en mi interior y había estado explorando varias posibilidades para hacerlo.

Incluso empecé a escribir un "blog" en Internet - algo que nunca antes había hecho ya que hasta hacia dos días atrás, no tenía ni idea de lo que esa palabra significaba.

Resulta que es una especie de página en Internet donde escribes temas y las personas que entren pueden responder o escribir sobre esos temas.

Es una manera interesante de comunicarse con los demás. Pero después de empezarla, la sentí fría, con falta de sensibilidad y un tanto impersonal. Fue ahí cuando me hice mi "Cuxpresso" y me salí al balcón a pensar sobre las posibilidades que existían para poder compartir un poco de lo que hay en mí.

Muchas veces me han pedido escribir un libro sobre mis experiencias (que son muchas y algunas de ellas bastante interesantes) y mi respuesta siempre era la misma: "soy actor, no escritor".

Mi padre siempre me ha dicho: "si vas a hacer algo, hazlo bien o no lo hagas" y así es como he vivido mi vida. Por muchos años he pensado que para hacer algo bien, hay que concentrarse en ello y no distraerse con nada más.

Es decir, hacerlo con el alma. Esto, sumado a mi trinidad personal: Disciplina, Constancia y Perseverancia, alimentadas con Pasión y Amor, han sido la fórmula que me ha llevado al éxito en mi carrera.

Sin embargo, después de este tiempo viviendo en Hollywood, en la caótica soledad de esta gran ciudad, me he dado cuenta que una cosa puede armonizar perfectamente con la otra. Finalmente los actores somos contadores de historias y... "¿por qué no? " pensé. "Puedo hacerlo por medio de un libro."

Sin embargo, la idea de meterme de lleno a escribir significaría poner en pausa mi carrera como actor por un tiempo justo cuando estaba ya entrando en el tan codiciado mercado Americano. Mientras estaba en esas cavilaciones, recibí un e-mail que definiría definitivamente mi decisión.

Siempre he estado en contacto con mis seguidores alrededor del mundo por medio de mis páginas en Internet, así como por medio de las páginas sociales.

Una de ellas es una muchacha que llevaba algún tiempo en contacto conmigo y que un buen día había empezado a escribirme para contarme sus problemas.

Cada vez que recibía una carta de ella, la abría para encontrarme con situaciones que le pasaban, pero que aparentemente no eran cosa del otro mundo. Sin embargo, algo en mi interior me decía que había algo más detrás de esas palabras enviadas por Internet.

Así pasó el tiempo hasta que después de un lapso de algunas semanas en que no recibí mensaje suyo, finalmente volví a ver su nombre en la bandeja de entrada de mis correos electrónicos.

Cuando lo abrí, sucedió algo que cambiaría para siempre la manera en que veo este tipo de comunicaciones, en las que los actores podemos (y debemos) ayudar y escuchar a quienes todos los días nos permiten la entrada a sus hogares por medio del televisor.

En este e-mail, la muchacha de "los problemas aparentemente simples" me confesaba que la última vez que me había escrito, era el último e-mail que iba a escribir en su vida porque estaba decidida a suicidarse.

Pero que cuando recibió mi respuesta, después de echarse a llorar y darse cuenta que lo que yo le decía en ese e-mail era cierto, había decidido no hacerlo.

Sólo recuerdo haber llorado como un niño y al salir otra vez a mi balcón, me encontré con la luna que en toda su belleza y ante mi mirada absorta, simplemente... me sonrió...

Si, ya sé que tal vez pensarás que estoy loco, o que en vez de café estaba tomando alguna otra cosa. Pero, no es así.

Te aseguro que lo que sentí en el fondo de mi alma era que la luna me sonreía como diciendo, hazlo... esa es tu misión... comparte lo que sabes.

Así, de la misma forma en que comienzan todas las aventuras, en un instante lo decidí. Entré a mi estudio y empecé a escribir.

AGRADECIMIENTOS

Con profundo agradecimiento, reconozco aquí a mis grandes
Maestros y Guías Espirituales, encarnados y desencarnados.
Han sido ustedes los verdaderos creadores de esta obra.
Gracias por su guía sublime, su protección y
consejos de gran luz y sabiduría.

A mi querida amiga Adriana Treviño, quien sin pedir nada a
cambio, se dedicó por completo a este proyecto de forma
totalmente desinteresada. Has sido un ángel que ha
estado siempre ahí cuando algo se ha precisado.
Gracias desde lo profundo de mi corazón.

A Tannaz Goodjohn, quien hizo posible que las primeras etapas
de este tan ansiado proyecto fueran posibles de realizar.
Gracias por tu confianza y fe.

A Vange Tapia y Justin Regis quienes, con total desinterés,
donaron su tiempo y talento como extraordinarios
artistas de voz. Gracias por su apoyo y cariño.

A mi amigo Frederic Charpentier, extraordinario y
talentosísimo fotógrafo y artista, quien siempre
ha estado dispuesto a ayudar a la
menor provocación.
Gracias amigo.

A todos aquellos que han creído en mí y en la locura
de poner en pausa mi carrera como actor para
entregarme de lleno a esta misión de luz.

A todos mis seguidores, quienes día a día han estado
siempre apoyándome a lo largo de mi carrera
artística. De ustedes recibí la motivación
para comenzar esta aventura.

A las personas "de a pie", hermanos y hermanas de
planeta que todos los días se levantan con el
firme propósito de hacer de éste,
un planeta mejor.

A quienes aún se encuentran perdidos en el materialismo
de las formas y las sensaciones físicas. Este libro
es también para ustedes que aún están a tiempo
de unirse a las filas de aquellos
que heredarán el planeta.

INTRODUCCIÓN

E xiste una muy antigua leyenda sobre un Maestro Zen que vivía en lo alto de una montaña. Su fama de hombre iluminado había traspasado fronteras.

Un profesor universitario de otro país, que había escuchado hablar sobre este notable hombre, viajó hasta el lugar donde el Maestro se encontraba con el fin de aprender sobre filosofía Zen y, eventualmente lograr también la iluminación.

El profesor se presentó frente al Maestro y le pidió que le ayudara. El Maestro lo invitó a pasar y sentarse ante la modesta mesa donde estaba a punto de disfrutar un té.

El Maestro le ofreció una taza de té mientras el recién llegado le hacía un discurso sobre lo mucho que había estudiado en su país sobre filosofía Zen. Le contó que era todo un experto en diversas doctrinas y filosofías y así continuó mientras su anfitrión pacientemente le escuchaba.

El Maestro entonces, empezó a hablar pero mientras lo hacía, el profesor lo interrumpía constantemente diciendo cosas como: "Ah sí, nosotros también tenemos eso". O "sí, ya había escuchado algo parecido".

Fue entonces que el Maestro Zen, mientras servía la taza de té de su invitado, continuó vertiendo el líquido hasta que éste se derramó de la taza. Aún después de que el té se derramaba, el Maestro siguió vertiéndolo.

Ante esta situación, el profesor le dijo: "¡Deténgase! ¿Qué no ve que el té se está derramando? A lo cual el Maestro tranquilamente le contestó: "Usted es como esta taza. Viene aquí pretendiendo lograr la iluminación, pero está lleno de ideas y conocimientos adquiridos que nada tienen que ver con el camino que usted pretende seguir. Antes de poder enseñarle algo, usted tiene que vaciar su taza." De la misma manera te pido que "vacíes tu taza" antes de iniciar esta lectura. Estás a punto de iniciar un viaje inolvidable que te hará comprender el funcionamiento del Universo y la manera de hacer que conspire a tu favor.

Te voy a acompañar a lo largo de este sendero por el cual han caminado aquellos que han conseguido VER la realidad espiritual en la cual nos movemos.

¿Quién soy?

¿De dónde vengo?

¿A dónde voy?

¿Qué pasa después de la muerte?

¿Por qué sufro?

¿Por qué otros tienen más que yo y parece que todo les viene fácil mientras a mí me cuesta tanto?

¿Por qué no consigo ser feliz?

Estas y otras preguntas serán respondidas aquí de manera clara y comprensible usando la lógica más pura y con el respaldo de la Verdad – una realidad que ha estado a tu disposición aunque no siempre has sido capaz de verla.

Te voy a mostrar el "Camino de la Luz" que hará que dejes atrás aquellos sufrimientos, frustraciones y angustias que caracterizan los tiempos actuales.

Te voy a llevar de la mano por el sendero que lleva a la cima de la montaña donde habitan todos tus sueños.

Volarás por universos hasta ahora aparentemente desconocidos por ti ya que muchos de ellos han estado en tu memoria espiritual desde hace mucho tiempo. Descubrirás cómo vencer en tus particulares pruebas y conquistar los sueños que te has propuesto.

Tu manera de ver la vida va a cambiar por completo cuando hayas transitado este camino conmigo, entenderás la perfección que rige al Universo y conocerás las Leyes Universales que lo gobiernan todo.

Por medio de las cuales podrás reclamar tu derecho a ser feliz y heredar un nuevo planeta donde el dolor, la tristeza y las penas habrán quedado atrás. No importa cuál religión, filosofía o creencia profeses. Todas ellas predican algo en común: El Amor como medio fundamental para alcanzar la felicidad.

Vas a entender que la vida es más justa de lo que crees, que el amor todo lo puede y que sí es posible ser feliz. Verás que la vida no "es corta" como hasta ahora has venido escuchando.

También comprobarás que ser feliz, vivir una vida plena y encontrar paz interior está al alcance de tu mano.

Todo en el Universo conspira, existen Leyes Universales que podemos hacer trabajar a nuestro favor si entendemos su funcionamiento y vivimos de acuerdo a nuestro destino.

A lo largo de esta iluminativa y placentera lectura, lograrás vencer tus conflictos, inseguridades y miedos. Harás que el "alma vieja", que ha habitado en tu interior por siglos, se convierta en un Alma Nueva, pura, transparente y segura de ser beneficiaria de una herencia divina.

La riqueza de tu Alma Nueva transformará tu camino en uno lleno de experiencias agradables, constantes alegrías y evolución espiritual, conquistando así tus tan ansiados sueños.

PARTE 1

¿QUIÉN SOY, DE DÓNDE VENGO, A DONDE VOY?

ABRIENDO EL COFRE DE TUS SECRETOS

"Conocerse De Verdad
A Uno Mismo No Es Otra Cosa Que Oír De Dios
Lo Que Él Piensa De Nosotros".

San Agustín

CAPÍTULO 1

¿QUIÉN ERES?

¿QUIÉN ESTÁ EN EL ESPEJO?

Nada Es Lo Que Parece
(¿Las Apariencias... Engañan?)

C uando me fue ofrecido el personaje de "Diosdado Amado" en la telenovela "Dame Chocolate", recuerdo que el productor no estaba muy seguro de que yo pudiera interpretarlo porque el personaje requería un cuerpo musculoso como el de "Tarzán". En ese entonces yo todavía estaba interpretando a "Miguel Valdéz" en "Tierra de Pasiones" y no tenía el físico que se requería para hacer al maravilloso "Diosdado".

Yo siempre he sido un hombre que ama los retos. Si alguien me dice que no cree que yo puedo lograr algo, inmediatamente se me prende un motor en el interior de mi alma que dice: "¡claro que puedo!" Así que lo primero que hice fue preguntarle para cuándo necesitaba que yo estuviera listo.

Casi me caigo cuando me dijo que tenía sólo un mes para mostrarle que podía transformar mi físico como el personaje lo requería. Después de que él viera que era posible, entonces tendría otro mes para prepararme antes de iniciar las grabaciones.

Yo todavía estaba grabando la novela "Tierra de Pasiones" y tenía poco tiempo para llevar a cabo esta transformación. Así que inmediatamente hice un plan de trabajo para lograr este nuevo reto. Contraté un Nutriólogo y creé un plan de entrenamiento muy intenso que incluía trabajar en el gimnasio dos veces al día por un total de 5 horas.

Comía 10 veces al día comidas altas en proteína y bajas en grasa, tomaba suplementos alimenticios especiales y en general me entregué en cuerpo y alma a lograr este objetivo.

Un mes después, llegó el tan esperado día en que tenía que quitarme la camisa frente al productor general y demás equipo de producción. Me hubiera gustado haber tomado una fotografía de sus caras cuando vieron la increíble transformación que tuve en tan poco tiempo.

Felizmente mi manager pudo cerrar el contrato con ellos, dando como resultado la creación de uno de los personajes más bellos que he interpretado en mi carrera. Se dice que los actores "nos convertimos" en los personajes que interpretamos. ¿Será que "verse" como un personaje es "ser" ese personaje?

¿Será que, como en el caso de "Diosdado", tan sólo hacer una transformación física tan impresionante sería suficiente para dar vida a tan querido y recordado personaje? La respuesta es: No.

La apariencia física es tan sólo uno de los elementos que componen un personaje, pero existen otros aún más importantes que forman parte de nuestro Primer Capítulo.

¿Quién Está En El Espejo?
(¿Quién Eres?)

"¿Quién soy?" Es la más antigua de las preguntas que el ser humano se ha hecho, seguida de: "¿De dónde vengo?" Y "¿A dónde voy?" Los Hermetistas le han llamado a esta trinidad de preguntas "Las preguntas de la Esfinge" porque en ellas radican los más importantes cuestionamientos que hombres y mujeres a través de la historia nos hemos hecho.

La respuesta es simple y complicada a la vez, ya que estamos acostumbrados a vernos e identificarnos tan sólo con aquello que nuestros sentidos físicos y conocimientos actuales pueden percibir.

Vivimos en tiempos donde nuestra identidad se ve frecuentemente perdida. La frase "Conócete a ti mismo" se remonta a siglos atrás donde grandes filósofos griegos como Sócrates explicaron la importancia de saber quienes somos en realidad para poder construir el verdadero templo de sabiduría, paz y abundancia tanto espiritual como material.

¿Pero cómo saber quienes somos? ¿Cómo descubrir quién es en realidad esa persona que vemos en el espejo todos los días?

Generaciones enteras de Psicólogos, Filósofos, Pensadores, Yoghis, Teólogos y demás estudiantes del comportamiento humano han dedicado sus existencias a esta tema, teniendo como resultado una gran cantidad de fórmulas y teorías sobre cómo lograr el auto-conocimiento tan codiciado.

Pero partamos del principio de nuestra propia identidad entre la sociedad en la cual vivimos. ¿Será que nuestra realidad se reduce a un acta de nacimiento y a una tarjeta de identidad?

¿Acaso el nombre que te han dado de nacimiento es suficiente para identificarte? ¿Esas letras en tu registro pueden representarte? ¿Acaso logran mostrar tu camino recorrido?

¿Tus experiencias, dolores, alegrías y frustraciones?

¿Y qué me dices de tu herencia cultural, genética y espiritual?

En resumen: ¿Tu Verdadera Esencia?

Nos hemos acostumbrado a identificar e identificarnos por títulos, cargos y posesiones como si eso contuviera los miles de años de existencia genética y espiritual que nos han permitido llegar hasta aquí.

Nuestra esencia existe incluso desde antes de nuestro nacimiento. Es en nuestra más tierna infancia cuando todo ese bagaje espiritual tiene la oportunidad de volver "a la escuela" del planeta donde se inician los acontecimientos y experiencias que harán de tu paso por este mundo la persona que eres en este momento y que seguramente no será la misma que serás en 1, 5, 10 o 25 años.

Descubriendo Tu Esencia
(Debajo de la Cáscara Está Lo Bueno)

El otro día una amiga mía me estaba contando sobre un muchacho que había conocido y que la tenía suspirando por los rincones. Como ya la conozco, y cada vez que conoce a alguien es el principio de

39

un verdadero drama de novela, (además de que ya sabía que se estaba muriendo por contarme los detalles) le pregunté cómo era él. Ella me empezó a describir desde la manera en que su cabello "caía sobre sus hermosos ojos" hasta la forma en que caminaba "como una pantera" y el timbre de su voz rasposa que la volvía loca. Yo, tratando de tener paciencia ante tan detallada descripción, y tratando de no reírme, le volví a preguntar: "Sí, pero ¿cómo es él en su interior?"

Ahí se le iluminaron aún más los ojos y me contó que era muy divertido, que se reía de todo y que le molestaba la música estruendosa; que le encantaba la comida China, que hacía Yoga y que además tenía un cuerpo espectacular (y dale con el físico).

Ante tan detallada descripción de sus características de comportamiento, desistí de querer saber más sobre el susodicho y misterioso objeto del deseo de mi amiga.

Nunca pude descubrir cómo era en realidad ese afortunado muchacho ya que ninguna de estas descripciones me decían gran cosa sobre su esencia. Mi amiga estaba tan concentrada en las características físicas y costumbres de comportamiento, que no se daba cuenta que tan sólo me estaba dando un resumen de su aspecto físico y personalidad.

No me hablaba sobre sus sueños, sus íntimos deseos, su bondad (o carencia de ella) o angustias que pudiera tener. Nada de lo que ella me decía tenía nada que ver con quien ese muchacho es en realidad.

Tus Máscaras ante la Sociedad
(Tu Armadura Invisible)

¿Has notado que en algunas novelas los actores tienen la manía de estarse tocando la boca, las orejas o el cabello? Algunos otros, meten una o las dos manos en los bolsillos, o tienen siempre el celular o una bolsa en la mano o están siempre sujetando algo.

También podemos verlos con un cigarrillo o palillo en la boca y jugando con un sombrero, cajetilla de cigarros o algo similar. A esto, en el mundo del teatro le llamamos "muletas". Al igual que las muletas que una persona usa para ayudarse a caminar cuando se rompe un pie, las usan algunos

40

actores con poco (o nulo) entrenamiento y sin experiencia para poder interpretar una escena sin ser presas de la inseguridad típica de quien no ha dominado el arte de la actuación.

En la vida cotidiana aquellos que no están en el mundo del espectáculo también usan algo parecido a las "muletas", pero son máscaras de muy diferentes formas y colores que nos ayudan a transitar por el mundo dando la impresión de ser quienes quisiéramos ser y no necesariamente quienes en realidad somos.

Estas máscaras nos protegen de ser lastimados y la mayoría de las veces son un escudo para ocultar nuestras debilidades, carencias y para evitar que los demás puedan conocer quienes somos en realidad.

En las novelas y en la vida, todos interpretamos a un personaje. A veces interpretamos al protagonista que tiene que pasar por infinidad de problemas para triunfar en el amor hasta conseguir casarse con su amada; otras a la protagonista que, poseedora de una bondad angelical, es víctima de las intrigas de los villanos quienes no pueden verla feliz.

Otras veces también interpretamos al villano que se ve rechazado por la protagonista y a partir de ahí, se dedica a hacerle la vida imposible a todos haciendo gala de una infinita maldad; y otras interpretamos a los personajes de apoyo, que son los que hacen posible que los protagonistas lleguen al altar al final de la novela y que el villano pague por sus maldades.

Pero en la vida real no es tan simple. En el mundo actual en el que vivimos nadie es totalmente bueno ni totalmente malo. Todos hemos pasado por una serie de experiencias que han hecho que seamos las personas que estamos "interpretando" hoy. Somos poseedores de una serie de virtudes, pero también de una serie de defectos que son muy importantes de conocer y tener presentes.

Como hemos visto ya, hacemos uso de máscaras para ocultar nuestros miedos, pero también para ocultar nuestros defectos y bajos instintos. No es cuestión de sentirnos mal con ellos en este momento, pero sí de reconocerlos para después ser capaces de transmutarlos y convertirlos en virtudes y hacer de ellas nuestras principales herramientas de evolución y escala hacia mundos superiores.

A veces pasamos por el mundo haciendo caso omiso de aquellos com-

41

portamientos propios que sabemos son negativos, y pensamos que si no les damos importancia, desaparecerán sin mayores consecuencias. Pero la realidad es muy diferente, ya que todo aquello que hagamos hoy, inevitablemente tendrá resultados (positivos o negativos) el día de mañana.

Lo interesante de este fenómeno es que queremos evitar que otros sepan cómo somos cuando ni siquiera sabemos quiénes somos en realidad. Hemos vivido tanto tiempo siendo víctimas de nuestros miedos e inseguridades que nos hemos quedado perdidos en alguna parte del camino.

Hagamos una evaluación honesta de aquellos defectos que seguimos acarreando y seamos conscientes de la responsabilidad espiritual que tenemos de eliminarlos y brindarnos así, la oportunidad de vivir mejor y en paz.

Conforme vayas avanzando en la lectura de este libro, irás abriendo poco a poco ese cofre que contiene tu propia esencia y aprenderás a amarte y respetarte por lo que eres y lo que vales.

Cómo Te Ven Los Demás? ¿Cómo Te Ves Tú?
(A Quién Estás Interpretando?)

Imagínate que llegas a una fiesta o evento al cual te han invitado, y al llegar alguien que, al no estar seguro de quien eres te dice: "Hola, tú eres…" esperando que tú completes la frase.

Tú naturalmente responderás tu nombre y tal vez tu relación con quien te invitó. Así, después de haberte identificado te dan la bienvenida y entonces pasas a divertirte y disfrutar de la noche.

¿Y qué pasa cuando estás en una situación de trabajo y sucede lo mismo? Seguramente repetirás la dinámica y te identificarás con tu nombre y el cargo o puesto profesional o laboral que tienes ¿no?

De la misma forma nos comportamos cuando hacemos una llamada telefónica, enviamos un e-mail o cualquier forma de comunicación. Este tipo de identificaciones son suficientes para interrelacionarnos en sociedad y desarrollarnos en diferentes aspectos de nuestras vidas.

42

Pero... ¿A quién estamos representando?

¿Somos en realidad quienes pensamos que somos? O, ¿será acaso que somos quienes los demás dicen que somos?

¿Cuántas veces has notado que alguien que conoces cambia de comportamiento dependiendo de las personas con las que se encuentre?

Por ejemplo, ¿te has fijado que cuando un hombre se pone un traje, inmediatamente cambia su postura y forma de caminar? Usualmente mete una mano en el bolsillo para poder disimular su incomodidad y falta de costumbre al estar en un traje que probablemente lo incomoda.

¿Y qué me dices de aquellas historias de personas que en un principio parecían ser de una manera y después resultó que demostraron ser totalmente diferentes? Las novelas y la vida real están llenas de historias acerca de este tipo de dramas.

La naturaleza del ser humano en esta etapa evolutiva es muy compleja. Como decía Gibrán Khalil Gibrán *"Si quieres conocer a todos los hombres, antes debes conocerte a ti mismo."*

Es fundamental entender nuestra esencia, hacer un viaje de auto-conocimiento y conocer los orígenes de nuestra personalidad, emociones, sentimientos y forma de ser en general. Sólo así podrás tener las bases para triunfar en el camino hacia tu paz interior y lograr la conquista de tus sueños.

Modificaciones En Tu Personalidad
(Marcas En Tu Pasado)

Tu personalidad no será la misma que fue en el pasado ya que las experiencias de la vida van modificándola. Se dice que las tragedias y experiencias difíciles hacen que descubramos de qué estamos hechos y quienes somos en realidad.

Nuestro ser pierde sus máscaras y disfraces cuando nos vemos ante situaciones en las cuales nuestra vida, posesiones o libertad están en peligro. Nuestra esencia sale a flote, nuestro carácter se hace visible y conocemos los límites emocionales, físicos y espirituales que tenemos.

Experiencias difíciles como enfermedades, la muerte de alguien querido, el fracaso en una relación, la pérdida de algún bien material y en general cualquier situación difícil que logremos vencer hará de nosotros personas más fuertes y conocedoras de nuestra naturaleza humana particular.

Pero también situaciones aparentemente agradables como una posición social privilegiada, riqueza material, fama o éxito en cualquiera de sus formas son pruebas disfrazadas de "suerte" que usualmente demostrarán quiénes somos una vez que hayamos o no pasado estas "pruebas" del aparente triunfo sobre los demás.

La buena noticia es que no necesitamos pasar por este tipo de situaciones difíciles para llegar a conquistar el auto-conocimiento. Conforme avances en la lectura de este libro, irás reconociendo situaciones con las cuales te identificarás y que te ayudarán a entender el por qué de tus fracasos, tristezas y falta de esperanza.

Descubrirás que el poder para triunfar está realmente en tu interior. Esto no es un cliché más sino una majestuosa realidad con la cual podrás ver realizados tus más ansiados sueños y podrás convertirte en esa persona que ya existe en ti y que sólo necesitas dejar salir.

Acompáñame en este viaje. Juntos vamos a iniciar un trayecto al interior de tu ser que culminará en lo alto de la montaña desde donde podrás observar la magia de tu camino recorrido y la paz de saber que has cumplido tu misión.

CAPÍTULO 2

¡ERES INMORTAL!
(Esto es para Siempre)

El Gato Volador
(Inmortalidad del Alma)

Hace muchos años yo tenía un travieso gato blanco con ojos amarillos a quien le encantaba meterse en líos. Se llamaba Rogelio (en honor a mi querido maestro de Tae Kwon Do quien espero que no se enoje cuando lea esto). A cada rato se metía en lugares de donde no podía salir.

Recuerdo una vez que tuve que desarmar una pieza grande del motor de un carro para sacarlo de ahí después de haberse metido a dormir y quedar atrapado. Como era blanco igual a la nieve, cada vez que hacía algo así, había que meterlo a bañar. Te imaginarás el gran drama de novela ya que como buen gato, odiaba el agua.

Otras veces, me llegaba a la casa con un pájaro en la boca después de una noche de juerga gatuna. Me imagino que para él era algo así como traerme un regalo para que no lo regañara por sus andanzas. Tuve que ponerle un cascabel en el collar que llevaba al cuello para que los pájaros lo oyeran acercarse y pudieran escapar de sus veloces garras.

En ese entonces yo vivía en una casa de tres pisos y en la azotea vivían dos perras que había yo rescatado de morir atropelladas en las calles de México. El problema era que una de esas perras, (que por cierto se llamaba Francisca) se creía pájaro.

En una ocasión saltó al vacío cayendo en el techo del carro de un vecino. Ya te imaginarás que el vecino no se puso nada contento. Además tuve que pagar por la reparación del carro. Debido a esto, decidí mandar construir una barda para que la perra voladora no volviera a intentar saltar.

45

El tonto de Rogelio era sumamente atrevido y le encantaba hacer enojar a las perras. Se subía constantemente a esta barda para provocarlas. Un día perdió el equilibrio y, desde una altura de más de tres pisos, cayó al concreto.

Recuerdo haber escuchado el ruido del gato maullando al tiempo que caía y el sonido del golpe de su cuerpo contra el pavimento de la calle.

Lo primero que pensé fue que esta vez sí se había roto la crisma y que al llegar afuera lo encontraría destrozado. Pero grande fue mi sorpresa cuando Rogelio se levantó, se sacudió y se echó a correr dentro de la casa como si nada hubiera pasado.

Ese gato me recordaba al Coyote del Corre-Caminos de las caricaturas a quien siempre le explotan bombas, cae de alturas enormes, le pasa de todo y nunca se muere.

Dice la cultura popular que los gatos tienen nueve vidas. Esta vez pude entender a qué se refiere ese refrán. Y por lo visto existen algunos perros con esos "poderes" también, como en el caso de Francisca.

A partir de ese día, los vecinos empezaron a llamarle a Rogelio, "El Gato Volador" que, además era el título de una movida canción popular. Este apodo me causaba mucha risa e imagino que a Rogelio también.

¿Te imaginas poder desafiar la muerte de esa manera? ¿Y encima tener nueve oportunidades para hacerlo? Te gustaría ese poder ¿no? Tan sólo imagínate cuántas cosas diferentes podrías hacer en tu vida si supieras que tienes la oportunidad de burlar a la muerte varias veces y continuar viviendo como Rogelio, en pos de la siguiente aventura.

Pues déjame contarte un secreto que ya conoces pero que seguramente has olvidado: No solamente puedes morir y vivir varias veces, sino que vives y has vivido desde tiempos inmemoriales y lo seguirás haciendo para siempre porque tu alma es inmortal.

Tu cuerpo físico es lo único que muere pero tu alma persiste y sigue su camino después de haberse librado del fardo estorboso para así poder prepararse para la siguiente aventura.

46

Sócrates y la Inmortalidad del Alma
(El Cuerpo es sólo un Instrumento)

Cuando el eminente filósofo griego Sócrates fue condenado a morir en el año 399 A.C. por envenenamiento de cicuta, uno de sus más fieles seguidores le ofreció la alternativa de escapar y le abrió las puertas de su prisión.

Sócrates le preguntó que para qué querría él escapar. Su discípulo le contestó "!Para escapar de la muerte!"

Entonces Sócrates le dijo "Nadie puede matarme. Esto (tirando de la piel de su cara) no es Sócrates. Esto es tan sólo mi cuerpo mortal así que nadie puede matar a Sócrates."

Sócrates decía que si bien el cuerpo físico era visible para los hombres, el alma era invisible a los ojos del cuerpo. Él pensaba que el alma gobernaba al cuerpo y que el cuerpo era tan sólo un instrumento de servicio.

Afirmaba que el alma era manifestación de lo divino y el cuerpo de lo mortal y que la muerte ocurría cuando el alma dejaba de animar el cuerpo físico.

¿Somos Almas o Espíritus?
(El Antes y Después del Nacimiento)

El alma es un espíritu encarnado. Antes de unirse al cuerpo era un espíritu desencarnado.

Ambas son la misma cosa ya que tu alma no es más que un espíritu que, antes de unirse al cuerpo físico era un Espíritu Inteligente como tantos otros que pueblan el mundo espiritual pero que no podemos ver con los ojos del cuerpo físico.

Cuando estamos en estado espiritual, es decir desencarnados, tomamos temporalmente una envoltura carnal para poder purificarnos y aprender.

47

¡Vales por Tres!
(Trinidad Humana)

¿Alguna vez has pensado que vales mucho más de lo que los demás piensan? Bueno, pues te cuento que es totalmente cierto. Eres tres veces uno, es decir: una Trinidad.

Nos hemos acostumbrado a pensar en nosotros mismos como "personas de carne y hueso con un cerebro que piensa y un corazón que siente." ¿No es así? Pero somos mucho más que eso. Somos seres in mortales que vivimos en cuerpos temporales para poder realizar nuestra misión particular en este planeta.

Seguramente habrás escuchado alguna vez el término "Trinidad" ya que se ha usado desde tiempos inmemoriales en diferentes religiones para referirse a una unidad compuesta de tres partes.

Nuestra Trinidad existencial forma una unidad activa que no puede existir si alguno de estos tres elementos faltara. Nos conforma como seres humanos y es una verdad esencial que debes conocer para poder comprender quién eres en realidad, de dónde vienes y a dónde vas.

Esta Trinidad se conforma por los siguientes elementos:

> **1.** Cuerpo físico.
> **2.** Alma.
> **3.** Peri-Espíritu.

Es importante que entiendas bien las características de cada uno de los elementos que componen tu Trinidad.

Dios tiene reservado un tesoro muy especial solamente para ti. Está en la cima de una montaña a la cual te guiaré por el Camino de la Luz, caminando a tu lado a lo largo de los siguientes capítulos.

Tu Cuerpo Físico
(El Vehículo Material)

¿Qué es y para qué sirve el cuerpo físico? Bueno, nuestro cuerpo físico es el vehículo que usamos para poder comunicarnos y movernos en el plano material terrestre en el cual nos encontramos actualmente. Es en parte resultado de nuestro pasado espiritual y tiene las características de aquello que necesitamos para cumplir nuestra misión en esta vida.

Este cuerpo que tenemos ahora es mortal y sujeto a las leyes materiales. Puede ser destruido, dañado, modificado y, como veremos en siguientes capítulos, también puede ser usado para causas sublimes o para perdernos en el abismo de las tentaciones de la carne.

Decae después de algún tiempo de uso y tiene una fecha de caducidad que dependerá del cuidado que tengamos con él. La duración de nuestro cuerpo físico también puede ser corta debido a alguna razón de origen Kármico.

Lo que llamamos "muerte" no es más que el impedimento de nuestro cuerpo físico de mantener sus funciones vitales. Ocurre cuando el cuerpo es desprovisto del Principio Vital que lo anima y le da vida.

El cuerpo físico con el cual contamos ahora es grosero pero cuenta con las cualidades y capacidades suficientes para nuestro desarrollo en este nivel evolutivo en el cual nos encontramos. Nuestro cuerpo es de naturaleza pesada y de baja vibración.

Tu Alma
(El Ser Inteligente)

¿Qué es el alma? El alma es un espíritu encarnado. Cuando digo encarnado, me refiero al hecho de que nuestro espíritu esta dentro de las vestiduras de nuestro cuerpo físico. Antes de unirse al cuerpo, nuestra alma es un ser inteligente desprovisto de cuerpo físico ya que no lo necesitamos para movernos en el plano espiritual.

49

Cuando tomamos un cuerpo físico, al reencarnar, lo hacemos para purificarnos, para aprender y para reparar los daños causados en encarnaciones pasadas. En capítulos posteriores aprenderás en detalle qué es y cómo funciona la reencarnación.

Nuestra alma (o espíritu) es inmortal y está sujeta a la Ley de Evolución. Abandona el cuerpo físico cuando éste no le sirve más.

Lo que se expresa por medio del cuerpo físico es nuestro espíritu ya que por medio del cuerpo material es que podemos expresarnos y comunicarnos en el plano terrestre.

Tu Peri-Espíritu
(El Vehículo Espiritual)

Como ya hemos visto, cuando el cuerpo muere, aunque se destruye la envoltura más grosera, el espíritu conserva la segunda. A esta especie de envoltura semi-material se le llama Peri-Espíritu.

La constituye un cuerpo etéreo, invisible para nosotros en estado normal. Puede hacerse visible accidentalmente, y hasta tangible como sucede en el fenómeno de las apariciones de "fantasmas".

Para entender lo que es el Peri-Espíritu imagínate que es un vestido que te pones dependiendo del lugar al que vas. De igual manera, el espíritu se viste con una especie de envoltura muy sutil y ligera que, a diferencia del cuerpo físico, no pesa ni aprisiona y le permite trasladarse a donde quiera cuando no está aprisionada por el cuerpo físico.

Esta sustancia que envuelve al espíritu es muy vaporosa para nuestros ojos físicos y por ello no podemos verla. Sin embargo, algunas personas aseguran poder ver el "aura" la cual es en realidad nuestra envoltura espiritual. El Peri-Espíritu es el lazo que une el espíritu a la materia del cuerpo.

Nuestro espíritu tiene un fluido que le es propio y que toma del Fluido Universal del planeta. Cuando nuestro espíritu se traslada a otros mundos, éste cambia de envoltura de la misma manera en que nosotros cambiamos de ropa cuando estamos encarnados. Es por eso que cuando alguna persona habla de que "vio un fantasma", usualmente lo ve con las mismas características físicas que, cuando estaba encarnada en la tierra tenía.

El Peri-Espíritu se va modificando conforme vamos avanzando en nuestra evolución en nuestro camino hacia la perfección. Pudiera decirse que es la quinta esencia de la materia. Es el principio de la vida orgánica; pero no el de la intelectual, ya que ésta reside en el espíritu.

Es, por otra parte, el agente de las sensaciones externas. Semejantes sensaciones están localizadas en el cuerpo y en los órganos que les sirven de conductos. Esto lo hablaremos más adelante cuando analicemos lo que pasa cuando el cuerpo muere y pasamos al plano sublime.

La Reencarnación
Una Nueva Oportunidad)

Nicodemo le preguntó a Jesús: "*¿Señor, qué es preciso que yo haga para poder entrar en el Reino de Dios?*" Y Jesús contestó: "*Es preciso nacer de nuevo.*"

Desde hace ya muchos siglos, grandes filósofos Hindúes y Egipcios nos hablaron sobre la transmigración de las almas, la inmortalidad del alma, la reencarnación y la pluralidad de existencias.

Más tarde, también lo hizo Pitágoras en su Metempsícosis. Y hace dos mil años nos lo vino a enseñar el Divino Maestro Jesús cuando nos dijo: "*Lo que ha nacido de la carne, carne es: mas lo que ha nacido del espíritu, es espíritu. Por tanto, no extrañes que te haya dicho: os es preciso nacer otra vez.*"

¿Qué es la Reencarnación?

Es el renacimiento del Espíritu en el plano físico. Allan Kardec utiliza el término Pluralidad de Existencias para definirla mejor. Se basa en la inmortalidad del alma y su constante evolución a través de milenios de existencia.

51

¿Por qué reencarnamos? ¿Has pensado cuán injusto sería tener tan sólo unos cuantos años para existir, desarrollarnos, amar y ser amados, luchar por ser mejores y que todo este trabajo termine abruptamente con la muerte?

¿Dónde quedaría la justicia de Dios si así fuera?

La Ley de Reencarnación es la única que corresponde a la idea que los seres humanos tenemos de Dios. Nos ofrece la oportunidad de reparar nuestras faltas con nuevas oportunidades, alcanzar la felicidad, aprender de nuestros errores y mejorar en todos los aspectos de nuestras vidas.

¿De qué serviría esforzarnos tanto en una vida por estudiar, trabajar y alcanzar un mejor nivel espiritual si éste fuera a perderse junto con la destrucción del cuerpo?

Imagínate lo injusto que sería para una persona a quien la vida ha golpeado y le ha hecho vivir en circunstancias de dolor, enfermedades y carencias, que su vida termine así como así sin permitirle disfrutar los frutos de tantos sacrificios.

La vida del Espíritu presenta las mismas fases que observamos en la vida corporal. Pasa gradualmente de la concepción al estado embrionario, de ahí al de infancia, luego al de la adolescencia y así sucesivamente continúa recorriendo periodos evolutivos hasta alcanzar el período donde llega a ser adulto y alcanza la perfección.

Sólo que, a diferencia de la evolución de nuestro cuerpo en una sola vida, esto no sucede en una sola etapa terrena, sino que acontece en diferentes encarnaciones y lugares conforme vayamos avanzando en nuestro camino evolutivo.

Nuestro ser no cambia, tan sólo cambia el "vehículo". Es decir, nuestra alma es inmortal y guarda cada una de las experiencias de vidas pasadas.

Estas experiencias quedan escritas en el "Libro de la Vida" y sólo nosotros con nuestros actos, podemos escribir en ese libro donde nada se borra, pero todo es modificable.

52

Niños Prodigio
(Memoria Espiritual)

¿Alguna vez te has preguntado cómo es posible que existan "Niños Prodigio" capaces de competir con maestría y sobrepasar los talentos de adultos que han dedicado sus vidas al desarrollo del arte y la ciencia? A continuación te daré algunos ejemplos:

- Wolfgang Amadeus Mozart tocaba el piano desde los 3 años y compuso su primera sinfonía cuando tenía 5 años.

- Pablo Picasso pintaba excelentemente desde los 4 años de edad.

- Howard Phillips Lovecraft era capaz de recitar poesía a los 2 años de edad.

- William James Sidis leía desde los 18 meses de nacido y para cuando tenía 7 años ya había escrito 4 libros y hablaba 8 idiomas. Dio una conferencia en Harvard a los 9 años y empezó a estudiar en esa universidad a los 11.

- Michael Kearney hablaba desde los 4 meses de edad (¡Sí, cuatro meses!) y entró a la universidad a los 6 años.

- Alexandra Nechita pintaba desde los 2 años y dio su primera exhibición a los 8 años.

- Tathagat Avatar Tulsi era conocido como la "calculadora mental" a los 6 años de edad y terminó la Preparatoria a los 9. Para los 12 años, tenía ya una Maestría en Ciencias.

- Akrit Jaiswal hizo su primera operación quirúrgica a los 7 años. A los 11 años ya estudiaba en la Universidad para convertirse en Médico a pesar de que para muchos ya era todo un maestro en Medicina.

Estos son tan sólo unos cuantos ejemplos de los millones de personas capaces de ejecutar, desde muy jóvenes, algo con excelencia, ya sea en el medio de la ciencia, la filosofía o el arte.

¿Por qué crees que tantas personas son capaces de semejantes talentos a tan corta edad?

53

Si usamos tan solo la más pura y elemental lógica, llegaremos a la conclusión de que deben haber aprendido todo aquello que saben.

Pero ¿cuándo aprendieron semejantes talentos si apenas tienen pocos meses o años de haber nacido?

Creo que ya tienes la respuesta... Lo aprendieron antes de nacer.

¿Antes de nacer? Probablemente te preguntarás: ¿Cómo se puede aprender algo antes de nacer si no existíamos?

La respuesta es simple: Sí existíamos, y hemos existido por muchísimo tiempo antes de nacer de nuevo en este cuerpo.

No sólo existías antes de nacer, sino que ya en otros tiempos has tenido cuerpos diferentes en este planeta, en los cuales has aprendido y vivido innumerables experiencias que han hecho que seas quien hoy eres.

Lógica y Justicia de la Reencarnación
(Misericordia Divina)

Así como un buen padre deja siempre a sus hijos una puerta abierta al arrepentimiento, del mismo modo Dios nos ha dado la reencarnación como un medio para aprender de nuestros errores y mejorar en todos sentidos.

De esta manera, tenemos la oportunidad no sólo de aprender y mejorar, sino también de reparar nuestros errores y "saldar" cuentas dejadas en el pasado a veces remoto.

Hemos dicho que nuestro proceso es siempre hacia delante, y la forma de hacerlo es por medio de las pruebas de la vida corporal. La Justicia Divina nos permite seguir, por medio de nuevas existencias, lo que no hemos podido hacer o terminar en la prueba anterior.

Sería sólo digno de un Dios injusto castigar a sus hijos eternamente con pruebas difíciles como las que vemos todos los días a nuestro alrededor. ¿Te imaginas?

54

Si nuestra suerte fuera permanentemente decidida después de la muerte del cuerpo, significaría que Dios no es imparcial. Eso es imposible ya que Él es todo bondad, amor y misericordia.

La reencarnación es la única explicación racional a nuestro porvenir y a nuestras esperanzas de alcanzar paz y felicidad cada vez mayores.

La reencarnación nos proporciona los medios para reparar nuestras faltas a través de pruebas particulares. Es un consuelo para aquellos que se encuentran en situaciones difíciles.

¿Cuántas veces hemos escuchado a alguna persona mayor, que al acercarse al final de su vida, se queja de no haber adquirido antes la experiencia que ahora tiene? "Si hubiera sabido lo que ahora sé cuando era joven, hubiera cometido mucho menos errores y otra sería mi vida" dicen frecuentemente.

Pues déjame decirte que esta experiencia adquirida, aunque sea al final de la vida corporal, será empleada con provecho en la siguiente.

¿Qué maravilla no?

Pruebas de la Reencarnación
(Toda Causa Tiene un Efecto)

La reencarnación no es ninguna teoría perteneciente al llamado "New Age". La reencarnación es una verdad probada científicamente desde hace muchísimo tiempo.

Forma parte de las creencias de gran parte de las religiones, doctrinas, filosofías y corrientes de pensamiento desde tiempos inmemoriales y explica el por qué de gran parte de nuestras interrogantes.

En algunos de los libros sagrados más importantes de la historia del ser humano, podemos encontrar alusiones a la reencarnación.

Algunos de ellos son: La Biblia, el Bhagavad Gita, el Libro Tibetano de Los Muertos, el Zohar, el Libro Egipcio de Los Muertos, el Libro Hindú de Los Muertos, el Evangelio Según el Espiritismo, el Libro de Los Espíritus, el Libro de Oghman y el Tao Te King sólo por nombrar algunos.

En la Biblia podemos encontrar algunos ejemplos representativos en gran cantidad de textos donde se hace alusión a la reencarnación.

1. Jesús dice con respecto a la identidad de Juan el Bautista: *"Y si estáis dispuestos a aceptarlo, él* (Juan el Bautista) *es el Elías quien estaba por llegar."*

En el mismo Evangelio, al contestarle a los apóstoles acerca de la llegada de Elías, Jesús les dice: *"Pero yo les digo, Elías ha venido ya, y ellos no le reconocieron, pero le han hecho todo lo que han querido. En la misma forma que el Hijo del Hombre va a sufrir en sus manos."*

El comentario añade: *"Entonces los discípulos entendieron que Él estaba hablando de Juan el Bautista."*

Mateo 1:14 y 17:12-13.

2. *"¿Quién pecó, este hombre o sus padres, que ha nacido ciego?"* Aquí es obvio que la posibilidad de que este hombre hubiera nacido ciego como resultado de haber pecado, sólo podría ser posible si lo hubiera hecho antes de nacer y por consiguiente, reencarnar de nuevo.

Juan 9:2.

3. Nicodemo le preguntó a Jesús: *"Señor, ¿qué es preciso que yo haga para poder entrar en el Reino de Dios?"* Y el Divino Maestro le contestó: *"Es preciso nacer de nuevo..."* Con esto Jesús confirma la necesidad de avanzar en nuestra evolución para alcanzar la felicidad.

Juan 3:3.

4. Escuchamos al apóstol Jaime hablar sobre *"la rueda de la naturaleza."* Esta *"rueda"* es también conocida como *"el ciclo de la naturaleza."* Es el equivalente al ciclo de reencarnaciones sin fin que afirman las religiones orientales.

Jaime 3:6.

5. *"El hombre cosecha aquello que siembra."* Este es el clásico ejemplo de Karma y Samsara que en la Biblia es representado por el apóstol Pablo cuando dice: *"No os dejéis engañar: Dios no puede ser burlado."*

El hombre cosecha aquello que siembra". Esto representa las consecuencias que hemos de enfrentar en el futuro conforme a nuestros
actos. Este *"futuro"* sucederá no sólo en la vida presente, sino en vidas
futuras.

Gálatas 6: 7.

6. Platón escribió en *"Fedro"*: *"Cuando el alma celestial no puede seguir,
y falla en apegarse a la verdad, entonces la ley ordena que su alma,
después de su primer nacimiento pase, no a otro animal, sino solamente a un hombre; y el alma que haya sido mas leal a la verdad,
deberá volver como filósofo, artista o como hombre de naturaleza
musical o amorosa."*

En el mismo trabajo, Platón asegura que *"diez mil años pasarán antes
que el alma de cada uno pueda volver al lugar de donde ha venido."*

7. En el Sagrado Corán, podemos encontrar: *"Y Allah causó que fueras
generado de la Tierra como una planta; de ahí Él te devolverá a la
Tierra de nuevo, y te traerá otra vez para recomenzar."*

También: *"Dios genera seres, y los envía de vuelta una y otra vez,
hasta que regresen a Él."*

8. En un papiro egipcio fue escrito hace 5,000 años: *"Antes de nacer,
el bebé ya vivió y la muerte no es el fin. La vida es un evento que
pasa como un día solar que renace."*

A continuación tan sólo algunos de los más importantes personajes
a través de la historia que han creído en la reencarnación:

• Jesús	• Sir Walter Raleigh
• Moisés	• Madame Helena Blavatsky
• Ghandi	• François Voltaire
• Dalai Lama	• Cícero

• Krishna	• Federico Nietzsche
• Buddha	• Wolfgang Amadeus Mozart
• Leonardo Da Vinci	• Platón
• Benjamín Franklin	• Johann Wolfgang von Goethe
• Julio César	• Marcus Aurelius
• Carl G. Jung	• Anatole France
• Gibrán Jalil Gibrán	• Federico El Grande
• Mark Twain	• Benedicto De Spinoza
• Ralph Waldo Emerson	• Pitágoras
• General George Patton	• Leon Tolstoy
• Henry David Thoreau	• Tomás Edison
• Thomas Huxley	• Victor Hugo

La reencarnación es una ley tan natural como nacer, vivir o morir. Nada sucede por casualidad, sólo por causalidad. Toda causa tiene un efecto.

Si sabemos que Dios es justo, sólo la reencarnación puede explicar las diferencias económicas, sociales, físicas o morales entre los seres humanos. Solamente ella es compatible con el concepto de evolución evidente en la Naturaleza.

Es la reencarnación la que le da sentido a la existencia humana y es también la única explicación racional para el famoso Déjà Vu, que veremos más adelante con detalle.

Por otra parte, la hipótesis de que tengamos tan sólo una única vida es enteramente incompatible con la admirable perfección existente en el universo. La idea de que después de la muerte del cuerpo nuestras individualidades se pierdan en un grande "nada" es insostenible.

Inclusive, la ciencia ha descubierto hace muchísimo tiempo que "nada se crea, nada se pierde, todo se transforma".

Si aceptamos esta maravillosa verdad, podremos comprender de dónde viene nuestra verdadera esencia y por qué somos, sentimos y nos comportamos de la forma en que lo hacemos. Así también podremos entender la razón por la cual pasamos por ciertas situaciones y circunstancias a lo largo de nuestras vidas.

En este momento estás finalmente abriendo la puerta a una nueva existencia. Tienes en tus manos la llave que abre la puerta a tu paz interior y a la felicidad actual y futura.

Vas a darte cuenta de la razón por la cual algunas personas, cuando apenas las conoces, te caen bien o te caen mal sin razón aparente.

Entenderás el por qué algunas personas parecen haber nacido con una "buena estrella" y la suerte parece siempre favorecerles, y por qué algunas otras pasan por tantas dificultades a lo largo de sus vidas.

Vas a darle sentido a una gran cantidad de los sueños que has tenido cuando duermes y que a veces te afectan de una u otra forma.

Verás que nada es una casualidad, sino una causalidad regida por la ley de Causa y Efecto, también conocida como la Ley del Karma. Podrás ver que la felicidad realmente existe y comprobarás que tienes la capacidad para lograrla.

Recuperarás la esperanza y la fe que parecían haberse perdido en alguna parte del camino y podrás ayudar a otros a seguirte en el camino a la luz.

Tan sólo tienes que modificar algunas cosas en tu vida, cosas que aunque hasta ahora no te has dado cuenta, te molestan en lo íntimo del corazón. De esta forma serás capaz de seguir el camino trazado desde hace tiempo y podrás conquistar las metas que están reservadas especialmente para ti.

Sigue conmigo y continúa leyendo. Conforme avances en tu lectura, verás y reconocerás muchas cosas de tu vida pasada y presente.

¿Un Paso Atrás? ¡Ni para Coger Impulso!
(Evolución, Jamás Retrogradación)

La reencarnación es siempre evolutiva, es decir, que siempre estaremos avanzando hacia delante y jamás podremos volver atrás. Hay gente que cree que puede reencarnar en un animal.

Eso es imposible porque iría en contra de la Ley de Evolución, (que estudiaremos más adelante) la cual nos dice que cuando tomamos el camino de ascenso espiritual siempre avanzamos. Podemos detenernos, pero jamás retroceder. Esa es la ley.

La Ley Natural nos explica lo que Dios quiere de nosotros y las consecuencias de apartarse de Sus mandatos. Nos dice que el hombre debe ser feliz y que Él nos da todo lo necesario para lograrlo.

Habla de la justicia de las diversas encarnaciones del hombre como consecuencia de este principio. Porque con cada nueva existencia, su inteligencia está más desarrollada y tiene mejor entendimiento sobre la diferencia entre lo bueno y lo malo.

¿Imagínate si tuviéramos que aprender todo en tan sólo una encarnación? ¡Sería imposible! Serían terribles los resultados para aquellos que todos los días mueren en la oscuridad de la ignorancia, en estado salvaje o en el pozo del sub-desarrollo intelectual.

Sólo por medio de la posibilidad de volver a esta "escuela de vida" es que podemos ilustrarnos, prepararnos y ser cada vez mejores. De esta forma, es que avanzamos con pasos lentos pero firmes en el camino hacia nuestra felicidad y paz interior.

¿Seguimos?

CAPÍTULO 3

¿QUÉ PERSONAJE INTERPRETAS EN ESTA NOVELA?
(Tu Encarnación Presente)

¿Cuál Es Tu Personaje?
(Tan Sólo Cambia El Vestuario)

En una ocasión en que estaba de compras, una mujer se me acercó con cara de pocos amigos y de manera muy airada empezó a reclamarme que "cómo me había atrevido a engañar así a Valeria justo antes de nuestra boda".

Las personas que iban conmigo no entendían si se trataba de una loca o si en realidad era yo uno de esos canallas que tienen una "vida oculta" pero por la forma en que me miraron, pude adivinar que la segunda opción era la ganadora.

Sin siquiera darme tiempo para responder nada, la airada señora inmediatamente me dijo: "nada mas te perdono porque estas re guapote! ¿Me puedo tomar una foto contigo?"

En ese momento, y por si mi vergüenza no fuera suficiente, se me acercó la mujer, me dio tremendo abrazo y me plantó tremendo beso en la mejilla para luego tomarme firmemente del brazo y decirle con autoridad a su marido: "¡Ándale Pepe, toma la foto! Que no ves que el señor es un artista y está ocupado."

Como pude, conseguí arreglar una sonrisa que más bien parecía mueca de Cepillín (el payaso) y en pocos instantes pude librarme del agarre de luchador de la simpática señora.

No sin antes prometerles que iría a comer al pequeño restaurante de su familia, y le firme autógrafos para ellos, sus vecinos "que se van

61

a morir de la envidia cuando vean las fotos" y la "Tía Rosa que le encantan tus novelas". También tuve que tomarme fotos con los hijos, la nuera, los nietos y hasta el pobre marido antes de poder escaparme de ahí .

Las personas que me acompañaban se morían de risa y con una mirada de "pobrecito de ti" me dijeron: "Qué se siente ser tan famoso eh?" Lo que les contesté no puedo ponerlo aquí pero ya te imaginarás que no fue nada bueno...

Así como la señora de la historia me identificaba con el malvado "Miguel Valdéz" de la novela "Tierra de Pasiones", a pesar de que ya en ese entonces estaba yo haciendo otra novela, de igual manera tú vives en este momento una identidad que no necesariamente ha sido tu esencia desde siempre.

Recuerda que el alma es inmortal y son sólo tus vestiduras físicas las que cambian cuando vuelves a nacer. Es igual que un actor cuando cambia de apariencia para protagonizar otro papel. Aunque así como nosotros los actores podemos cambiar de apariencia, hay algo que siempre es igual: Nuestra esencia.

Tú puedes ver a los mejores actores del mundo hacer personajes totalmente opuestos entre sí. Pero siempre sabrás quién es la persona detrás del personaje ya que la humanidad que existe debajo del maquillaje y vestuario es algo que no se puede disfrazar.

¿Recuerdas aquella frase que dice: "Los ojos son el espejo del alma"? Pues es verdad. Tu alma siempre será la misma independientemente del cuerpo que vengas a usar en una nueva encarnación.

¿Qué Hacemos Aquí?
(Nuestro Planeta y Sus Retos)

Nuestro planeta fue creado para que los seres humanos pudiéramos aprender, ascender en nuestra particular escala evolutiva y así llegar a graduarnos de esta "escuela de vida" que es el planeta Tierra. Y así al graduarnos, poder lograr vivir como espíritus puros en otro lugar.

62

Existen diferentes tipos de planetas en el universo. A la Tierra se le ha llamado "Planeta de Pruebas y Expiaciones". Esto significa que es un planeta-escuela donde hemos estado viniendo y reencarnando por millones de años, en los cuales hemos evolucionado hasta llegar a ser los hombres y mujeres que somos el día de hoy.

Pero, ¿Por qué tantas "Pruebas", te preguntarás? En la escuela cursaste los grados preescolares, seguiste con los primarios, y así sucesivamente hasta llegar a graduarte e incluso hacer Maestrías y Doctorados.

De igual manera, en la "Escuela de la Vida" estás para aprender las lecciones que te permitirán alcanzar la cima de la montaña donde se encuentra ese lugar que algunos llaman "Paraíso" – lugar donde podrás vivir en paz, libre de dolor, angustias y donde podrás respirar una verdadera existencia de amor, armonía y felicidad.

Pero como todo en la vida, ningún tesoro se consigue fácilmente. Hay que prepararse, aprender y pasar las pruebas que nos harán posible semejante conquista.

Ahora bien, ¿recuerdas que mencioné que este planeta es uno de Pruebas y Expiaciones?

Bueno pues te cuento que además de las pruebas que hay que pasar, también tenemos que reparar las faltas que hayamos cometido en el pasado porque sólo así será posible avanzar en este camino de luz.

Es importante que nos quitemos de la mente el concepto de "pagar" que es incorrecto. No venimos a este planeta ni a pagar ni a sufrir. A lo que venimos es a aprender y a reparar.

¿Ves la diferencia?

La ventaja de todo esto es que:

1. Aquí vas a aprender la fórmula para lograrlo.

2. Yo te voy a dar el mapa que te llevará a tu destino glorioso.

El Libre Albedrío
(Libertad Para Elegir)

Dios nos ha regalado una de las facultades más importantes para nuestra evolución y éxito en el transcurso de las pruebas que hemos de enfrentar - El Libre Albedrio.

El libre albedrío es la facultad que Dios nos ha otorgado para decidir sobre nuestros actos, pensamientos y emociones. Se desarrolla a medida que el espíritu toma consciencia de sí mismo.

Es un regalo que, si bien nos permite ser libres a la hora de tomar decisiones, también es una gravísima responsabilidad ya que son nuestras decisiones las que definen las pruebas que después habremos de pasar y las situaciones que deberemos reparar.

Aunque los sufrimientos de la tierra son a veces independientes de nosotros, en muchas ocasiones son consecuencia de nuestra voluntad. Si pudieras recordar, te darías cuenta de que la mayoría de las veces que has hecho algo de lo cual después te arrepientes, es porque hiciste algo cuyas consecuencias negativas hubieras podido evitar.

¿Cuántos males, enfermedades o sufrimientos debemos a nuestros excesos? Nuestra ambición, nuestras acciones y las decisiones que hemos tomado, influenciados por el deseo de dar placer al cuerpo físico son, en gran medida, responsables de que no hayamos llegado todavía a ese lugar de paz y felicidad al que tanto aspiramos.

¿Pero, cómo hacerlo?

¿Cómo dominar nuestros instintos y el bagaje cultural que tenemos desde nuestra más tierna infancia?

Primero que nada debemos comenzar a "cerrar" los receptores de nuestro ser que reciben toda clase de ataques de la publicidad, que cada minuto del día nos tratan de convencer de que estamos perdiéndonos de placeres maravillosos si no compramos, consumimos, usamos, sentimos y experimentamos todo aquello que nos quieren vender.

No nos damos cuenta de que Dios nos ha dado ya todo aquello que realmente necesitamos para vivir felices y en absoluta abundancia.

¿Alguna vez has visto a un monje de elevado nivel espiritual quejarse de no tener el último modelo de algún aparato electrónico? ¿Y sabes por qué no? Porque ellos han aprendido a no llenar sus carencias con cosas materiales.

Vivimos constantemente quejándonos de aquello que no tenemos y sin lo cual no podremos ser felices. Nos pasamos la vida esperando conseguir alguna cosa en particular para poder ser felices.

"Cuando me case, voy a ser muy feliz."

"Cuando me aumenten el sueldo, voy a vivir como me gusta."

"Cuando me saque la lotería, mis problemas se van a acabar."

"Cuando consiga el ascenso que quiero, voy a hacer lo que siempre he querido."

"Cuando me jubile, ahí sí que podré disfrutar de la vida."

"Cuando tenga un hijo, mi vida va a ser maravillosa."

¿Te suenan estas afirmaciones? ¿Las hemos escuchado en todas partes, no? ¿Serías capaz de enfrentarte al espejo y aceptar que también has sido víctima de este fenómeno?

Las carencias de nuestro desbalance espiritual, nos hacen creer que necesitamos "algo" para ser felices cuando en realidad sucede todo lo contrario. Mientras más tenemos, más insatisfechos nos sentimos. Es momento de cambiar la tradición de nuestra raza humana.

Vivimos demasiado apegados a la materia. Le damos mucha más importancia al cuerpo físico que a nuestro espíritu. Es por eso que comienzan a ocurrir las desgracias. Muchas de nuestras angustias, frustraciones y miedos se evitarían si aprendiéramos a apreciar lo que verdaderamente tiene valor.

Pasamos la vida trabajando para tener dinero y perdemos la salud y la paz en el intento. Después nos dedicamos a perder ese mismo dinero y la paz aparente (porque nunca fue real) para recuperar la salud, a veces sin conseguirlo por ser demasiado tarde.

Tienes el poder que el libre albedrío te otorga y la oportunidad de elegir hacer o dejar de hacer. En este libro te daré las herramientas para dominar tus pasiones animales, para transmutar el odio, la envidia, los celos, vanidad y el orgullo por amor, compasión, entendimiento, caridad y perdón.

Pero para ello tienes que hacer tu parte y comprometerte conmigo a seguir el camino de la luz. Yo te aseguro que lo que vivirás será el milagro más maravilloso que hubieras podido imaginar.

¿Pruebas? ¿O Expiaciones?
(Ley de Justicia)

Hemos nacido para ser cada día mejores. Somos seres en quienes ha sido plantada la semilla de la felicidad y está en nosotros hacerla germinar. Para ello, Dios nos concede la posibilidad de tener varias oportunidades (encarnaciones), en las cuales aprendemos, ayudamos a otros a aprender sus lecciones y somos partícipes de la evolución general de nuestros hermanos.

Ensayamos y acertamos pero también nos equivocamos. Pasamos así por diferentes experiencias que dan origen a que en el futuro tengamos que pasar o expiar (reparar) ciertas pruebas. Es exactamente igual que en nuestro entorno físico. Si cometemos un error, debemos repararlo ¿no?

De igual manera aprendemos cosas para después pasar por pruebas para ver si hemos comprendido las lecciones a cabalidad. Si no fuera así, no podríamos realmente aprender nada.

Imagínate ir a la escuela y no tener ni pruebas ni exámenes de ningún tipo. ¿Cómo sabríamos si hemos aprendido algo?

La buena noticia es que Dios nos permite participar en la elección de estas pruebas y cómo hemos de intentar pasarlas. Sin duda alguna, la elección de nuestras pruebas está condicionada a la madurez espiritual que tengamos.

Por tanto, a mayor progreso y estado de evolución moral y espiritual, mayor será nuestra capacidad y libertad de elección. Además, no olvidemos que a toda acción corresponde una reacción. Es decir, nuestra cosecha dependerá de lo que sembremos.

¿Qué son las "pruebas"?

Son cualquier experiencia que nos sirve de desafío o que puede servir para probar nuestro avance evolutivo.

¿Qué son las "expiaciones"?

Son cualquier experiencia que tenemos que vivir para reparar algún error o actitud equivocada del pasado. Toda expiación acaba siendo una prueba. Pero no necesariamente todas las pruebas terminan siendo una expiación.

Las pruebas y las expiaciones pueden ser de cualquier tipo. Algunas pueden ser más "engañosas" que otras. Por ejemplo, cuando vemos a una persona de gran belleza, aparente éxito profesional o riqueza material pensamos: ¡que suerte tiene! Pues déjame decirte que eso no es ninguna virtud o "regalo divino".

Es una prueba muy difícil de pasar ya que conlleva toda clase de tentaciones y riesgos de caer en defectos de carácter como la arrogancia, el orgullo, el desprecio por los demás, etc. Y este tipo de pruebas cuando no se pasan, nos obligan a volver en el otro extremo de las circunstancias.

Como ejemplo pongamos un político que en su vida anterior usó su poder para abusar de la gente en vez de servirles con honestidad y honor como era su deber.

Seguramente volverá sumergido en la más profunda pobreza y tendrá que "expiar" sus errores teniendo que pasar por pruebas en las cuales se verá obligado a soportar los abusos de personas como las que él fue en el pasado.

¿Qué pasará con alguien que viene con una determinada discapacidad física o mental? En esos casos, usualmente sucede que el órgano afectado es el mismo o similar a aquel que la persona dañó en su existencia anterior. Puede ser que haya lastimado a otra persona o a sí mismo como en el caso del suicidio.

En el caso de los suicidas, que es el peor acto que una persona puede cometer junto con el asesinato, no sólo las pruebas comenzarán a partir de que ocurra la desencarnación (muerte) de la persona en el mundo espiritual.

También habrán grandes probabilidades de que este espíritu reencarne con afectaciones físicas de aquel órgano que haya destruido en su afán por perder la vida.

Ejemplos como estos hay miles y muy variados, y todos ellos están apegados a la Ley de Causa y Efecto. En la Biblia podemos encontrar la frase "ojo por ojo, diente por diente." Esto se refiere a la forma en que pagamos nuestras deudas a través de nuestras existencias pasando por las pruebas necesarias para continuar nuestro camino evolutivo.

Toda experiencia de aprendizaje requiere desafíos. Algunos son de origen desconocido por ser parte de nuestro pasado espiritual. Otros son obvios ya que son consecuencia de nuestros actos en esta vida. Algunos más son necesarios para reforzar lo que hemos aprendido.

El nivel espiritual en el cual nos encontramos, todavía necesitamos de estas pruebas y muchas de ellas son en la esfera material.

Aquellos espíritus evolucionados que ya están en esferas más elevadas, no necesitan pasar más por este tipo de pruebas ya que han aprendido sus lecciones y han salido triunfantes de los "exámenes" en cada etapa de su evolución. Ellos han pasado por donde nosotros estamos dejando a su paso ejemplos de progreso y claves que nos ayudarán a salir adelante en nuestro camino.

No olvidemos que el objetivo de nuestras pruebas y tribulaciones es aprender. Es necesario que nos concentremos en adquirir más conocimientos y nos esforcemos por ser mejores en todos sentidos.

¿Será que sabemos lo que nos espera cuando nacemos? En parte sí. Pero al igual que cuando estamos por emprender un viaje, sabemos a dónde vamos, lo que hemos empacado y lo que queremos, pero no tenemos idea de cómo se desarrollarán los acontecimientos ni los detalles a lo largo del viaje.

Sólo aquellos espíritus en alto grado de evolución pueden ver su futuro tal cual nosotros podríamos ver el paisaje desde lo alto de una montaña.

No es importante saber si nuestras pruebas son efecto de algo que sucedió en el pasado remoto o en esta vida, ya que no nos es permitido saberlo. Lo importante es que aprovechemos cada desafío para nuestra mejoría espiritual.

Tu vida está llena de oportunidades de crecer y hacer el bien. No las desaproveches porque corres el riesgo de no volver a tener una oportunidad igual en mucho tiempo.

Recuerda, cada situación que te haga sufrir, cada dolor en tu vida y cada pérdida, son oportunidades que la vida te da para aprender y ser mejor.

A nadie nos gusta sufrir. No te pido que disfrutes del sufrimiento. Pero sí enfréntalo con alegría y con la calma que te dará saber que Dios no te abandona nunca y siempre estará a tu lado aunque en el momento de la tormenta no seas capaz de encontrarle sentido a ello.

Es parte de nuestra naturaleza revelarnos contra el cielo ante la desgracia. No es fácil enfrentar las tragedias ni los problemas con una sonrisa en la cara, pero puedes comenzar a aprender cómo hacerlo con una sonrisa en el corazón.

Dios es justo. Nos ha dado la libertad y la responsabilidad para decidir sobre nuestros actos y pensamientos (libre albedrío).

Dependerá de tu capacidad para enfrentar tus pruebas, la velocidad con la cual te veas en lo alto de la montaña admirando el paisaje sobre un manto de paz y amor...

Este es el inicio del resto de tu vida. El pasado solo importa para aprender de él, pero no para lamentarnos por aquello que quedó atrás. Estás adquiriendo el conocimiento para lograr tus sueños y objetivos, pasar tus pruebas exitosamente y alcanzar la felicidad que tanto anhelas.

Empieza ya y no esperes a que las condiciones sean aparentemente perfectas. Las condiciones son perfectas desde el momento en que sabes lo que debes hacer.

¿Qué Yo Escogí Qué?
(Elección de Nuestras Pruebas y Expiaciones)

Recuerdo que cuando era niño hubo una época en que me tenían que inyectar una medicina que en mis borrosos recuerdos era algo así como un remedio para unos dolores musculares tipo reuma que me daban.

Los dramas que yo armaba antes de cada inyección hubieran hecho parecer simplona a la más melodramática de las protagonistas de novela en comparación. Mi pobre madre me tenía que perseguir por toda la casa con la jeringa en la mano.

Yo no sé si alguna vez habrás visto una de esas jeringas de acero inoxidable que se tenían que hervir en la estufa antes de ser usadas, pero parecían sacadas de una película de horror y eran capaces de convencer al niño más travieso de convertirse en monaguillo de iglesia.

¿Alguna vez has escuchado que un niño le pida a sus padres que le pongan una inyección porque sabe que es bueno para él? ¿No, verdad? Bueno, pues afortunadamente en el mundo espiritual las cosas funcionan de manera diferente.

Nosotros somos quienes, en la mayoría de los casos, escogemos las pruebas que habremos de intentar pasar ya que conocemos que del resultado de las mismas, dependerá nuestro avance y felicidad futuras.

Durante nuestro paso por la tierra, a menudo nos contaminamos por la influencia de las ideas materiales. Podría parecerte absurdo que alguien elija una prueba difícil.

Esto es porque te estás concentrando en el aspecto penoso de las pruebas, y te parecería natural elegir sólo aquellas que, a tu modo de ver actual estuvieran ligadas a placeres materiales y abundancia económica. Pero en el mundo espiritual compararías esos goces pasajeros y materiales con la permanente felicidad que vislumbras en tu futuro espiritual.

Cuando estamos libres del cuerpo físico y en compañía de nuestros hermanos iluminados, vemos las cosas desde otro ángulo. Los intereses egoístas a los cuales estamos acostumbrados en nuestra permanencia pasajera en la tierra se tornan otros muy diferentes. Cuando hemos pasado ya por la experiencia de volver a nuestra patria espiritual y estamos listos para reencarnar, estamos mucho más conscientes de la necesidad de mejorarnos por medio de pruebas específicas que

habrán de hacer que dominemos aquellos defectos de nuestro carácter que aún necesitan ser "limpiados".

En ese estado, sabemos bien en dónde hemos fallado, qué necesitamos para mejorar y de qué manera podremos aprovechar una nueva existencia. De esta forma, al volver de nuevo al mundo espiritual, lo haremos siendo espíritus más elevados y de ese modo podremos acercarnos más a nuestra verdadera existencia de luz.

Por Qué a Veces Elegimos Pruebas Difíciles
(Planeando Tu Próxima Aventura)

Las pruebas que elegimos no siempre son simples o placenteras. Frecuentemente sucede que, un espíritu que ya ha sido esclarecido, haciendo uso de su libre albedrío, pida reencarnar pasando por alguna difícil prueba que le ayude a vencer algún defecto que tenga muy arraigado y que le haya impedido en el pasado avanzar en su evolución y pasar las pruebas que se había propuesto.

Recordemos que nada sucede sin el permiso de Dios. Él estableció todas las leyes que rigen el universo.

Cuando fracasamos en nuestro intento reencarnatorio, Dios nos permite volver al hogar espiritual, recuperarnos del paso por el umbral de la muerte y prepararnos para una nueva oportunidad reencarnatoria.

No es que podamos decidir hasta los últimos detalles de la vida que habremos de tener, pero podemos elegir el género de prueba. Los hechos secundarios son consecuencia de la posición donde nos encontremos debido a los merecimientos adquiridos y a nuestras propias acciones.

71

Por ejemplo, si alguien pide nacer entre gente de bajos y malvados instintos, sabe a qué peligros se expone. Sin embargo, no sabe cada uno de los actos que realizará, pues éstos son efecto de la voluntad y del libre albedrío.

El espíritu sabe que al elegir un determinado camino, habrá de pasar por una serie de pruebas generales, pero no sabe qué sucederá primero o qué sucederá después. Lo único que estará previsto, serán los acontecimientos generales que influirán en tu destino pero no los detalles de lo que habrá de suceder.

La buena noticia es que no tienes que esperar a morir para tener que prepararte y regresar al exilio del planeta y pasar por tus pruebas particulares. Al leer este libro, estás dando ya el primer paso para inclinar la balanza a tu favor y salir triunfante de tu paso por este planeta.

¿Y qué pasa con aquellos espíritus que aún están en un nivel inferior? A esos no se les da la oportunidad de elegir sus pruebas. Su incapacidad para hacerlo hace que Dios decida por ellos y los envíe con un guión de vida definido de acuerdo a sus posibilidades de éxito. Tales posibilidades estarán directamente relacionadas con su nivel de evolución, la pureza de su espíritu y sus capacidades particulares.

En las pruebas que a veces necesitamos vivir para llegar a la perfección, están las tentaciones. A veces elegimos circunstancias donde el orgullo, los celos, la avaricia y el sensualismo son elementos que nos hacen tambalear.

Por ejemplo, alguien puede pedir nacer en una familia millonaria con enormes riquezas. En ese proceso se verá enfrentado a dos tipos de resultados que definirán el triunfo o el fracaso de su nueva reencarnación:

Fracasos	Triunfos
Avaricia	Desprendimiento
Egoísmo	Generosidad
Sensualidad	Amor Desinteresado
Arrogancia	Humildad y Amor Desinteresado

Habrán otros que prefieran imponerse una vida de miseria y de privaciones para probar que pueden soportarlas con valor. Otros, como en el ejemplo anterior, pueden querer probarse con las tentaciones de la fortuna y el poder, mucho más peligrosos por el abuso y mal uso que puede hacerse y por las malas pasiones que engendran.

A veces es peor el hecho de no aliviar el dolor de alguien que sufre cuando tenemos el poder para hacerlo, que hacer un daño inconsciente debido a alguno de nuestros defectos.

No pienses que sólo aquellos que tienen misiones que cumplir están expuestos a caer. También aquellos que eligen no hacer nada, vivir una vida de ociosidad y pasar por el mundo sin oficio ni beneficio serán responsables del desperdicio de recursos que se les ha otorgado. Ellos habrán de reponer el tiempo perdido de una manera u otra.

A veces es peor el hecho de no aliviar el dolor de alguien que sufre cuando tenemos el poder para hacerlo, que hacer un daño inconsciente debido a alguno de nuestros defectos.

En resumen, la elección de nuestras pruebas es igual que lo que sucede en la tierra cuando nos preparamos durante años antes de elegir lo que haremos con nuestras vidas. A veces puede parecernos oscuro el valle de las sombras en el que algunas pruebas se encuentran.

Te aseguro que si sigues avanzando con el corazón lleno de alegría y esperanza, muy pronto llegarás a la cumbre del monte. Desde esta cumbre podrás descubrir el recorrido que has hecho y distinguirás claramente el camino que falta y que estoy seguro que te sorprenderás de ver que es mucho más corto de lo que te imaginabas.

¡Vamos! ¡Que esto se pone bueno!

¡Olvidé Mis Líneas!
(¿Por Qué No Recordamos Nuestras Existencias Previas?)

Hace muchos años, estaba yo trabajando en una obra de teatro llamada "Andrés, Ahí Viene El Tren" con un grupo de actores entre los cuales había varios sin mucha experiencia. Tuvimos poco tiempo para ensayar y para la noche del estreno muchos de ellos estaban que se morían de los nervios.

73

La obra comenzó a la hora planeada y todo iba bien hasta que el actor que interpretaba a "Andrés", y a quien le tocaba decir sus líneas, se quedó completamente callado. El resto de las acciones y la escena dependían de que él dijera lo que le tocaba decir, pero le dio un "blanco" en la mente. Esto, aunado a su falta de experiencia, hizo que los demás se pusieran aún más nerviosos.

Ante el silencio sepulcral y los murmullos que empezaron a escucharse en la sala, yo inicié una improvisación en la cual empecé a decirle al personaje del olvidadizo actor: "¿Te has quedado sin habla verdad? ¡Pero sé lo que estás pensando! No necesitas decirlo. ¡No! ¡Lo que tú quieres es que yo me vaya de aquí y los demás regresen al lugar de donde partieron!"

Esa última línea, "...regresen al lugar de donde partieron" era la línea que él había olvidado. Al oír esto inmediatamente volvió en sí y reinició sus parlamentos. De esa manera pudimos salvar la escena (y probablemente la función.)

A veces "olvidar nuestras líneas" puede ser te amos sobre nuestras existencias previas mientras estamos en una nueva vida. Nuestra mente "olvida" los detalles de las experiencias adquiridas en vidas anteriores.

Es cuando volvemos al mundo espiritual, ya sea al morir o durante los sueños, que tenemos acceso a toda la información referente a nuestro pasado.

Cuando estamos despiertos registramos conscientemente tan sólo lo que pasa por nuestros cinco sentidos conocidos - (tacto, olfato, gusto, audición y visión). Esa es una de las múltiples razones por las cuales no recordamos lo que sucede cuando dormimos.

¿Por qué olvidamos? Mucha gente se pregunta por qué es que no podemos recordar el pasado. Argumentan que sería más fácil todo si recordaran aquello que ya vivieron. Pero no es así. Dios ha sido suficientemente misericordioso para no permitirnos recordar esas experiencias.

Dios sabe que, por estar al principio de nuestra evolución espiritual, somos igual que los niños. No sabemos con certeza lo que queremos.

Hay cosas que por amor a nuestros hijos, y para evitar que sufran no permitimos que las conozcan. Les evitamos así, experiencias innecesarias. Lo mismo sucede con nosotros con respecto al olvido de nuestras experiencias pasadas. Así como un adulto que no recuerda los primeros pasos que dio al aprender a caminar, la experiencia de haber aprendido existe. Esa capacidad siempre se conserva en su memoria.

El objetivo primordial de nuestro regreso a la Tierra es, como hemos visto antes, seguir nuestro camino evolutivo. El paso por nuestras pruebas particulares y la reparación de nuestros errores es tan sólo parte del proceso. La "amnesia" en cuanto a las memorias sobre nuestras vidas anteriores es algo que funciona en beneficio para nosotros mismos.

El conocimiento es igual que la luz. Si es demasiado fuerte y nuestros ojos no están preparados, corremos el riesgo de quedar ciegos sin remedio. De igual manera, en nuestro pasado remoto existen experiencias muy dolorosas que ningún provecho podrían traernos a este momento de nuestra existencia en caso de que las recordáramos.

¿Alguna vez has vivido alguna tragedia, algún dolor ya sea físico o emocional, o algún acontecimiento traumático que quisieras con todas tus fuerzas poder olvidar?

¡Ahora imagínate si pudieras recordar cosas terribles de siglos de duración! Sería un castigo demasiado cruel. Tenemos la oportunidad de "comenzar de nuevo" con la cabeza fresca – de reiniciar nuestros esfuerzos creativos y ser felices sin el peso de las experiencias pasadas.

¿Te puedes imaginar lo que sería recordar un pasado donde hubieras sido un criminal, un asesino o alguien de la peor calaña? Imagínatelo que sería tu vida actual. ¡No habría terapia psicológica que pudiera ayudarte!

De igual manera, sería muy fácil caer en el orgullo y la arrogancia si pudiéramos recordar por ejemplo que fuimos grandes gobernantes, celebridades o personas de importancia social. Esto acabaría boicoteando cualquier esfuerzo actual por convertirnos en mejores personas y acabar con los defectos del pasado.

Imaginemos por un momento una persona que fue muy rica y abusó del poder y las riquezas teniendo esclavos y tratándolos con crueldad y sin compasión alguna. Probablemente en su encarnación siguiente,

75

tendrá que volver como alguien de un nivel socioeconómico muy bajo y estar bajo las órdenes de quienes en el pasado fueron sus víctimas. De esa manera tendrá oportunidad para reparar sus faltas.

¿Pero qué pasaría si esa persona recordara lo que hizo en el pasado? ¿Puedes imaginarte lo difícil que sería poder pasar por pruebas semejantes recordando todo el poder que antes tuvo? ¿Y qué me dices de quienes ahora están por encima de él?

¿No crees que podrían querer vengarse si recordaran lo que esa persona les hizo en el pasado? Sería una historia de nunca acabar y no existiría la verdadera oportunidad de salir exitoso de esta prueba para ninguno de los dos.

Cada vida que vivimos, tenemos la oportunidad de reparar las faltas que cometemos. Somos a menudo colocados frente a frente con las mismas personas y lugares donde tendremos la oportunidad de corregir nuestros errores, aprender de ellos y avanzar en nuestro camino a fin de no volver a cometerlos.

Es por eso que a veces sentimos como que ya hemos estado en cierto lugar o que conocemos a determinada persona cuando aparentemente no la hemos visto nunca.

Si recordáramos los detalles de nuestras existencias anteriores, tendríamos una ventaja injusta. Haríamos las cosas simplemente porque recordamos el error y no queremos volver a pasar por la misma experiencia, perdiendo así la oportunidad de mejorar nuestro carácter. No tendríamos ningún mérito con respecto a las actitudes que tomemos ante ciertas circunstancias. No podríamos evolucionar efectivamente.

Hemos sido bendecidos con la oportunidad de volver a "repetir el año" a fin de que podamos al final del curso, pasar el "examen final".

Afortunadamente ninguna de nuestras experiencias se pierde con el olvido momentáneo. Estas experiencias permanecen en los archivos del inconsciente el cual se encuentra guardado en la memoria espiritual que es inmortal.

El conjunto de todas las experiencias de milenios de existencia, componen nuestra particular personalidad, nuestras características, nuestras tendencias y aptitudes. La prueba está en esos pequeños pro-

76

digios que hemos visto con anterioridad. Siempre llevaremos en nuestro inconsciente el recuerdo de aquello que sea importante recordar, y que será traído a nuestra realidad diaria por medio de la Intuición cada vez que haga falta.

Existen tratamientos hipnóticos que nos permiten abrir estos "archivos" y recordar algunas cosas. Pero esto no debe hacerse ligeramente, ya que podemos encontrarnos con una caja de Pandora para cuyo contenido no estemos preparados en ese momento.

Para triunfar en esta encarnación, debemos olvidar aquello que fuimos e hicimos en el pasado. Recordemos que vivimos en un planeta donde existen aún millones de hermanos y hermanas en un estado evolutivo atrasado, comprometidos con el vicio y la irresponsabilidad.

¡Qué bendición poder disfrutar de la oportunidad de recomenzar frescos, suprimiendo temporalmente el pasado!

Simpatías y Antipatías Sin Motivo Aparente
(Tu Memoria Espiritual)

¿Cuántas veces has llegado a una un lugar y de inmediato sientes que alguien ahí no "te cae bien"? Al preguntarte a ti mismo por qué será que esa persona te causa antipatía, te respondes que debe por su "mala vibra" ¿no?

¿Y qué me dices de aquellas veces en que nos sucede totalmente lo contrario? Nos encontrarnos con una persona a la que no hemos visto nunca antes y sentimos una gran simpatía por ella. ¿Nunca te has preguntado por qué sientes eso?

Infinidad de veces pensarás que tal vez se trate de una atracción física. Otras pensarás que se trata de una afinidad "química". En realidad lo que sucede es que te has encontrado con alguien que probablemente formaba parte de tu vida en reencarnaciones pasadas.

Así como en esta vida tenemos familiares y amigos, también en vidas pasadas hemos tenido personas que han formado parte de nuestras existencias y a quienes recordamos en lo profundo de nuestra memoria espiritual. Estas personas algunas veces llegan a nuestras vidas (o nosotros a la de ellos) con algún motivo pre-determinado y forman parte de nuestro plan de vida. Otras, no se trata más que de una casualidad como cuando te encuentras en un banco o un supermercado con alguien que conoces.

Por ejemplo, dos personas que en una existencia anterior se han amado podrán sentirse atraídos instantáneamente en esta vida al reencontrarse. Sin embargo, no podrán reconocerse de la misma forma en que reconocemos a alguien a quien hemos dejado de ver por algunos años.

Quienes se ha amado sinceramente, siempre se sentirán atraídos y se buscarán entre la multitud.

Esto no quiere decir que siempre que sintamos afinidad con alguien a quien no conocíamos sea porque ya le conocíamos de antes. A veces se trata tan sólo de una afinidad de caracteres, gustos y estilo de vida. Otras veces, podrá deberse al magnetismo que una persona pueda ejercer sobre otra.

Pero no necesariamente querrá decir que el contacto con esa persona sea positivo para nosotros.

Siempre usa tu sentido común y no caigas en "para-normalismos" ni supersticiones al pensar que alguien está "destinado" a ser parte de tu historia personal sólo porque has sentido "algo" que te ha hecho sentir atracción hacia ella.

Sentir una antipatía instantánea por una persona a quien acabamos de conocer puede tener muy diversas causas. A veces, como ya hemos dicho, puede ser que tenemos algún problema con esa persona que no fue resuelto en el pasado y al verla, instintivamente sentimos un rechazo.

Pero esto no quiere decir que esa persona sea mala. A veces somos nosotros quienes hemos hecho algo que pueda haber originado el sentimiento de repulsión mutua o que haga que nos sintamos a la defensiva.

¿De Dónde Te Conozco?
(El Famoso Déjà Vu)

Hace muchos años tuve una experiencia singular. Desde muy niño me ha gustado muchísimo la música clásica. Tuve la fortuna de que mi madre, siempre me compraba colecciones de discos LP (en esa época no existían los CD's) de diferentes compositores clásicos. Así fue que desde mi tierna infancia, me fue posible comenzar a sentir el placer de la música de otros siglos.

Acababa yo de mudarme a una nueva casa en medio del bosque, en un lugar que se llama "El Desierto de los Leones" en la Ciudad de México. En esa época estaba yo pasando por pruebas existenciales difíciles. Esa mudanza era algo que me emocionaba porque simbolizaba para mí un nuevo comienzo.

Ese día, mientras organizaba mi nueva casa y sacaba mis discos de las cajas en las cuales los había transportado, descubrí por casualidad un disco de Tomaso Albinoni. El disco todavía estaba en su envoltura original y nunca lo había escuchado antes.

Recuerdo haberlo comprado por la curiosidad de conocer más sobre la música de los grandes maestros, ya que estaba más acostumbrado a los clásicos Beethoven, Mozart, Tchaikovsky, etc. Entonces decidí escucharlo.

Así, mientras continuaba organizando mis cosas, el disco llegó a una cierta melodía que, apenas inició, me hizo sentir como si un caballo me golpeara en el pecho.

Entré en una especie de shock, que ahora veo más como un trance. Sólo recuerdo que me quedé estático y que la emoción me embargó profundamente.

Conforme la escuchaba, empecé a llorar sin control mientras en mi mente aparecían imágenes cortadas de diferentes escenas sin aparente lógica. Cuando terminó la música, y conseguí calmarme, la volví a escuchar varias veces. Cada vez, me causaba el mismo efecto.

Ahí me di cuenta de que esa música era el detonador de algo que habitaba en mi memoria espiritual. Desde entonces se ha convertido en mi melodía preferida. A pesar de ser portadora de un gran dolor, es también vehículo creativo que me permite no sólo investigar mi pasado espiritual, sino también crear algo de gran belleza que, en un futuro espero pueda ser de utilidad para otras personas.

Gracias a esa música, he podido iniciar el proceso de creación de una historia que estoy escribiendo sobre lo que aconteció en aquella época y que en un futuro no muy lejano convertiré en una película.

¿Cuántas veces has sentido un olor que te parece familiar y te hace sentir como "en casa" sin poder definir con exactitud a qué te recuerda? ¿Alguna vez has estado en algún lugar y por alguna razón que no puedes explicar sientes que ya has estado ahí antes?

Esto no es más que tu memoria espiritual hablándote al oído. Así como los "Niños Prodigio" que han aprendido con anterioridad sus talentos y habilidades, de igual manera tú recuerdas algunas cosas de tu pasado milenario.

El Déjà Vu es una sensación íntima, una emoción aparentemente inexplicable que surge de una forma completamente inesperada. Súbitamente, una circunstancia cualquiera desencadena un mecanismo psicológico-espiritual que hace a la persona experimentar una sensación de haber vivenciado con anterioridad aquello que la emociona de sobremanera.

¿Alguna vez has conocido a una persona y tienes una sensación inconfundible de gran confianza y sientes que ya la conoces de alguna parte? Esta es otra forma de Déjà Vu. Al sernos presentada una persona, sentimos un verdadero "shock" y nos preguntamos: ¿Dónde te he visto? ¡Siento que te conozco! Pero después te das cuenta de que nunca has tenido contacto con ella (en esta vida). Sin embargo, esta experiencia te deja una sensación de emoción muy fuerte.

Aunque debemos tener cuidado en no confundir una atracción física por un Déjà Vu, es posible que la atracción física y el verdadero Déjà Vu coexistan en la misma persona. Siempre quedará una identificación y una familiaridad intensas con respecto a la persona que hemos conocido.

Como ahora sabes bien, existen razones por las cuales no puedes ni debes recordarlo todo. Sigue leyendo...

80

CAPÍTULO 4

¿DE DÓNDE VIENES?
(Tus Orígenes Espirituales)

Historia y Antecedentes de tu Personaje
(Tu Pasado Determina tu Presente)

Hace muchos años tuve la fortuna de actuar en una obra de teatro donde pude interpretar a uno de los personajes que más he amado. Su nombre era "El Viejo Repudios". Este singular personaje era, como su nombre lo dice, un viejo que vivía en las calles porque hacía mucho había perdido su casa, su familia y... su cordura también.

Cuando mi amiga Claudia, quien en esa época era mi Maestra y Directora de esta obra, me propuso interpretarlo, me di a la tarea de investigar a fondo las circunstancias y antecedentes que pueden llevar a un hombre a vivir en estas circunstancias y perder la cordura de la forma en que mi personaje aparentemente la había perdido.

Lo que hice fue buscar en mi armario de cosas viejas (los actores siempre tenemos uno de éstos donde encontramos los vestuarios y accesorios que necesitamos para algunos proyectos) y encontré un viejo abrigo gris, unas botas mineras que hacía mucho habían visto mejores tiempos. Les hice un hoyo y se lo cubrí de cinta. También encontré unos pantalones que me quedaban grandísimos y me los amarré con un alambre que encontré en la calle.

Después fui al calentador de agua de mi mejor amigo Damián (quien por cierto es un extraordinario actor), de donde saqué tizne negro para mancharme la ropa y parte de la piel para hacerla parecer vieja. No me rasuré por algunos días. Cuando tuve todo el personaje armado, salí a las calles a "mendigar" y a sentir lo que es la vida de una persona que vive de esta manera.

Déjame decirte que ésta fue una de las experiencias más interesantes de mi vida. Durante tres días estuve andando por las calles. "Entré" en este personaje a fondo hasta que pude sentir lo que es vivir en piel propia el rechazo, el asombro y el miedo que la gente le tiene a aquello que no conoce.

Pude descubrir el significado de aquel dicho popular que dice: "Como te ven, te tratan." Pude entender que detrás de todas esas personas que andan en la calle hablando solas, existen historias riquísimas de hombres y mujeres que alguna vez lo tuvieron todo y por circunstancias de la vida decidieron ocultar su gran dolor detrás de una aparente o real locura.

Conocí a otros que, como yo, mendigaban las calles, pero a diferencia de mí, ellos sí estaban viviendo su pesadilla personal y no había "final de obra" que terminara con su sufrimiento. Pude conocer gente que alguna vez fue rica y poderosa, personas cultísimas con una carrera profesional e incluso uno de ellos con una Maestría profesional.

Precisamente por haber vivido en un mundo donde lo material estaba por encima de lo espiritual, y destruidos en muchos casos por la indiferencia de sus seres queridos, un día salieron a la calle para no volver jamás.

Volviendo al Pasado
(La Importancia de Conocer Nuestros Antecedentes)

Cuando conocemos a una persona que nos interesa románticamente, lo primero que hacemos es querer saber lo más que podamos con respecto a su pasado, lo que hace, su niñez, familia, etc. ¿No?

Sólo así podremos entender la persona que es hoy y sabremos más o menos qué esperar con respecto a una posible afinidad de caracteres entre ambos.

De la misma manera, cuando vamos a un Psicólogo, Terapeuta o Analista, lo primero que ese profesional necesita hacer, es investigar sobre nuestras experiencias en el pasado para poder determinar en dónde están los orígenes de nuestros problemas y las posibles soluciones a los mismos.

Como actor, conozco la importancia fundamental que tiene el saber de dónde viene mi personaje. Éste es el primer paso que debo tomar antes de siquiera intentar interpretarlo. Pero para ello, debo también analizar qué experiencias, situaciones y vivencias han hecho que llegue a ser la persona que es en el momento determinado de la historia que estoy interpretando.

Para poder actuar una escena en particular, necesito saber todo lo que este personaje haya vivido antes de llegar al momento en que se desarrolla la historia. No puedo decir las líneas ni interpretar las situaciones marcadas en el libreto si no sé quién es esta persona que está viviendo una situación determinada ni cuáles son las circunstancias que han causado que tenga la personalidad que tiene y se comporte de la forma en que lo hace.

Sería imposible entender el por qué de sus reacciones, sentimientos y acciones si no conozco una serie de cosas con respecto a su vida, su psicología, forma de pensar, cultura, estado de salud, religión, sus creencias, origen étnico, sus antecedentes familiares y hasta la marca de pasta de dientes que usa. Cada detalle de su pasado, me dará las claves para descubrir y dar vida a este personaje. Sobre todo, necesito saber cuáles son los acontecimientos en su pasado que han hecho que mi personaje llegue hasta el momento en la historia en que lo voy a interpretar. Solo así seré capaz de "vestir" y respirar en él para contar la historia asignada con veracidad.

Aunado a esto, también tengo que ser capaz de fundir el resultado de mi investigación con la historia que voy a interpretar. De tal manera que lo más importante será saber quién es esa persona en el momento en que la historia se está desarrollando.

Cada personaje que interpreto, ha marcado mi espíritu y cambiado mi percepción de aquello que no conozco. Me ha enseñado a no juzgar aquello que no entiendo. Es evidente que cada uno de esos hombres de ficción que he interpretado ha dejado huella en la persona que soy el día de hoy.

De igual manera, cada una de las experiencias previas a esta encarnación han marcado tu esencia. Hoy te pido que hagas un recuento de tu vida y analices cuál ha sido tu trayecto hasta el punto en el que te encuentras ahora.

Cada experiencia, sin importar si fue agradable o difícil, fue un elemento vital que ha hecho de ti la persona que eres el día de hoy. Y esto, aunado a quien fuiste con anterioridad, forman el ser universal que conforma tu micro-universo.

La Moda de Ser "Espiritual"
(¿Estás a la Moda?)

El otro día me invitaron a un evento donde había gente de la Industria del Entretenimiento. Habían Actores, Directores, Productores y demás integrantes de la selva artística en la cual me muevo.

Recuerdo que había una mujer hablando de su última experiencia con hongos alucinógenos donde juraba que había visto a Dios... Como en la vida real no sé actuar, y sabía que mi cara de desagrado se iba a notar, decidí hacer mutis y dirigirme hacia otro salón donde estaba un grupo de gente entre los cuales había un hombre mayor.

Este señor hablaba con gran personalidad mientras otros más jóvenes (la mayoría mujeres) que lo escuchaban atentamente. Me acerqué a ver de qué se trataba (si ya sé, pensarás que soy un chismoso pero sólo estaba tratando de ver si estaban hablando de algo interesante y digno de aprender ¿Okey?) y escuché como este señor que se creía un Gurú iluminado les decía que él podía ver el futuro de las personas y que daba consultas en su "estudio" mientras le dirigía una mirada enigmática al resto del ingenuo grupo.

Algunos de ellos le contestaban que practicaban Kabbalah. También pude escuchar a una mujer aconsejándoles que fueran a ver a una amiga suya que podía enseñarles a "encontrar al ángel de tu guardia y a hablar con él..."

Me imaginé a los verdaderos Ángeles de la Guarda de esas personas escuchando semejantes babosadas y no pude evitar echarme a reír, haciendo que todo el grupo se me quedara viendo y sintiendo la mirada de cuchillo de la persona que me había invitado a ese evento y que ya para ese momento estaba arrepentida de haberlo hecho. No pude más

que sonreír y decir "muy interesante" antes de ser jalado por el brazo por mi amigo y llevado a otra parte...

En estos tiempos, todo el mundo dice ser "espiritual". Celebridades de todo tipo afirman estar en alguna corriente o práctica de tipo espiritual y aseguran que su vida ha cambiado gracias a eso. En cualquier café o bar encontraremos a personas vestidas extravagantemente que piensan que mediante el uso de las drogas se mantienen en caminos esotéricos, filosóficos y hasta espirituales.

En general, por todas partes encontramos este fenómeno que se extiende a las redes sociales donde todos se han acostumbrado a usar términos como "Namaste" (que significa "Mi dios saluda a tu dios"), "Bendiciones" (sin saber exactamente que quieren decir) y cosas por el estilo que han escuchado en alguna parte y les ha parecido muy" a la moda".

Pero el camino espiritual es uno muy diferente. No tiene colores ni vestuarios determinados. No modifica nada del mundo material y siempre empieza en nuestro interior.

El camino espiritual se mueve de adentro para afuera y no al revés. No necesita denominaciones ni contratos con penas de muerte en caso de no seguir sus "mandamientos". Tampoco requiere de que pagues ninguna cuota y ni siquiera necesita que sepas leer o escribir, aunque obviamente esto último es vital para crecer en el conocimiento universal.

¿Entonces qué es lo que se requiere para seguir un camino donde el espíritu pueda ser mejorado y nuestra felicidad conquistada? ¿Acaso es necesario irse a un monasterio en lo alto de una montaña? ¿Enclaustrarnos en un Ashram en medio de las montañas? ¿O, acaso será que requerimos de hacer algún camino a pie por caminos desconocidos con la esperanza de "encontrarnos"?

La respuesta a todas estas preguntas es muy simple: No... El camino espiritual es más simple de lo que pudieras imaginar por una simple razón: Ya lo conoces.

Sigue leyendo y te cuento por qué...

¿De Dónde Venimos Exactamente?
(Nuestro Hogar Espiritual)

Venimos de nuestra verdadera patria, que es el mundo espiritual. Recordemos que el planeta Tierra es la escuela donde venimos a aprender y a mejorarnos como seres humanos, pero en realidad aquí estamos en el exilio y sólo cuando volvemos a nuestro verdadero hogar es que podemos sentir la felicidad real.

Aquí en la Tierra sucede algo parecido a lo que sucedía hace muchos años cuando las familias adineradas en los Estados Unidos enviaban a sus hijos a estudiar a las mejores escuelas de Europa y no los veían por muchos años hasta que se graduaban y volvían felices y triunfantes para regocijo de todos.

Los padres acostumbraban subirlos a un barco, con una carta de identificación. Se despedían sabiendo que no verían crecer a su hijo. A cambio de eso, tendría la mejor educación posible y las mejores herramientas posibles para triunfar en la vida.

Cuando encarnamos sucede lo mismo. Nuestra familia espiritual así como nuestros amigos de otros tiempos, nos despiden con gran emoción sabiendo que nos enfilamos a una peligrosa pero sublime misión: la de crecer y volver más elevados y mejores seres humanos.

A diferencia de los viajes en barco que mencioné, en este "viaje" al exilio de la Tierra, aquellos hermanos y familiares que nos aman, siguen nuestro proceso y crecimiento de cerca y siempre saben lo que está pasando con nosotros.

Ellos estarán siempre a nuestra disposición para darnos consejos y aliento de la misma forma que aquí lo estamos para aquellos que amamos. Pero eso solamente sucederá si caminamos por el Camino de la Luz...

Antes de que te explique qué es el Camino de la Luz, pasemos a responder la siguiente pregunta:

¿Existen los Espíritus?
(Tus Vecinos Invisibles)

¿Cuántas veces has escuchado hablar de espíritus? Si preguntas por ahí, recibirás toda clase de respuestas. Escucharás que no existen, o que son muy asustadores, o que (como decía mi Nana Amelia) que "te jalan las patas".

Pero antes de entrar de lleno en esta cuestión, es importante entender quién o qué es exactamente un espíritu. Hemos visto que el espíritu es una de las tres partes vitales de nuestro ser. Es inmortal, imperecedero y vive en constante ascenso en su evolución por medio de pruebas y expiaciones efectuadas en este planeta.

Veamos a continuación algunas características de los espíritus:

- Seres inteligentes creados por Dios.

- Pueblan el universo fuera del mundo material cuando no están encarnados en cuerpos físicos.

- Son diferentes a Dios pero han sido emanados de Él.

- Tienen principio pero no tienen fin.

- Individualización del Principio Inteligente.

- Creados permanentemente porque Dios nunca cesa de crear.

- La forma de su creación es desconocida por nosotros en este plano.

- Incorpóreos pero materia purificada a la vez.

- Etéreos e invisibles para los ojos del cuerpo.

Los espíritus desencarnados ("muertos") y los espíritus encarnados ("vivos") se diferencian tan sólo en su vestidura corporal. Ya hemos visto que, mientras nos encontramos encarnados usamos el cuerpo físico que es pesado y grosero. Y cuando estamos en el plano espiritual, usamos el Peri-espíritu.

87

Es importante que sepas que nuestros hermanos desencarnados se encuentran en todas partes ya que no ocupan un lugar específico en el espacio. Al igual que nosotros, ellos también tienen sus preferencias, sus actividades y su nivel de evolución determinado por encarnaciones anteriores.

Se encuentran a nuestro lado en todo momento e influyen en nosotros sin que nos demos cuenta. Son instrumentos de los cuales se vale Dios para ayudarnos en el camino particular por el cual tengamos que caminar.

No todos los espíritus pueden ir a todas partes, pues hay regiones prohibidas a los menos avanzados y otras a las cuales sólo pueden estar aquellos que lo han merecido. Es igual que aquí en la Tierra. No todo el mundo tiene acceso a los mismos lugares ni a las mismas cosas. Aunque a menudo se debe a situaciones sociales o materiales, en el mundo espiritual se debe al grado de avance en el que se encuentre cada uno.

Dependiendo de su grado de pureza, pueden tener formas diferentes ya que su frecuencia vibratoria es muy diferente a la que tienen los cuerpos físicos. Asimismo el color de cada uno se ve determinado por su moral y avance evolutivo. Van desde el color oscuro hasta el rubí.

Aquellas pinturas alegóricas donde se plasman a seres puros, santos o elevados con una llama en la cabeza no están muy alejadas de la realidad, ya que es en ese lugar en donde reside la inteligencia en cualquier dimensión.

En el mundo espiritual, el tiempo y el espacio se conciben de diferente manera. Se pueden trasladar con la rapidez del pensamiento, aunque esto está supeditado al grado de pureza que tenga y que le sea permitido dependiendo del estado de esclarecimiento en el cual se encuentre.

Con el tiempo sucede algo similar. Lo que aquí nos parece una eternidad, allá puede sentirse como un instante. La materia, como aquí la conocemos, no es un obstáculo para un espíritu ya que lo pueden penetrar todo.

Aquella creencia de que un espíritu puede dividirse y estar en dos o más partes al mismo tiempo no es verdad. Un espíritu no puede dividirse. Pero cada uno de ellos, es un centro que irradia en todas direcciones, pareciendo por esto que se encuentra en muchos lugares a la vez. Así como el Sol lo ilumina todo al mismo tiempo, no quiere decir que esté en más de un lugar al mismo tiempo. El Sol es uno pero sus rayos de luz alcanzan múltiples lugares a la vez.

Lo que sí pueden, sin embargo, es alcanzar con su pensamiento diferentes partes de la misma manera en que una persona puede dictar órdenes a varias personas. Sólo que en el mundo espiritual, dependiendo de su avance, podrá estar en pensamiento en diferentes lugares.

Jerarquía Celestial
(Tipos de Espíritus)

Entre los espíritus, como entre las personas en la Tierra, existen diferentes tipos de personalidades, distintos estados de avance espiritual, intelectual, cultural y moral. Al igual que aquí en nuestro plano, hay entre los espíritus jerarquías. Pertenecen a diferentes órdenes, dependiendo del grado de perfección al que hayan llegado.

Recordemos que la clasificación de los espíritus se basa en su grado de avance y su estado de progreso. Dependiendo de las cualidades que posean y de sus particulares imperfecciones dependerá el grado en el cual podremos catalogarlos para así poder entender mejor su situación.

El número de grados de perfección de los espíritus es ilimitado ya que el avance en la escala de evolución es inmenso. Sin embargo, si consideramos los caracteres generales, los podemos catalogar en tres grandes órdenes principales que después sub-dividiremos para su mayor comprensión:

1. Espíritus Puros, o de Primer Orden

a. Clase Única - Primera Clase

2. Espíritus Medios, o de Segundo Orden

a. Espíritus Superiores - Segunda Clase

b. Espíritus de Gran Sabiduría - Tercera Clase

c. Espíritus Sabios - Cuarta Clase

d. Espíritus Benévolos - Quinta Clase

3. Espíritus Imperfectos, o de Tercer Orden

   a. Espíritus Golpeadores y Perturbadores - Sexta Clase

   b. Espíritus Neutros - Séptima Clase

   c. Espíritus Pseudo-Sabios - Octava Clase

   d. Espíritus Ligeros - Novena Clase

   e. Espíritus Impuros - Décima Clase

Los espíritus, cuando están desencarnados, no le dan ninguna importancia a estos grados o niveles de avance en que se encuentren.

Lo único que les interesa a los espíritus elevados es seguir perfeccionándose. A los que se encuentran aún en grado de ignorancia y bajo nivel, sólo les importa el lado oscuro del ser humano en el cual se complacen y alimentan.

Por ello, debemos saber que no por ser espíritus desencarnados, necesariamente serán espíritus de bien o de alto nivel de evolución.

La belleza del mundo espiritual, es que al igual que en la Tierra, podemos seguir preparándonos, trabajando en obras de bien y avanzando mientras nos llega la hora de volver a la "escuela de la vida" que es nuestro planeta.

Para aquellos espíritus que tienen conocimientos limitados, cualquier espíritu superior a ellos será inmediatamente un Espíritu Perfecto ya que no conocen o no entienden bien las clasificaciones que aquí exponemos. Cuando pertenecen a un bajo nivel, no pueden apreciar los niveles de conocimientos, moralidad y dignidad que distinguen a los espíritus superiores.

Lo mismo pasa en la Tierra cuando una persona que viva en una situación precaria y carente de educación, cultura e intelectualidad, verá inmediatamente superior a cualquier forastero que llegue al rincón del planeta en donde esté viviendo.

Veamos entonces, cómo son cada uno de los diez niveles o clases de espíritus:

1. Espíritus Puros
(Primer Orden)

Los Espíritus Puros pertenecen a la Primera Clase y son aquellos que han llegado al grado máximo de perfección. La influencia que pueda ejercer la materia sobre ellos es nula y su superioridad moral e intelectual es absoluta con respecto a los espíritus de otros grados.

a. Clase Única
(Primera Clase)

Ya pasaron por todos los niveles y se han deshecho de las impurezas de la materia. No tienen que volver a pasar ni por pruebas ni por expiaciones y no están obligados a reencarnar en cuerpos mortales. Viven la Vida Eterna en el regazo de Dios y gozan de una felicidad inmutable.

No sienten ninguna necesidad y no están sujetos a los problemas de la vida material. Esto no significa que son espíritus que no hacen nada y se dedican a mirar el paisaje. Todo lo contrario.

Son los mensajeros de Dios y se encargan de mantener la armonía en el universo. Dirigen al resto de los espíritus en la escala evolutiva y los ayudan en su camino hacia la perfección.

Estos espíritus son aquellos que muchos han llamado Ángeles, Arcángeles o Serafines. Podemos comunicarnos con ellos, pero sería absurdo siquiera pensar que pudieran estar a nuestro servicio.

2. Espíritus Medios
(Segundo Orden)

Los Espíritus del Segundo Orden son aquellos que se ocupan de hacer el bien y están por encima de la materia y las bajas pasiones. En ellos predomina el deseo de iluminar con sus virtudes. Dependiendo de su grado de perfección, podrán realizar grandes cosas por medio de la ciencia, la prudencia o la bondad. Pero todavía tendrán que seguir pasando por pruebas para su perfeccionamiento hasta poder convertirse en Espíritus Puros.

Está en los más adelantados las cualidades de sabiduría y moralidad y en los demás se encuentran las cualidades y capacidad para practicar el bien, dependiendo del grado de avance al que hayan llegado.

A pesar de estar en las escalas superiores, aún no están completamente desmaterializados. Muchos conservan, dependiendo de su jerarquía, vestigios de la existencia corporal. Esto se da a notar a veces en su comportamiento, sus costumbres o en el lenguaje que usan.

Estos espíritus ya disfrutan de la felicidad que da el estar apegados al camino de la luz. Comprenden a Dios y al infinito y son dichosos por ser capaces de impedir el mal y por el bien que hacen a la humanidad.

No son influenciables por sentimientos bajos como la envidia, ni el remordimiento de la forma en que los espíritus imperfectos lo son, pero todos ellos aún tienen pruebas que deben pasar antes de alcanzar la perfección absoluta.

Los espíritus pertenecientes a este grupo son quienes nos sugieren buenos pensamientos, nos alejan del mal camino y nos protegen durante nuestras vidas. Esto sólo sucede, cuando somos merecedores de esa protección. Estos espíritus tienen el poder de neutralizar la influencia negativa de los espíritus imperfectos cuando nosotros no los complacemos en situaciones, comportamientos o sentimientos de bajo nivel vibratorio.

Este tipo de espíritus, encarnan en personas buenas y apegadas al bien y a la superación de la humanidad. Como hemos dicho, no son susceptibles a sentimientos como el orgullo, el odio, la ambición, la envidia o los celos. Hacen el bien, simplemente porque es el bien.

A esta orden pertenecen nuestros Espíritus Guías, y aquellos que popularmente se conocen como Ángeles de la Guarda, Genios Protectores y Espíritus Iluminados.

Son estos hermanos mayores, quienes las culturas supersticiosas e ignorantes a través de la historia de la humanidad, les ha catalogado como divinidades bienhechoras.

Analicemos sus características individualmente para que podamos comprender mejor cada uno de sus atributos:

a. Espíritus Superiores
(Segunda Clase)

Los Espíritus Superiores son aquellos que se mueven en la ciencia, la prudencia y la bondad. Su grado de evolución los capacita para guiarnos sobre los acontecimientos que ocurren en el planeta en que vivimos, pero sólo dentro de lo que nos está permitido conocer. Ya que, como hemos visto antes, la luz puede cegar a quien vive en la oscuridad.

Su lenguaje es siempre de alta dignidad y bondad, llegando inclusive a lo sublime. Éstos espíritus se comunican con aquellos de nosotros que tengamos buena fe e ideales elevados, así como quienes estemos relativamente liberados de las cadenas de la carne porque sólo así podríamos comprenderlos.

Se alejan de nosotros si caemos en la curiosidad de querer saber sin ningún motivo elevado o si estamos todavía demasiado apegados a las cosas materiales ya que estos apegos nos distraen de la práctica del bien. Sólo se encarnan en la Tierra para efectuar misiones especiales con fines de progreso de la humanidad.

b. Espíritus de Gran Sabiduría
(Tercera Clase)

Los Espíritus Prudentes son los que pertenecen a esta categoría. Se caracterizan por poseer elevadas cualidades morales. Sus conocimientos son limitados pero suficientes para ejercer un juicio recto con respecto a los seres humanos y aquello que les concierne.

93

c. Espíritus Sabios
(Cuarta Clase)

Los Espíritus Sabios se distinguen sobre todo por la amplitud de sus conocimientos. Su principal interés son las cuestiones científicas ya que para ellas tienen más capacidad y le dan mayor importancia que a las cuestiones morales.

Consideran la ciencia desde un punto de vista de su utilidad para la humanidad pero no la mezclan con ninguna de las pasiones que contaminan a los espíritus imperfectos.

d. Espíritus Benévolos
(Quinta Clase)

Los Espíritus Benévolos se distinguen por su bondad. Se complacen en ayudar y proteger a los seres humanos. Pero su conocimiento es limitado ya que han progresado más en el campo moral que en el intelectual.

3. Espíritus Imperfectos
(Tercer Orden)

Los Espíritus del Tercer Orden son aquellos que aún se encuentran al principio de su evolución y que se caracterizan por su ignorancia, su deseo por hacer el mal y su inclinación hacia las malas pasiones.

No son todos esencialmente malos, pero podríamos decir que no son buenos.

Los Espíritus Imperfectos se caracterizan por el predominio de la materia sobre el espíritu y la propensión al mal. Son espíritus que no son de beneficio para sus hermanos y que se complacen cuando algo malo les sucede.

Algunas de sus características son el egoísmo, la ignorancia y el orgullo, así como todas las negativas pasiones que de éstas se derivan. Si bien intuyen a Dios, no pueden comprenderlo. No es que sean malos en esencia. Algunos de ellos son espíritus ligeros y se complacen más con la maledicencia y el chisme que en la maldad per se.

El mayor placer de los espíritus ligeros está en engañar y causar pequeños problemas y contrariedades. Esto les causa risa. Aunque son maliciosos, no podemos considerarlos espíritus perversos.

Al ser espíritus apegados a la materia, comúnmente confunden las angustias y preocupaciones del mundo material con las del mundo espiritual. Su conocimiento sobre éste último es limitado. Estos son aquellos espíritus que frecuentemente asisten a reuniones mediúmnicas y confunden, con sus falsas e incompletas comunicaciones, a quienes no están atentos.

Un Médium entrenado, puede descubrirlos por medio del lenguaje que utilizan. Independientemente de su grado de evolución intelectual, sus ideas serán siempre de poca elevación y sus sentimientos de una u otra forma serán abyectos.

Cualquier pensamiento de bajo nivel de dignidad que tengamos que pueda ser sugerido por un espíritu, será proveniente de un espíritu del Tercer Orden.

Al ser espíritus propensos a las bajas pasiones, como la envidia o los celos, se sienten atormentados ante el estado de felicidad de los espíritus elevados. Esto es debido a que se encuentran muy lejos de ellos y eso les recuerda su grado de imperfección y desarrollo moral.

Son espíritus que aún recuerdan y "sienten" los sufrimientos de cuando vivían en cuerpos físicos en nuestro planeta. Frecuentemente sufren debido a que éstos recuerdos son, en muchas ocasiones, mucho más penosos que la realidad.

Estos son espíritus que sufren no sólo por aquellas experiencias amargas que hayan pasado en la Tierra, sino también por el mal que le han ocasionado a otros. Y debido a que sufren por largo tiempo, creen que sufrirán para siempre. Dios permite que sigan con esa creencia para que puedan equilibrar sus faltas y avanzar en su camino.

Podemos dividir a los Espíritus Imperfectos en cinco clases principales:

a. Espíritus Golpeadores y Perturbadores
(Sexta Clase)

Los Espíritus pertenecientes a la Sexta Clase no forman una clase distinta en sí y pueden pertenecer a cualquiera de las clases del Tercer Orden.

Estos espíritus son aquellos de quienes hemos escuchado hablar desde niños y que son capaces de manifestar su presencia por medio de efectos que nuestros sentidos físicos pueden percibir. Es decir, son aquellos que pueden hacer sonidos, mover objetos, agitar el aire, etc. Es por eso que se les ha dado el nombre de "Espíritus Golpeadores o Perturbadores".

Los espíritus de esta clase tienen la capacidad de obrar sobre los elementos que conocemos en la Tierra y que son, el agua, el aire, la tierra y el fuego. Estos espíritus son responsables de gran cantidad de manifestaciones climáticas y de orden "natural".

Estas aptitudes pertenecen en general a todos los espíritus, pero aquellos que son superiores generalmente se lo confían a los espíritus subalternos que son más aptos para las cosas materiales que para las inteligentes. Así que cuando la espiritualidad superior lo considera necesario, se sirve de los espíritus pertenecientes a este orden para efectuar estos trabajos como auxiliares a su misión.

b. Espíritus Neutros
(Séptima Clase)

Los llamados Espíritus Neutros son lo que su nombre indica. Se encuentran en el centro de una escala moral. No son ni lo bastante malos para hacer el mal, ni lo bastante buenos para hacer el bien. Ellos se inclinan por igual a uno o a otro. No son superiores a la condición vulgar de la humanidad ni en sentido intelectual ni en sentido moral.

96

Estos espíritus tienen aún un gran apego por las cosas materiales y mundanas cuyas alegrías terrestres extrañan.

c. Espíritus Pseudo-Sabios - Octava Clase

A estos espíritus también se les conoce como Espíritus de Falsa Instrucción o Falsos Sabios. A pesar de que tienen un conocimiento enorme aún así creen saber más de lo que realmente saben.

Estos espíritus, al haber ya progresado en parte en varias direcciones, son capaces de usar un lenguaje serio. Es por ello que pueden engañar fácilmente en cuanto a sus conocimientos y capacidades.

Aún son víctimas de sentimientos bajos como el orgullo, la arrogancia, la terquedad y los celos. Esto ocasiona que a veces hablen cosas que no saben, causando así confusión y engaño entre aquellos por medio de quienes se comunican.

d. Espíritus Ligeros
(Novena Clase)

Los Espíritus pertenecientes a la Novena Clase son aquellos mencionados antes en cuanto a su comportamiento ligero. Se caracterizan por ser chismosos, respondones, ignorantes, malignos e inconsecuentes. Acostumbran responder a todo sin preocuparse por arrojar luz a las interrogantes.

Estos espíritus gustan de causar pequeños problemas y hasta alegrías. Les gusta el chisme y disfrutan mucho cuando inducen al error por medio de engaños causados por su malicia.

Estos son aquellos espíritus que la cultura popular llama "Espíritus Traviesos". Es entre sus filas que existen aquellos espíritus que las diferentes culturas en la historia de la humanidad han catalogado como duendes, diablitos, gnomos, etc.

97

Estos espíritus están a la disposición de los espíritus superiores, quienes frecuentemente los usan como criados, al igual que en la Tierra donde los señores mandan sobre quienes están por debajo de ellos.

Su lenguaje es algunas veces ingenioso y hasta chistoso, pero siempre superfluo. Se aprovechan de la ingenuidad de las personas encarnadas. Y cuando se comunican, se hacen pasar por otros espíritus al usurpar su nombre.

e. Espíritus Impuros
(Décima Clase)

Estos espíritus son los que se encuentran en el último y más bajo nivel de la escala espiritual. Como su nombre lo indica, su impureza los caracteriza y están apegados al mal.

Son responsables de promover la discordia entre los seres humanos y de tomar cualquier apariencia con fines de engañar a los incautos y hacerles daño. Acostumbran influenciar negativamente y sus consejos son siempre oscuros.

Se complacen en arrastrar a la perdición a aquellos hermanos y hermanas que tienen el carácter débil. Se alegran cuando consiguen retrasar su evolución por medio de sus artimañas.

Son éstos espíritus quienes hacen lo posible por hacernos fracasar en nuestras pruebas reencarnatorias. En sus manifestaciones se delatan ya que su lenguaje es trivial y muy bajo en sus expresiones. Esto último es también un indicio fiel de la inferioridad moral e intelectual entre los espíritus encarnados en nuestro planeta.

Usualmente cuando se comunican, intentan confundirnos al hablar con aparente sensatez. Son vencidos por sus bajas inclinaciones ya que no les permiten mantener el engaño por mucho tiempo y finalmente confiesan sus verdaderas intenciones.

Son estos espíritus los que han sido considerados por ciertos pueblos y culturas a través de la historia, como divinidades maléficas. Han sido frecuentemente llamados demonios, genios malos o espíritus del mal.

98

Cuando están encarnados en la Tierra, son dados a todos los vicios que causan las más bajas pasiones. Viven una vida de vileza y degradación. Durante su existencia encarnatoria, viven apegados a la crueldad, la sensualidad, la mentira, la hipocresía, la codicia, la avaricia, y en general, a todas aquellas bajas pasiones, sentimientos y actos de oscura vibración.

Hacen el mal tan sólo por el placer de hacerlo. No necesitan motivos para ello. Usualmente escogen como sus víctimas a personas dignas y honradas. Estos espíritus son los responsables de las calamidades que todos los días leemos en los periódicos y escuchamos en las calles.

Bueno, hasta aquí hemos analizado los diferentes tipos de espíritus que existen. Espero que ya tengas un mejor entendimiento de los integrantes de ese mundo invisible pero real en el cual nos movemos y desarrollamos.

A estas alturas ya tienes una idea bastante clara de quiénes son los espíritus, cuáles son sus diferentes estados evolutivos, cómo se comportan, cómo piensan y qué esperan de la vida.

Es importante que a partir de este punto entiendas que, si bien hemos hablado en su mayor parte de espíritus en su estado incorpóreo (es decir, aquellos que se encuentran en el plano espiritual), todo esto también se aplica a quienes estamos encarnados y pasando por nuestras pruebas particulares en este planeta. Todos formamos parte de la misma familia espiritual.

No importa cuál sea nuestro estado particular de evolución. Tampoco es relevante si nos encontramos encarnados en la Tierra o si estamos desencarnados y viviendo en el plano sublime. Lo que es importante saber es que, así como hemos visto en el capítulo sobre reencarnación,

todos volvemos al exilio de la tierra en una misión de crecimiento. Todos también volvemos a nuestra verdadera patria - nuestra patria espiritual.

Así que todos estos niveles de los cuales hemos hablado, se aplicarán también a nuestra vida en la tierra. Al hacerlo, empezarás a reconocer entre nuestros hermanos encarnados, el grado evolutivo al cual pertenecen según las descripciones que anteriormente te he dado.

Acompáñame, hay mucho más que quiero decirte.

CAPÍTULO 5

PROGRESO ESPIRITUAL
(INFLUENCIA Y COMUNICACIONES ESPIRITUALES)

Esa Voz en tu Oído
(Influencias Espirituales)

Hace poco, mientras me encontraba tomando café y leyendo en un lugarcito que me gusta cerca de donde vivo, me encontré con una amiga que no veía hace algún tiempo. Esta amiga, era conocida por su absoluto desprecio por las cosas comerciales y el gran apego a todo aquello que fuera "natural".

Me acuerdo que una vez hizo un escándalo porque el novio que tenía en aquel entonces llegó oliendo a un perfume que al parecer le había costado carísimo. Ella lo criticó por no usar sustancias naturales que venían en forma de aceites y que costaban tan sólo centavos.

Nos hizo un discurso sobre la cantidad de animales que son sacrificados en el proceso de creación de los perfumes comerciales mientras se tocaba nerviosamente las trenzas del cabello que eran iguales a las de los indígenas de cierto país Latinoamericano.

Ella siempre decía que el comercialismo y los ataques de los medios de comunicación nos lavaban el cerebro y nos convertían en robots sin poder de decisión y que había que hacer algo al respecto para evitar esa contaminación.

Pues grande fue mi sorpresa cuando la vi bajarse de un automóvil convertible del año, vestida como modelo de pasarela, con una bolsa colgando del brazo que después supe, le había costado una fortuna (a su nuevo novio) y con unos lentes oscuros que la mismísima Sofía Loren hubiera envidiado.

Cuando la vi, no pude cerrar mi boca por la sorpresa y ella aprovechó para decir: "Riiicaaardooo queeeriiidoooooo, cuaaaaantoooo tieeeeempooooo."

Todavía no lograba salir de mi asombro cuando, quien venía manejando el lujoso automóvil se acercó y le tomó la mano. Recuerdo que ella me lo presentó con un nombre kilométrico, de esos que tienen varios apellidos que quienes tienen vergüenza de su origen, acostumbran juntar con guiones para hacerlos sonar más rimbombantes.

Me contaron que andaban "de compras" para un viaje que estaban por hacer a Europa y que después me enviarían la invitación para su boda que sería en una isla en algún lugar del Caribe.

No recuerdo bien qué fue lo que contesté. Pero ellos con obvia prisa se despidieron con un "chau-chau querido" y siguieron su camino alegres por la calle.

Después de eso me quedé tomando lo que quedaba de mi café frío. Pensé en el cambio radical que se había operado en mi vieja amiga a quien no conseguía reconocer detrás de ese nuevo disfraz.

Todos somos susceptibles a ser influenciados en diversas maneras. Algunas de ellas serán positivas como cuando alguien nos motiva a hacer ejercicio, a ser más saludables, a dejar de fumar, o a leer y cultivarnos.

Pero otras pueden ser de tipo negativo como cuando alguien nos incita a beber "esa última copa" que puede hacernos tener un accidente, o quienes nos motivan a la infidelidad o a algún comportamiento equivocado y de baja carga vibratoria.

En el caso de mi amiga, cuya transformación de casi "Hippie" a "madame de la última moda" fue realmente asombrosa, ella recibió influencia de alguien que sacó eso que ya existía en ella pero que hasta ese momento no lo había descubierto.

Nadie puede influenciarte ni negativa ni positivamente si no existe en tu interior esa semilla que sólo necesita germinar. Un hombre susceptible a ser infiel, será fácilmente influenciable por amigos que sean infieles y lo presionen constantemente a que haga lo mismo cada vez que salen juntos.

102

De igual manera, alguien con inclinaciones hacia la Caridad, será fácilmente influenciable por alguien que vaya cada fin de semana a una casa hogar de ancianos que requieran de compañía y alguien con quien hablar. No será un sacrificio ni algo que le cause malestar. Tampoco sentirá que está perdiendo su fin de semana haciéndolo debido a que eso, como lo hemos dicho antes, ya existe en su interior y tan sólo necesitaba ser despertado.

Es así como funcionan con gran éxito las campañas de publicidad comerciales alrededor del mundo. Ciertas compañías invierten millones de dólares para influenciar a las personas a adquirir sus productos o servicios. Nótese que dije "influenciar" y no "convencer".

Para convencer a alguien, tenemos que hacer que cambie de gusto u opinión sobre algo contrario a lo que era su esencia. Para influenciar, tan sólo hace falta buscar aquellas partes del carácter de la persona que se desea alcanzar y que sean influenciables como el ego, la vanidad, el deseo de sobresalir, la auto-estima (baja o alta), la soledad, la depresión, el deseo sexual, etc.

Hasta ahora hemos hablado de aquellas influencias provenientes del medio ambiente o de personas encarnadas en nuestro plano. Pero en el mundo espiritual existen influencias mucho más sutiles que definitivamente tienen poderosos efectos sobre nosotros.

Esas Ideas que de Pronto se te Ocurren
(Ideas Repentinas y Sugerencias Mentales)

¿Recuerdas la última vez en que se te ocurrió una idea, o como decimos en México, "se te prendió el foco" después de haber estado buscando soluciones a determinado problema?

¿Cuántas veces has estado buscando respuesta a algo que te preocupa y de pronto "se te ocurre" una idea que parece provenir de la nada?

¿Y qué me dices de aquellas ocasiones en que sin motivo aparente pasan por tu mente ideas oscuras que inmediatamente te hacen sentir rechazo debido a su contenido indigno y contrario a tu personalidad?

Usualmente creerás que eres tú quien está tomando determinada decisión o a quien se le ha ocurrido una idea precisa. En realidad lo que sucede es que "alguien" nos está susurrando al oído. Nos convencemos que el origen de determinados pensamientos o deseos nos pertenece, cuando no es así.

La debilidad de una persona ante ciertas influencias dependerá de su madurez, de su fuerza de carácter y especialmente de su inclinación hacia determinados gustos, placeres y forma de vida. Esto determinará el origen de las influencias que reciba en su recorrer por la vida.

Nuestros hermanos del mundo espiritual, en base a su grado de evolución, podrán o no conocer nuestros pensamientos más íntimos. Podrán inclusive conocer aquellos que a veces quisiéramos ocultarnos a nosotros mismos.

Estamos constantemente rodeados de una multitud de espíritus que habitan los mismos espacios donde estamos y que pueden "leernos" sin dificultad. Aquellos con mayor grado de esclarecimiento, serán quienes nos inspiren las buenas ideas y nos ayuden en nuestras vidas cotidianas. Pero aquellos hermanos ignorantes del plano espiritual que aún se encuentran apegados a la materia y que viven en la oscuridad de las bajas pasiones, se regocijarán ante tus fracasos, penas y sufrimientos.

Origen de Nuestros Pensamientos
(Vibraciones Mentales)

¿Cómo saber si un pensamiento proviene de nosotros o no? No es relevante saber cuáles ideas nos pertenecen o cuales no. Lo que debe importarte es saber cuáles ideas están siendo sugeridas para tu perdición y caída para poder defenderte y no ser susceptible a determinadas influencias.

Para saberlo, tan sólo analiza cuáles ideas son de alto contenido de virtud, dignidad y beneficio para ti y para otros sin centrarse en ideas egoístas, materialistas o que puedan dañar a otras personas. Estas ideas serán siempre positivas. Sabrás que independientemente de si son tuyas o sugeridas por hermanos de luz, serán siempre beneficiosas para ti.

104

Por otro lado, cuando pienses en hacer algo que sabes que no es correcto, que puede lastimar a alguien si se enterase, que es algo que no quisieras que te hicieran a ti, o si contradice en cualquier aspecto las enseñanzas de aquellos libros de luz como El Evangelio o cualquier código de honor y virtud, entonces serán siempre algo que deberás rechazar con todas tus fuerzas.

En capítulos posteriores te enseñaré cómo superar las tentaciones y contrarrestar los ataques de quienes quieren verte caer, sean personas encarnadas o espíritus desencarnados. Recuerda que tu libre albedrío te permite tomar cualquier decisión que decidas y que la responsabilidad resultante será para siempre.

Es importante no dejarse llevar por la idea del pensamiento instintivo que muy a menudo las personas toman. Es decir, muchas veces te encontrarás con una decisión que debes tomar y de pronto "sientes" inclinación hacia una en particular.

Las personas a veces piensan que "deben seguir su instinto" y hacer lo que se les ocurrió. Pero como te hemos dicho antes, a veces este "instinto" no es más que la influencia de un espíritu y debes analizar conforme te he enseñado el contenido moral de esa idea antes de llevarla a cabo.

Más adelante analizaremos a profundidad el Instinto y los Presentimientos. Por ahora continuemos con las Influencias para que sientas las bases de tu nueva transformación moral y asegures el éxito en tus pruebas y expiaciones particulares. ¿Seguimos?

¿Cómo Evitar Caer en Influencias Negativas?
(¿Sabes Decir que No?)

Los espíritus imperfectos, sin saberlo, funcionan como instrumentos destinados a hacernos pasar por gran parte de las pruebas y expiaciones a las cuales estamos destinados en cada nueva encarnación. Estarás siempre a salvo si te mantienes lejos de la frecuencia vibratoria de esos espíritus ignorantes.

Una persona apegada a las bajas pasiones de la carne como por ejemplo, el sexo sin amor, atraerá a aquellos espíritus inclinados a la depravación y a la sensualidad de la carne. Estos espíritus hostigarán a tener sexo sin restricciones y a atreverse cada vez más a irrespetar a las personas comprometidas o la dignidad de las familias a su alrededor.

Alguien con instintos asesinos estará siempre rodeado de espíritus oscuros que disfruten del asesinato y quienes pasarán el tiempo sugiriéndole usar la violencia ante cualquier dificultad.

Pero recuerda, Dios jamás nos abandona . Así como pueden haber espíritus oscuros intentando influenciarte en hacer el mal, también tenemos espíritus de bien auxiliándonos a resistir esos ataques. Lo que definirá nuestra caída o triunfo será nuestra propensión hacia uno u otro lado de la balanza moral. Es decir, un espíritu oscuro sólo podrá ayudarte a hacer mal cuando tú quieras hacer el mal.

Cuando era niño, había una muchachita que me gustaba mucho y de quien yo pensaba que estaba enamorado. Me acababan de cambiar a esa nueva escuela y no conocía a nadie. Ya te imaginarás que, aunado a la inseguridad que causan estos cambios, sentía también la presión de estos sentimientos que nacían en mí.

Le escribía poemas, le mandaba cartitas en la escuela y hacía de todo para que se fijara en mí. Pero nunca conseguí ni siquiera una sonrisa de su parte.

Después de algún tiempo de insistir de todas las formas posibles, lo único que pude lograr fue que se empezaran a reír de mí en la escuela. Esto causó que me volviera aún más retraído de lo que ya era en ese entonces. Así que me cansé de tratar de ganar su atención y decidí olvidarla para siempre.

Lo interesante fue que cuando se dio cuenta de que ya no me importaba más, todo cambió. Fue ella quien empezó a buscarme y a mandarme cartitas. ¡Naturaleza humana! ¿Quién nos entiende?

En el mundo espiritual funciona de forma similar. Cuando un espíritu (o varios) trata de influenciarnos por algún tiempo y no lo consigue, se aburre y deja de hacerlo. Pero debes saber que estos espíritus siempre mantendrán un ojo en nuestros actos para ver si flaqueamos en algún momento y de ese modo abrimos la puerta a nuevos ataques.

Para poder defendernos de este tipo de ataques provenientes del mundo espiritual, existe un camino muy simple que a la vez requiere de disciplina y compromiso de tu parte:

Hacer el bien. Apegarte a las enseñanzas y virtudes que debes desarrollar, haciendo uso de tu voluntad para resistir las tentaciones y poniendo toda tu confianza en Dios. Cuídate de caer en discordias y sobre todo de caer por el lado más débil del ser humano: El Orgullo.

¿Ángeles o Demonios?
(Las Dos Caras de la Moneda)

¿Recuerdas aquellas caricaturas y películas donde un personaje, ante la duda sobre qué hacer en cuanto a una determinada situación, se ve súbitamente aconsejado por un angelito que usualmente se coloca a su derecha y por un diablito que casi siempre aparece a su izquierda?

¿Pareciera una fantasía de comedia verdad? Pues déjame decirte que no es así. En el tema anterior hemos visto que el mundo espiritual influencia directamente nuestro desarrollo mientras estamos encarnados.

¿Cuántas veces te has visto en una situación en la cual tienes que decidir sobre alguna cosa y sientes como que una de las dos opciones te está "molestando" y la otra te hace sentir bien? ¿Cuántas otras, no has sentido la tentación de hacer algo que, a pesar de saber que no es lo correcto, terminas haciéndolo y sintiéndote mal después?

¿Y qué me dices de aquellas ocasiones en las cuales terminas decidiendo hacer lo que sabes que es correcto y después cuando ha pasado algo de tiempo te das cuenta del error que hubieras cometido al haber tomado la decisión contraria?

Durante este tema descubrirás que los espíritus pueden influenciarnos tanto para el bien como para el mal. Dependiendo de su grado de evolución, existen grupos de espíritus que pueden aconsejarnos, motivarnos e impulsarnos en nuestras pruebas particulares y que se complacen en vernos triunfar ante las vicisitudes de la vida.

107

Pero hay también aquellos hermanos de menor evolución quienes aún se encuentran sumergidos en la ignorancia y viven apegados a la materia, el vicio y la perdición. Estos espíritus disfrutan cada vez que fracasamos, sufrimos, o caemos en el error.

Esa Dulce Compañía
(Tu Ángel Guardián)

Como ahora ya sabes, estamos en proceso de evolución. Algunos estamos más atrasados que otros pero absolutamente todos avanzaremos hacia la perfección. El tiempo que nos tome dependerá de nuestra comprensión de las Leyes Universales y del buen uso que hagamos del conocimiento aprendido.

Has aprendido ya que los Ángeles pertenecen al grupo del Primer y del Segundo Orden. Dependiendo de su categoría, que podríamos clasificarlos con los nombres que comúnmente se les ha dado a través de los tiempos:

- Ángeles
- Arcángeles
- Serafines

Estos seres de elevado nivel moral son espíritus puros que reúnen todas las perfecciones. Han recorrido todos los grados de evolución hasta llegar a la parte superior de la escala.

No debemos confundir estos Ángeles con los "Ángeles Guardianes" que son aquellos espíritus protectores de un orden elevado y que también forman parte de aquel grupo de entidades que se interesan en tu bienestar. Estos son los "Espíritus Familiares", "Espíritus Protectores" o "Espíritus Simpáticos". Estos espíritus, aunque en su mayoría están apegados al bien, no siempre son espíritus de alto nivel moral o de evolución.

Nuestro Ángel Guardián, antes de alcanzar la escala más alta de la escala evolutiva, tuvo que pasar por todas las etapas previas. Algunos

108

de ellos llegaron más pronto que otros pero todos ellos ahora gozan de las maravillas que disfrutan aquellos seres de luz que viven apegados a la bondad.

Para una mayor comprensión, vamos a catalogar este tipo de espíritus como: "Ángeles de Luz".

Ángeles de Luz
(Los Espíritus Protectores)

Qué maravilla saber que existen seres de elevada moral y sabiduría siempre dispuestos a ayudarnos. Cuán grande es el amor que nuestro Padre tiene por nosotros, que nos otorga la oportunidad de tener a nuestra disposición a guías superiores dedicados a aconsejarnos, fortalecernos y apoyarnos para que pasemos nuestras pruebas con éxito.

Estos seres de luz son nuestros amigos más fieles y conocen lo profundo de nuestra intimidad, nuestro pasado remoto así como también las pruebas y expiaciones por las cuales estamos pasando en esta encarnación.

La misión de estos ángeles no siempre es placentera. Imagínate que a veces tienen que acompañarnos a lugares donde generalmente reinan el dolor, los sufrimientos y las angustias, como las cárceles, hospitales, y antros de vicio y depravación. Tampoco nos abandonan en la aparente soledad profunda de los vicios y demás miserias de la existencia humana.

Nada nos separa de este amigo y confidente que, a pesar de que no lo podemos ver con los ojos del cuerpo, existe y dedica años de su vida a impulsar dulcemente nuestra alma y a aconsejarnos sabiamente.

No puedes ocultarles nada ya que todo lo ven. Conocen la profundidad de tus pensamientos, sentimientos y emociones. No puedes engañarlos ya que tienen la mirada de Dios que todo lo penetra. Siempre saben lo que es mejor para ti. Es importante que cultives su amistad y que establezcas una verdadera y honesta intimidad de la misma forma que harías con el más cercano de tus amigos.

109

Si así lo haces, tendrás altísimas posibilidades de triunfar y avanzar en tu evolución espiritual. Tus pruebas serán más cortas, tus expiaciones menos duras y tu vida será mucho más feliz.

Dios jamás nos abandona. Ésta es una prueba más de Su infinita misericordia y amor por la humanidad.

Cada Ángel Guardián tiene un protegido a quien cuida y ayuda de la misma forma que un padre lo haría con su amado hijo. Se complace en su sublime misión y se alegra grandemente cuando avanzamos en nuestro camino. Sufre profundamente cuando hacemos caso omiso de sus consejos y puede abandonarnos cuando insistimos en seguir el camino equivocado.

Nuestro Ángel Guardián nos acompaña desde el nacimiento hasta la "muerte" y frecuentemente nos acompañan durante nuestra estancia en el mundo espiritual. Incluso, puede estar a nuestro lado durante varias existencias corporales.

Para un espíritu como éste, el hecho de estar acompañándonos durante la existencia física, puede ser una misión, un deber o una obligación. Elige a quienes le son más simpáticos en caso de ser una elección voluntaria.

En caso contrario, se tratará de una misión que le ha sido encomendada, y cuyo propósito será ayudar a un hermano necesitado de ilustración y guía en el mundo de la carne.

¿Cuántas veces hemos visto a un niño que, desobedeciendo los prudentes consejos de sus padres, insiste en hacer algo que lo puede lastimar? Los padres optan por permitirle que se caiga o golpee para que así aprenda por experiencia propia el camino. ¿Correcto?

De igual forma, nuestro Ángel Guardián puede abandonarnos cuando ve que preferimos el deseo de gratificación inmediata, insistimos en desobedecer sus consejos y reincidimos en andar el camino de la oscuridad.

Recordemos que el Libre Albedrío hace que seamos responsables de nuestros actos. Cuando hacemos caso omiso a los consejos y las reglas de conducta necesarias para nuestro avance espiritual, Dios permitirá que aprendamos por medio del dolor en vez del amor.

110

Si se da cuenta que son inútiles sus consejos, no le queda otra opción más que dejar que aprendamos las lecciones a través del sufrimiento que nuestras acciones causarán. Pero siempre estará atento a nuestro llamado en caso de arrepentimiento y comprensión de las lecciones.

Existen en el plano espiritual varios Espíritus Protectores que velan por nosotros. Sólo nuestro Ángel Guardián estará constantemente a nuestro lado y es usualmente de más elevada jerarquía que los otros espíritus que simpatizan con nosotros. Estos otros espíritus pueden sentir simpatía hacia nosotros por haber formado parte de nuestra familia en pasados remotos o simplemente por afinidad de caracteres y comportamientos.

Debido a que no es ostensible lo que hacen por nosotros, podrías preguntarte: ¿Por qué los espíritus que nos ayudan lo hacen de forma más o menos "oculta"?

Debes entender que si no lo hicieran de esa forma, nos convertiríamos en personas pasivas. El hecho de tener un espíritu superior guiándonos, podría hacer que no nos esforzáramos, retrasando así nuestro progreso.

Es necesario que nos esforcemos por lograr nuestras metas y que nos fortalezcamos en este proceso. De otra manera, sería como a un niño a quien sus padres sobre-protegen, ocasionándole así, un carácter débil e imposibilitado a vencer los obstáculos de la vida.

Aquellos que quieren saber el nombre de su guía, pierden su tiempo. Imagínate lo absurdo de pretender conocer el nombre de un espíritu que ha llegado a la parte más alta de la evolución espiritual. Son nombres que no conocemos, no entendemos y que no significarían nada para nosotros.

Ellos acuden a nuestro llamado mental. Puedes ponerle el nombre que quieras. Incluso, puedes ponerle el nombre de algún espíritu superior por quien tengas simpatía y tu espíritu guía siempre vendrá a tu auxilio. Cuando estés de nuevo en el mundo espiritual, le reconocerás ya que sabes quien es desde antes de reencarnar.

De nuestro grado de evolución dependerá el progreso que tenga nuestro espíritu protector. Por ejemplo, una persona que viva en estado salvaje una existencia de muy baja moral, no tendrá un espí-

111

ritu de alto grado de conocimientos y progreso. La misión particular que cada uno de nosotros hayamos venido a realizar determinará el grado de avance del espíritu que está a nuestro lado protegiéndonos y guiándonos.

Sería como darle a un niño que todavía no sabe leer un maestro con doctorado en Física Cuántica. El desperdicio sería absurdo. Las leyes de Dios son perfectas en su equilibrio y sabiduría.

Existe también ayuda espiritual para asistir a quienes desempeñan actividades que apoyan el progreso de la humanidad como las artes y las ciencias. En la antigüedad se les denominaba "musas inspiradoras".

Frecuentemente inspiran y ayudan a quienes, por medio de su talento creativo y deseo de ayudar, hacen que nuestras vidas avancen en conjunto por medio de descubrimientos científicos, obras artísticas y construcción de un mundo mejor.

Terminamos así nuestro análisis sobre aquellos espíritus de luz que dedican sus existencias a protegernos, ayudarnos, guiarnos e inspirarnos para crecer, mejorar y hacer que nuestro planeta sea cada vez mejor.

Pasemos ahora a ver quiénes son los espíritus que aún caminan por el lado oscuro de la vida.

Ángeles de Oscuridad
(Los Llamados "Demonios")

La vida es como un tablero de ajedrez. Tiene cuadros blancos y la misma cantidad de cuadros negros. Gracias al libre albedrío, somos capaces de decidir por cuáles cuadros queremos pasar para llegar al otro lado del tablero.

Cuando nuestro espíritu protector nos abandona debido a las causas ya expuestas, entran en juego aquellos espíritus poco evolucionados quienes siempre están al acecho de quienes se inclinen al lado oscuro de su existencia.

Entonces nuestro Espíritu Protector permitirá que suframos la influencia de estos espíritus oscuros para que así aprendamos la lección y volvamos al camino correcto buscando paz y consuelo.

A pesar de que la palabra ángel nos hace pensar inmediatamente en seres de perfección moral, a menudo se aplica también a seres de baja moral y apegados al mal cuando están desencarnados.

A veces escuchamos a alguien que se refiere a un "ángel bueno", a un "ángel malo", "ángel de la luz", "ángel de las tinieblas", etc. Cualquiera que sea el término que se use, normalmente se referirán a un espíritu o "genio".

Así como tenemos ángeles de luz que nos asisten en todo momento en el trayecto por el camino de la vida, los espíritus "malos" se acercarán a nosotros dependiendo de las similitudes en las inclinaciones con ellos.

Esta mutua afinidad será lo que finalmente los atraerá. Por ejemplo, una persona que guste de los vicios, el engaño y el abuso sobre sus hermanos, irremediablemente atraerá a espíritus de la misma calaña quienes le asistirán en sus malas acciones.

La palabra "demonio" proviene de "daimon", que significa inteligencia o genio. En la antigüedad se le daba este nombre a los espíritus incorporados ya fueran buenos o malos. Actualmente, esa palabra se le da a seres maléficos en esencia.

Pero Dios, en su infinita bondad y justicia, no ha creado seres malos; lo que ha creado son seres ignorantes y simples que requieren de ilustrarse por medio de experiencias encarnatorias. Desafortunadamente existen aún quienes han tomado la decisión de cruzar el tablero de ajedrez de la vida dándole preferencia a los cuadros negros, pensando que así lo cruzarán más rápido.

Recordemos que todos, sin excepción, nos dirigimos hacia un estado de perfección. Pero al igual que niños, necesitamos aprender desde lo más elemental para así poder ir adquiriendo experiencias que nos permitirán avanzar en los escalones de la vida.

Siendo así, es claro que no pueden degenerar ni siquiera aquellos espíritus apegados al lado oscuro de la vida. Eso sería violentar la Ley

113

de Evolución. Pueden, en todo caso, estancar su progreso hasta que las experiencias y los golpes de la vida los obligan a avanzar. Todo se mueve en el universo y nada queda estático por mucho tiempo.

Podríamos decir que más que maldad existente en algunos espíritus de bajo nivel evolutivo, lo que hay es una gran ignorancia; sin que eso sea un pretexto para no avanzar y perfeccionarse. Todos aquellos espíritus que se encuentren del lado oscuro de la vida siempre serán responsables por cada uno de sus actos.

La Luz de la Verdad ha brillado para todos, sin excepción alguna, a través de los mensajes de quienes han venido a ilustrarnos y mostrarnos el camino.

Recordemos que el libre albedrío se desarrolla a medida que un espíritu adquiere consciencia de sí mismo. Es decir, no existen causas que "obliguen" a nadie a actuar mal, sólo malos sentimientos y tendencias que algunos prefieren alimentar por ser estos caminos más "placenteros" para algunos.

Dios no crea espíritus malos. Nos concede libertad para elegir de qué lado queremos estar. Esa es nuestra máxima libertad. Tenemos la capacidad para actuar conforme a lo que nos dicte nuestro grado evolutivo de consciencia.

¿Existen los demonios? ¡Por supuesto que no! Al menos no como los imaginamos. Si existieran, serían necesariamente obra de Dios. Todo lo que existe es creación Suya. Eso sería totalmente contrario a Su bondad, amor y justicia con la que Él ha hecho Su obra.

Imagínate lo absurdo que sería si nuestro Padre Celestial hubiera creado seres del mal para hacerle daño a sus hijos. Sería totalmente ilógico. ¿No crees? Eso sólo podría ser creación de un ser vengativo y perverso.

Esa maldad, que comúnmente se le adjudica a los mal-llamados "demonios", sólo puede existir en la inferioridad de nuestras almas cuando nos acercamos a las pasiones bajas, al egoísmo, la lujuria, el deseo de poseer, conquistar y consumir para nuestra exclusiva satisfacción.

No tienes que creer nada de lo que estás leyendo tan sólo porque está aquí escrito. Usa siempre la Lógica. Una doctrina que albergue demonios con poderes suficientes para dañar a los hijos de Dios sería totalmente absurda por los motivos ya expuestos. Además sería imposible triunfar ante la inmensa mayoría de seres elevados que existe en ambos planos.

Sería tanto como crear un Dios que permite la maldad y la perversidad por medio de seres oscuros para hacer de la humanidad, tan sólo piezas de un juego de poderes. Pero ahora ya sabes que no es así. Con esto no estamos negando la existencia de seres de baja vibración y nivel moral.

Hemos visto ya las escalas evolutivas de los seres humanos tanto en estado encarnado como desencarnado. La creencia en semejantes entidades consagradas al mal es sólo entendible en pueblos y culturas de gran atraso.

Estos pueblos han representado al mal con diversas imágenes, entre ellas las de Satanás y el diablo con cuernos y trinchete cocinando en el fuego eterno a quienes caen en sus garras. Pero aquí es necesario, una vez más, hacer uso de la lógica más elemental para entender que sería imposible que Dios tuviera una contra-parte o siquiera un ser con el poder suficiente como para contrariar Sus designios. Si aceptáramos esa teoría, sería tanto como negar que Dios lo ha generado todo. Nada existe que no haya sido creado por Él. Nada podrá jamás opacar Su poder e infinita luz.

Así entonces, se debe entender que la palabra demonio se relaciona a aquellos espíritus impuros y poco evolucionados que viven en el error de no entender que sus sufrimientos acabarán una vez que busquen el camino de la luz. No son seres con poderes superiores dedicados al mal y a la perdición del ser humano.

Satán es evidentemente la personificación alegórica del mal que el ser humano, en su ignorancia, ha creado para representar aquello contrario a las más elevadas virtudes.

De la misma manera se ha representado a "la muerte" como un esqueleto cubierto con una túnica negra y una hoz; o al "señor del tiempo", como un anciano de largas barbas blancas con un reloj de arena colgado al cuello. Éstas son tan sólo figuras que sirven para excitar la imaginación del pueblo, pero nada más...

De la misma manera que los ángeles no tienen alas blancas, porque simplemente no las necesitan para volar, el "demonio" no tiene garras ni demás atributos bestiales que representan su bajísimo nivel de evolución.

Comunicándonos con "El Otro Lado"
(¿Qué es la Mediumnidad?)

¿Cuántas veces has escuchado a alguien que te dice que "habla con los muertos"? La comunicación con el mundo espiritual es algo que ha formado parte de la filmografía y literatura desde sus inicios. Existe una gran fascinación con el hecho de poder hablar con aquellos que se nos han adelantado en el viaje al "más allá". En muchos casos, este interés está basado en ambición de poder y riquezas obtenidas por medio de misterios revelados por "fantasmas".

Pero antes de entrar de lleno en este tema, veamos qué es exactamente este fenómeno de poder comunicarse con los "muertos". Existe en todos nosotros la habilidad para poder sentir la influencia de aquellos que habitan en otro plano. A esa habilidad se le llama "Mediumnidad", debido a que quienes lo hacen tienen el nombre de "Médiums".

La Real Academia de la Lengua Española describe la palabra "Médium" como la "Persona a la que se considera dotada de facultades paranormales que le permiten actuar de mediadora en la consecución de fenómenos parapsicológicos o de hipotéticas comunicaciones con los espíritus." La verdad es que esas comunicaciones no tienen nada de "hipotéticas". La ciencia desde hace mucho tiempo ha comprobado este hecho por medio de estudios científicos comprobados y comprobables.

Ser médium no es más que ser el medio de comunicación entre dos corrientes o energías, siendo una, el espíritu encarnado (nosotros) y la otra, el espíritu desencarnado que como sabes, es aquel que se encuentra desprovisto de la carga grosera del cuerpo físico en el cual nosotros nos encontramos presos por ahora.

Todos somos naturalmente médiums. Esto no es más que el hecho de ser poseedores de un canal psíquico por medio del cual recibimos

116

influencias provenientes de espíritus desencarnados. Estas influencias, como hemos visto ya, pueden ser positivas o negativas. Pero esta capacidad de comunicación no existe en igual grado en todas las personas.

Si bien todos podemos sentir influencia espiritual, no en todos es ostensiva al grado de poder tener una comunicación inteligente e inteligible con una entidad espiritual. Es por esto que sólo aquellos que pueden practicar la Mediumnidad y tener un intercambio de comunicación entre el mundo físico y el mundo espiritual pueden llamarse oficialmente "Médiums".

Esta disposición y capacidad del ser humano encarnado está supeditada no sólo al nivel de evolución espiritual al cual pertenezca, también está sujeto a sus particulares pruebas y expiaciones. Pero es de gran importancia saber que también se requieren ciertas características físicas. La principal de estas características se encuentra en la Glándula Pineal ubicada en la cabeza y es nuestra "antena" para entablar contacto con nuestros hermanos espirituales. No entraré en detalles sobre esta importantísima glándula debido a que es un tema médico-científico y quedará para futuros trabajos.

Todos Somos Médiums
(Tus Capacidades "Paranormales")

Ahora que sabes que vienes del mundo espiritual, sólo puede ser lógico que todos tengamos en cierto grado la capacidad de entablar contacto con "el otro lado".

Vivimos, nos desarrollamos y tenemos nuestro ser en una gran piscina cuya atmósfera fluídica sirve como elemento de contacto. Es algo así como el Internet, donde todos pueden mandar o recibir mensajes, lanzar al espacio cibernético ideas, influenciar a otras personas o ser influenciados por ellos.

Así mismo sucede en el mundo de los espíritus ya que todo aquello que pensamos o sentimos, cuando oramos o maldecimos, y en general todos aquellos pensamientos, sentimientos o emociones sentidas con intensidad, son emitidas desde nuestro ser (transmisor) y son recibidas por aquellos que vibren a la misma frecuencia (receptor).

117

Al igual que una estación de radio que emite ondas de sonido, dependerá de que sintonicemos la frecuencia exacta para poder recibir esa estación en particular.

Sólo existe una manera de saber si tenemos o no una mediumnidad ostensiva. Esto es, acercándonos a algún Centro Espírita serio y reconocido por las organizaciones internacionales que los dirigen. De igual manera, es esencial que quien desee desarrollar su mediumnidad se ponga al servicio del bien. De lo contrario, podrían ser víctimas de charlatanes y entidades de dudosas intenciones.

Existen personas que, debido a su mayor o menor sensibilidad ante las influencias de los espíritus, a veces sienten que sólo por eso, están listas para trabajar en ese campo. Esto no podría estar más alejado de la verdad.

Se requiere una dedicación total al estudio de todo lo relacionado con la Doctrina Espírita y un compromiso de trabajar siempre en pos de la iluminación de la raza humana. Un médium ignorante y sin la debida preparación es más peligroso que alguien sin ninguna aptitud para este tipo de comunicaciones. Esto se debe a que en la mayoría de los casos el individuo se "fascina" con la nueva experiencia y comienza a creer cosas que no existen. Se convierte en víctima de falsos orgullos y de influencias espirituales provenientes de aquellos que aún se encuentran en las escalas inferiores de la escala de virtudes.

Existen diversos medios de comunicación entre espíritus pertenecientes al plano sublime y nuestro plano físico. Algunos médiums tienen la capacidad de "sentir" la presencia de un hermano desencarnado mientras otros pueden hablar con ellos y verlos de la misma manera que tú podrías verme si yo estuviera ahí.

Pero lo más importante es nunca olvidar que todo este tipo de fenómenos debe ser tratado con el máximo respeto y cuidado. De lo contrario podríamos estar embarcándonos en un viaje del cual será difícil salir si lo que nos motiva es tan sólo la curiosidad y no el deseo de hacer el bien.

Hasta aquí has aprendido quién eres y de dónde vienes. Ha llegado el momento de emprender un viaje al futuro y descubrir a dónde vas...

¿Me acompañas?

118

CAPÍTULO 6

¿A DÓNDE VAS?
(Preparándonos para Nuestro Destino)

De Vuelta al Hogar
(Tu Verdadera Patria)

Mi padre, debido a su trabajo, siempre vivió en diferentes países por lapsos que iban desde algunos meses hasta varios años. Normalmente lo veíamos cada vez que regresaba a casa, pero también tuve la oportunidad de visitarlo y vivir en los países a donde él tenía que estar.

Cuando yo tenía 7 años, fui a visitarlo a España por un período de 6 meses. Era yo tan inocente y tan soñador, que creía que en vez de personas y ciudades, lo que había en Europa eran caricaturas. ¡No te rías! Lo que pasa es que yo había visto Europa sólo en caricaturas en la televisión. Y así crecí, pensando que iba a encontrar dibujos animados en vez de un mundo real igual al que yo vivía en México.

El caso es que cuando me bajé del avión junto con mi madre, enorme fue mi sorpresa, y mayor aún mi decepción, al ver que todo era gris y que las personas eran tan de carne y hueso como las que vivían en mi país.

Debo confesar que esa fue una etapa bastante deprimente en mi vida. En esa época no existían el Internet, los celulares y mucho menos los juegos de videos o computadoras portátiles. Mis hermanos, que eran mucho mayores que yo, no solían ir a esos viajes conmigo... Estaba solo, sin amigos, en un país extraño con costumbres muy diferentes a las mías.

Esos seis meses se me hicieron verdaderamente eternos. Cuando regresé a México, todo me parecía bellísimo, lleno de color, alegre y mucho más bello de lo que yo lo recordaba.

Cuando estamos encarnados en este planeta, en realidad estamos exiliados de nuestro verdadero hogar que es el plano espiritual. Como ya sabes, aquí venimos a pasar por pruebas y expiaciones; a mejorar y avanzar en nuestra evolución.

Es por eso que, sin darnos cuenta, añoramos nuestra verdadera patria y cada vez que podemos visitar a nuestra familia y amigos del hogar espiritual, es como un bálsamo sobre nuestras heridas adquiridas en este plano en el cual nos encontramos actualmente.

La "muerte" se convierte entonces en un verdadero alivio para quienes han transitado por el camino de la luz, ya que saben que se acerca el momento de descansar, reponerse de las pruebas realizadas y prepararse para las siguientes. Es algo así como volver a una playa paradisíaca después de haber estado en la cárcel por muchos años, ¿te imaginas?

Pero, si todo esto es cierto entonces por qué le tememos tanto a la muerte del cuerpo físico?

Acompáñame a descubrirlo...

¿Quién le Teme a la Muerte?
(La Muerte es Una Ilusión)

Todos sabemos instintivamente que la llamada "muerte" no es el final de nuestra existencia. Sabemos de igual manera que cuando perdemos a algún ser querido, lo volveremos a encontrar de una forma u otra. Lo que pasa es que con tantos años de contaminación cultural y religiosa, esta creencia se ve a veces confundida. Entonces comenzamos a preguntarnos qué pasa en realidad cuando dejamos este planeta.

¿Por qué aún le tenemos miedo a la muerte? Recordemos que aún nos encontramos en un estado de evolución limitado. El instinto de conservación, que está impregnado en nuestro ser, sirve como un medio para equilibrar el conocimiento intuitivo de la inexistencia de la muerte. De esta forma, tomamos las precauciones de cuidar y respetar nuestro cuerpo físico para evitar dejar prematuramente este planeta sin haber concluido nuestras pruebas.

120

La perfección de Dios es realmente maravillosa. A pesar de que el apego al cuerpo es inherente a nuestro estado evolutivo actual, hemos pasado ya el estado de primitivismo donde el porvenir no era más que una simple intuición. Después se ha convertido ya en una esperanza. Y para algunos hermanos esclarecidos y evolucionados en este plano, la vida futura ya es una certeza.

Has aprendido ya que el cuerpo perece pero el alma permanece y sigue su camino. Todo aquello que aprendamos y adquiramos en cuanto a nuestra preparación intelectual y moral, seguirá siendo nuestra posesión y nos servirá más adelante para las futuras pruebas y expiaciones planetarias.

Es por eso que debemos perder el apego exagerado al exterior y profundizar en el interior, que es finalmente donde reside nuestro ser y nuestra alma inteligente. Conforme avancemos en nuestra sabiduría y evolución, nos iremos liberando de esas cadenas de miedo y dolor que la muerte nos causa. Entenderemos que quienes se van antes que nosotros, no se pierden para siempre. Es tan sólo un "viaje de regreso a casa" el cual será siempre positivo en su carácter de avance espiritual.

Si bien, es perfectamente entendible que nos duela separarnos de aquellos a quienes amamos, será en verdad ilustrativo darnos cuenta de que seguiremos en contacto de una u otra forma. Somos una gran familia espiritual la que conformamos el cosmos y todos estamos ligados. Aquellos a quienes hemos amado, quedarán unidos a nosotros por esos lazos afectivos que no se perderán jamás.

Desgraciadamente nos hemos acostumbrado a lo lúgubre de los rituales funerarios y relacionamos la muerte con tristeza y sufrimiento. En este capítulo aprenderás el proceso que vivimos al separarnos de la envoltura carnal. Sabrás lo que en verdad sucede después de nuestra partida de este plano.

Transición Entre Dos Planos
(¿Qué Pasa Cuando Morimos?)

Elegí una mariposa azul como símbolo de este libro porque ésta representa perfectamente el proceso de transformación que sufrimos cuando pasamos del mundo material al espiritual.

121

Para poder elevar su vuelo, las majestuosas mariposas primero necesitan pasar por varias etapas de difícil proceso evolutivo.

Primero es la larva, que tiene que luchar por salir del huevecillo que la contiene; después comer la cáscara vacía para nutrirse y resistir hasta encontrar la planta de la cual se va a alimentar. Acto seguido, la larva se debe alimentar vorazmente para convertirse en oruga, elegir un tallo adecuado e iniciar el proceso de construcción de la crisálida.

Una vez pasadas estas etapas, estará lista para comenzar a abrirse paso hacia su libertad, rompiendo la crisálida donde se encontraba presa y así, finalmente poder emprender el vuelo por primera vez.

Este proceso es semejante a lo que sucede cuando dejamos las cadenas del cuerpo material para "emprender el vuelo" hacia nuestro porvenir en el mundo espiritual.

¿Recuerdas cuando hablamos sobre el Peri-espíritu? Bueno pues esa envoltura semi-material que mantiene al cuerpo y al espíritu "conectados", empieza a desligarse poco a poco cuando nuestro cuerpo deja de funcionar y se niega a seguir sirviendo al espíritu.

Esta separación no es súbita, y el tiempo de separación total dependerá de varios factores:

1. Apego del espíritu al cuerpo usado durante la presente encarnación.

2. Estilo de vida.

3. Moral y créditos adquiridos debido a una positiva existencia.

4. Conocimientos sobre la realidad espiritual que estás adquiriendo en este momento.

La creencia popular siempre ha sido que al momento de la muerte, el espíritu se va definitivamente dejando su cuerpo atrás. Y ese sería el caso ideal. Pero sólo sucede en aquellos espíritus que han vivido por el camino de la luz, desapegados de la materia, ajenos a la vanidad, el orgullo y la arrogancia, habiendo comprendido a cabalidad cómo funciona el reino espiritual.

122

Por ejemplo, una persona cuya existencia haya estado apegada a los placeres de la carne como la sensualidad, el sexo y demás comportamientos de baja vibración, basados en intereses mezquinos, egoístas o superficiales, usualmente se mantendrá apegada al cuerpo. Esta persona llegará inclusive a experimentar el proceso de descomposición de su cuerpo, ocasionando obvio horror y sufrimientos por no entender qué es lo que le está sucediendo.

Dichos espíritus se niegan a creer que han desencarnado e inclusive pueden vivir por mucho tiempo en esta situación. Cuanto más se identifica el espíritu con la materia, más sufrirá al separarse de ella.

Por otra parte, aquellos que han vivido una vida elevada en dignidad, moral y comportamientos, usualmente estarán más separados de la materia inclusive desde antes de desencarnar. Para ellos la separación será casi inmediata ya que no tendrán ningún apego a su cuerpo.

Separación del Alma y el Cuerpo Físico
(Rompimiento del Lazo Fluídico)

Cuando se termina la vida corporal, se rompe el lazo fluídico que une el alma al cuerpo físico. Entonces, el fluido Peri-espiritual se va desprendiendo poco a poco de los órganos. Al momento que no queda ni un solo átomo del Peri-espíritu unido a una molécula del cuerpo, es cuando la separación es absoluta y definitiva.

Cuando la muerte ocurre, acontece un fenómeno de turbación que hace que los sentidos se emboten, neutralizando parcialmente las sensaciones. Es algo así como si estuviéramos bajo los efectos de un anestésico que casi nunca permitirá que estemos totalmente conscientes de los últimos instantes.

Es algo así como cuando tomamos una siesta profunda por la tarde, y al despertar, nos sentimos como "borrachos" de sueño y con los sentidos turbados por algún tiempo. Nos sentimos confundidos y las ideas suceden de forma vaga, como si las viéramos a través de una nube de humo. Este proceso puede durar, como lo hemos visto en el tema anterior, desde algunas horas hasta varios años.

123

Recordemos que del apego que tengamos con el cuerpo físico, dependerá la duración de este proceso. Este apego será directamente proporcional al apego que tengamos con la vida terrenal y los placeres materiales. Este fenómeno es casi nulo en aquellas personas de elevada situación espiritual quienes se identifican con el concepto anticipado de la vida espiritual.

Un ejemplo de este tipo de personas son aquellos que pasen por una muerte natural, debido a la extinción de las fuerzas vitales del cuerpo físico. Estas personas, ya sea debido a la edad o a alguna enfermedad y consiguiente desgaste de las capacidades naturales de su vehículo físico, gradualmente se irán acercando al momento de su partida. Experimentarán la separación gradual entre el espíritu y la carne.

En los casos en que la persona sea alguien cuya alma está desmaterializada y enfocada más a las cosas espirituales que a las del mundo físico, el desprendimiento será completado incluso antes de la muerte real. Es decir, el cuerpo tendrá aún vida orgánica.

Sin embargo el espíritu habrá ya entrado al mundo espiritual y podrá, inclusive, presenciar la extinción total del lazo que lo unía al cuerpo físico. En estos casos, la transición será como despertar de un sueño apacible y encontrarse con una realidad de esperanza y felicidad.

Por otra parte, en el caso de una persona que haya pasado por su vida inclinada al mundo de la sensualidad y de las cosas materiales, incrédula de los temas espirituales, se hallará en una lucha del espíritu para romper los lazos que le unen al cuerpo físico.

Las convulsiones típicas de la agonía podrán corresponder a los esfuerzos del espíritu por librarse de las ataduras de la carne. Pero también pueden ser reflejo de su aferramiento al cuerpo físico y a su resistencia para no dejarse arrancar del mismo por esa fuerza irresistible que lo impele a separarse de él.

Vemos aquí un ejemplo más de la importancia de trabajar en nuestra purificación y evitar las malas tendencias resistiendo las tentaciones de hacer aquello que bien sabemos nos hace mal. Si entiendes los beneficios que obtendrás al hacerlo, tendrás asegurado un bello porvenir.

124

La Ley de Causa y Efecto
(Ley del Karma)

Todo lo que siembres, cosecharás. En esto se basa la Ley de Causa y Efecto, también conocida como Acción y Reacción o Ley del Karma.

Esta ley nos dice que no existe efecto sin causa ni causa que no produzca necesariamente un efecto. Dicho en otras palabras, todo lo que acontece tiene forzosamente un origen o no podría existir.

La suerte no existe. Es tan sólo el "comodismo" de buscarle soluciones simplistas a aquello que nos sucede sin entender que para que algo nos salga bien, necesariamente debemos recorrer el proceso adecuado para que así suceda.

Todo en el universo responde a esta ley. Ya hemos visto la reencarnación como un claro ejemplo de la Ley de Causa y Efecto, a cuya justicia nada escapa. ¿Cuántas veces hemos escuchado a alguien decir la palabra "Karma" ante una situación donde alguien "paga" aquella maldad que hizo?

Jesús ya nos lo dijo hace dos mil años: *"A cada uno será dado según sus obras..."* Esta ley también la podemos ver en el mundo científico como la Tercera Ley de Newton que establece que cuando un elemento material interactúa con otro, provocando en él una fuerza, sufre automática e instantáneamente una fuerza contraria de la misma intensidad.

En el plano espiritual acontece exactamente lo mismo. El espíritu tiene libre albedrío para decidir sus acciones. Si se comporta correctamente, tendrá como resultado felicidad y paz. Si se comporta inadecuadamente, el resultado será irremediablemente frustración y sufrimiento hasta que pueda comprender el funcionamiento de las Leyes Divinas.

Como lo hemos visto ya, tu comportamiento en una determinada encarnación determinará tus pruebas y expiaciones en la siguiente. Si una persona de gran riqueza financiera abusa de aquellos que le sirvieron, seguramente tendrá que aprender por el camino del dolor. Muy probablemente regresará a este plano como un sirviente de alguien de quien abusó y humilló con los bienes y posición social que Dios le permitió tener en su pasada encarnación.

125

Algunas veces los efectos de nuestras acciones no serán inmediatos. Sin embargo, la Ley es inmutable y siempre nos hará vivir las consecuencias de aquello que causemos. Independientemente de que nuestras acciones sean buenas o malas, el tiempo de reacción a una causa determinada puede ser vivido ya sea en la presente encarnación, en el plano espiritual después de desencarnar, o en una existencia posterior. Pero siempre viviremos los efectos de aquello que hagamos.

Es por eso vital que comprendamos la importancia de regenerarnos y purificar nuestro comportamiento. El camino de la luz es muy claro y los frutos que recogerás serán maravillosos. Tan sólo sigue las señales que te han sido dadas y no correrás riesgo de perderte.

El Purgatorio
¿Realidad o Fantasía?

¿Qué es el Purgatorio? Estamos acostumbrados a la idea ancestral de un lugar donde las almas van a sufrir sus malos actos por medio de las llamas hasta que alguien interceda por ellas mediante constantes rezos y oraciones hasta que es liberado... No creo necesario decir que esto no corresponde a lo que un Padre de amor e infinita misericordia haría vivir a sus hijos, ¿verdad?

Purgar significa "purificar", "corregir", "depurar". El verdadero purgatorio, como hemos visto, lo vivimos durante nuestro paso por la tierra. Consiste en las pruebas y las expiaciones que tenemos que pasar para mejorarnos y evolucionar.

Pero sí existe una etapa por la cual habremos de pasar dependiendo de nuestros merecimientos o deudas contraídas durante la encarnación que acaba de terminar. Un espíritu, cuya vida se haya visto llena de actos de maldad, egoísmo, humillación hacia sus hermanos, apego a los placeres de la carne, arrogancia, orgullo y demás condiciones de bajo nivel, tendrá que enfrentarse a sus víctimas y a todos aquellos actos deplorables que haya efectuado.

El tiempo de duración de esta etapa dependerá del arrepentimiento y comprensión sobre aquello que ha hecho. Puede durar desde poco tiempo, hasta muchos años. Existen espíritus endurecidos que requieren de una gran cantidad de sufrimientos para así entender el mal que han hecho y para tener la oportunidad de salir del estado deplorable en el que se encuentran.

Aquellos espíritus, cuyas vidas se hayan visto caracterizadas por su bondad y apego a las virtudes y acciones dignas del ser humano, podrán ser guiados rápidamente a colonias espirituales para su descanso y preparación ante la etapa que le seguirá.

Cómo verás, la lógica de nuestra realidad espiritual es muy simple: Hago mal, me va mal. Hago bien, me va bien. No existe ningún misterio ni verdad oculta. la Ley de Causa y Efecto es de una absoluta justicia para todos. Nos marca el camino a seguir para lograr ser felices, inclusive en nuestra presente existencia.

¿Cielo o Infierno?
(La Consciencia, Íntimo Verdugo)

Cuando era niño, recuerdo el miedo que me daban esos dibujos sobre el infierno, donde se veían las almas siendo torturadas de maneras espantosas - donde las penas serían eternas.

Este tipo de ideas me confundían grandemente ya que se contraponían a los conceptos expuestos en algunos libros sagrados sobre un Dios de infinito amor y bondad. No podía imaginarme a alguien tan bueno, haciendo pasar a sus amados hijos por experiencias tan espantosas. Esa confusión me acompañó por años hasta que pude profundizar en mis estudios y darme cuenta de lo ilógico de algo como esto.

En el mundo espiritual no existe un infierno con un demonio con trinchete y cuernos torturando a quienes tengan la mala fortuna de caer en sus garras. Pero sí existen regiones inferiores donde los sufrimientos pueden ser muy grandes para aquellos que se apartaron del camino de la luz.

La diferencia con el famoso "infierno" es que no hay fuego ni penas eternas. Lo que hay es un enfrentamiento con nuestra propia consciencia y aquello que hicimos de incorrecto. La duración dependerá de nuestra capacidad de comprender el error en el que vivimos. Estará también sujeto a si logramos alcanzar un estado de arrepentimiento honesto y buscar la luz que nos permitirá salir de esas regiones para continuar nuestro camino evolutivo.

Existen espíritus que, endurecidos por la vida material que vivieron, tardarán un tiempo más o menos largo para comprender el camino a seguir; para buscar la mano del Creador; y para poder reparar el mal que hayan causado.

En estas regiones del umbral no hay demonios, como algunas religiones nos han enseñado. Pero sí hay espíritus de bajo nivel y tendencias malignas que también algún día comprenderán su error y tendrán la oportunidad de salir de su tormento particular.

Por cierto, este lugar no se encuentra en el centro de la tierra, sino en las regiones inferiores del mundo espiritual. Puede considerarse un infierno en cuanto a su función de hacer que aquellos espíritus culpados puedan pasar un tiempo ahí.

El tiempo dependerá de la culpa particular. Y su liberación dependerá del mérito que adquieran con su esclarecimiento mental.

Recordemos que "infierno" es sinónimo de sufrimiento. Cuando no aprendemos por las vías del amor, tenemos que hacerlo por las del dolor.

Por eso te pido que medites sobre todo lo que hasta ahora has aprendido e inicies una nueva etapa en tu vida, donde al amor al prójimo, el perdón a las ofensas y la caridad, sean parte esencial de tu nueva vida.

¿Continuamos?

CAPÍTULO 7

EMANCIPACIÓN DEL ALMA
(¿QUÉ PASA MIENTRAS DORMIMOS?)

Introducción a la Emancipación del Alma
(Aprendiendo Dormidos)

Cuando yo era niño, vivía convencido de que tenía "una misión" que cumplir. Recuerdo que hasta los 7 años de edad, cuando dormía, en mis sueños leía un libro cuyas páginas contenían una historia maravillosa que me apasionaba noche a noche. Pero cuando despertaba, no podía recordar absolutamente nada de lo que había leído. Inclusive, podía ir pasando las páginas de este libro conforme avanzaba en su lectura pero la experiencia terminaba con mi regreso a la cama donde mi cuerpo se encontraba en reposo.

En esa época no estaba seguro si este fenómeno era realmente un sueño, un viaje astral, o alguna cosa rara que, debido a mi corta edad, no conseguía entender pero que disfrutaba enormemente.

Desde entonces, tuve la certeza de que mas allá de la realidad que podemos entender por medio de nuestros sentidos físicos, existe otra aún más importante que contiene las claves a todas aquellas interrogantes que suelen acompañarnos a lo largo de nuestras vidas.

¿Cuál es mi destino?

¿Para qué he nacido?

¿De dónde vengo?

¿Qué hay más allá de la muerte?

Estas preguntas han formado parte de aquellos misterios que el ser humano siempre ha querido entender y que particularmente yo siempre me esforcé por descifrar.

Mi familia nunca fue religiosa ni muy apegada al mundo espiritual por lo que la educación espiritual que recibí no me daba mayores claves a todas estas preguntas sin respuesta.

Mi asistencia a la Iglesia sólo me dejaba más confundido. Cada vez que me animaba a interrogar al Cura con alguna de mis acostumbradas dudas, tan sólo recibía una mueca de reprobación, una respuesta ambigua donde la palabra "resignación" siempre estaba presente, y el mandato a rezar palabras que para mí no significaban nada.

Afortunadamente desde muy niño descubrí a aquellos que se convertirían en mis mejores amigos de por vida: los libros. En ellos pude iniciar mi recorrido por el mundo del conocimiento. Devoraba todo lo que caía en mis manos y siempre quería mas. Mis libros favoritos eran las enciclopedias porque en ellas encontraba siempre respuestas objetivas a aquello que me intrigaba.

Obviamente esto no era suficiente porque nunca encontraba satisfacción ni información referente a aquellos temas que me apasionaban. Tal vez por eso es que me fue dado ese maravilloso regalo de poder leer en sueños aquellos libros de luz donde se hallaban las respuestas a los misterios de mi vida.

A pesar de no poder recordar el contenido de aquello que leía, en mi corazón siempre quedaba una sensación de paz y satisfacción por el conocimiento recibido. Ahora sé que aunque el cerebro físico no pueda recordar, la memoria espiritual retiene todo aquello que vivimos mientras el cuerpo reposa y el espíritu se libera.

¿Te imaginas tener la posibilidad de contar con un grupo de expertos consejeros que estén siempre dispuestos a guiarte y aconsejarte ante las pruebas de tu vida?

¿Y qué me dices de la posibilidad de poder transportarte en cuestión de micro-segundos a lugares maravillosos donde estén aquellas personas más amadas por ti, esperándote con los brazos abiertos cada vez que vas a visitarlos?

130

La vida sería mucho más leve y todo se nos haría mucho más fácil!

Me da mucho gusto decirte que esto no es algo en lo que tan sólo puedas soñar, sino que es una realidad que día a día tienes la oportunidad de vivir.

Se llama "emancipación del alma".

Hemos hablado ya sobre nuestra trinidad humana. Sabes bien que tienes un cuerpo físico que es mortal; un alma inteligente que es tu ser inmortal; y un Peri-espíritu que es la envoltura espiritual que, cuando no estás encarnado en tu cuerpo físico, se convierte en tu vehículo y forma de comunicación.

Pero este Peri-espíritu no lo usamos sólo cuando desencarnamos y nos dirigimos hacia el plano espiritual. Sucede también cada vez que le damos descanso al cuerpo físico mientras dormimos y nos libertamos parcialmente de él.

Cuando dormimos suceden varios fenómenos que son importantes para nuestra salud y equilibrio vital. El cuerpo material necesita descansar para recuperar sus energías vitales. Si no lo hace, comenzará a enfermar y hasta podría llegar a dañar la vida orgánica de manera permanente.

¿Pero qué pasa con el alma mientras el cuerpo descansa? El alma no necesita descansar ya que el Peri-espíritu no pierde energía vital en ningún momento. El cuerpo y el alma siempre estarán ligados mientras el cuerpo tenga vida Sin embargo, mientras dormimos ocurre una separación parcial entre ambos.

Entramos en un estado parecido al que sucede cuando desencarnamos. Los sentidos físicos se turban y perdemos consciencia de las sensaciones del cuerpo material.

Es por eso que no debes tenerle miedo a la muerte, ya que en realidad morimos todos los días cuando nos vamos a dormir...

131

Recreo del Alma
(Libertándonos del Cuerpo)

Recordemos que mientras estamos encarnados, vivimos aprisionados dentro de un cuerpo denso y pesado.

¡Imagínate la libertad que disfrutamos mientras nos separamos del cuerpo al dormir!

Cuando dormimos, tenemos la oportunidad de reintegrarnos a la sociedad espiritual de nuestro verdadero hogar y, dependiendo de nuestras inclinaciones morales e intelectuales, iremos a aquellos lugares que nos hagan sentir más placer, armonía o felicidad.

Recordemos que existen espíritus que no transitan aún por el camino de la luz y que tienen inclinaciones poco dignas. Ellos irán a aquellos lugares donde hayan espíritus de su misma clase.

¡Qué delicia poder tener la oportunidad de transportarnos a lugares maravillosos donde tengamos algunas horas de recreo espiritual, lejos de nuestras pruebas y expiaciones mundanas y donde podamos descansar del peso del cuerpo y de las preocupaciones diarias!

Es como tener acceso a una máquina mágica a la cual podamos entrar y transportarnos a donde sea que nuestra esencia lo permita! La clave, ahora ya lo sabes, está en vivir de acuerdo a los preceptos más elevados de conducta y en transitar siempre por el camino de la luz. El trayecto será siempre hermoso, placentero y lleno de alegrías.

Por eso es importante que, cada noche antes de dormir, evites ver programas de televisión o contaminarte con escenas violentas, tristes o de bajo nivel.

Siempre haz una oración preparatoria para reintegrarte al mundo de los espíritus y evita ir a la cama después de haber tenido una discusión. Es muy importante que te acostumbres a leer algo con temas edificantes que te ayuden a entrar en un estado de paz previo a tu separación del cuerpo. De esta forma, podrás gozar de un verdadero recreo y después de algunas horas podrás volver a tu cuerpo con las energías morales y emocionales renovadas y listas para iniciar un nuevo día.

Volviendo al Salón de Clases
(Vidas Paralelas)

Mientras estamos libres parcialmente del cuerpo físico, nuestro espíritu goza de libertad para transportarse por el espacio y estar en relación directa con otros espíritus.

Esta comunicación no es sólo con espíritus desencarnados que están en el plano espiritual, sino también con espíritus que, como nosotros, están separados temporalmente de sus cuerpos y gozan de las mismas libertades que nosotros.

Es por eso que, a veces y sin motivo aparente, tenemos en la mente durante todo el día a alguna persona que conocemos, ya que probablemente nos hemos encontrado con ella durante el sueño.

El sueño es la puerta por la cual podemos visitar a nuestros amigos y familia en el mundo espiritual, además que podemos aprender, trabajar, crear y crecer en diversos sentidos. Muchas veces creamos algo durante el sueño y después lo plasmamos en el mundo físico mientras estamos despiertos.

En el mundo de los espíritus, existe una vida paralela a la que llevamos aquí en la Tierra. Tenemos proyectos en los cuales estamos trabajando; aprendemos y nos preparamos para futuras misiones; recibimos consejos y motivación de nuestros Guías espirituales, familia y amigos. En general, es como asistir cada noche a un salón de clases espiritual, donde continuamos nuestro programa evolutivo.

Pero recuerda que esto sólo sucede si vives en sintonía con ese nivel vibratorio de creatividad positiva y evolución por medio del amor y el trabajo en pos de un mundo mejor.

¿Por qué Soñamos?
(Recuperando la Lucidez)

Todas las experiencias que tenemos mientras dejamos el cuerpo descansando, se alojan en nuestra memoria subconsciente. Aunque la mayoría de las veces al despertar, olvidamos aquello que vivimos en el mundo espiritual, a veces quedan reminiscencias de situaciones, lugares o personas que nos hacen pensar que "soñamos" algo extraño que no podemos explicar.

Nuestros sueños pueden ser de dos clases:

1. Creaciones mentales causadas por nuestra psique - nuestra imaginación.
2. Situaciones vividas en el mundo espiritual.

En el caso de los sueños de origen psicológico, estos son la manifestación de aquellas situaciones que nos preocupan - turbaciones, frustraciones, amores, desamores y demás experiencias que se manifiestan por medio de imágenes en mientras dormimos.

En el caso de las situaciones que hemos experimentado en el mundo espiritual, nuestros sueños son, no sólo aquello que vivimos mientras dormimos, también pueden ser recuerdos del pasado encarnatorio - incluso previsión del porvenir.

Recordemos que, al libertarnos por un tiempo de la carga pesada del cuerpo físico, recuperamos cierta lucidez espiritual y, con ella, también los recuerdos de aquellas existencias previas.

Debido a esto, a menudo despertamos con recuerdos de historias desarrolladas con detalle en forma de sueños clarísimos que se quedan en nuestra memoria por algún tiempo.

También existen el tipo de sueños proféticos cuyo contenido está aún en el futuro. Algunas veces recordamos haber soñado algo que después descubrimos sucede en tiempos futuros.

Otras, se trata de sueños que sólo pertenecen a aquellos espíritus que Dios necesite usar para sus fines de luz. Como ejemplo tenemos los sueños de Juana De Arco, y de aquellos profetas de la historia que han podido decirnos lo que está por venir.

¿Qué Significan Nuestros Sueños?
(Visiones Intuitivas)

No debes preocuparte por tratar de darles significado a lo que sueñas. Si juntas los sueños que sean parte de tu memoria espiritual con aquellos que formen parte de tus experiencias vividas mientras duermes; los unes a los que son producto de tu situación psicológica junto con los que puedan pertenecer a ideas sugeridas por espíritus y acontecimientos por venir; entonces tendrás una confusa sopa de imágenes sin sentido.

Los sueños son tan sólo producto de la emancipación del alma. Son una especie de clarividencia que se extiende a lugares y situaciones que crees que nunca antes has visto, inclusive de otros mundos en los cuales hasta ahora ni siquiera sabes que has estado.

Muchas veces al despertar, tratamos inútilmente de recordar una idea muy buena que hemos tenido o un sueño que consideramos importante. Esto no debe preocuparte.

Si es algo que debas saber, vendrá en su lugar y momento en forma de intuición o por medio de una idea que "de pronto" se te ocurrirá.

Visitas Nocturnas
(Viviendo de Noche)

Mientras dormimos, el cuerpo le cede poder al alma en relación a su existencia y libertad. Así, muchas veces nos encontramos con personas que conocemos en el plano físico e incluso, con otras personas que ni siquiera sabemos que conocemos y que pueden vivir en otros países donde nunca hayamos estado antes.

Esto es tan frecuente que puede repetirse noche a noche. La frecuencia dependerá de la utilidad de semejantes reuniones en cuanto al determinado proyecto de vida que estemos realizando.

Así, mientras dormimos, tenemos la oportunidad de visitar amistades y familia de nuestra existencia actual o de existencias anteriores.

135

Inclusive podemos estar en contacto con personas que aún no hayamos conocido en el plano físico pero que conoceremos en un futuro más o menos cercano.

Despertando con "Nuevas Ideas"
(Volviendo Inspirados)

¿No te ha pasado que despiertas con alguna idea maravillosa que el día anterior no tenías?

¿O por ejemplo, al despertar sientes una motivación y optimismo que no tenías la noche anterior?

Eso es porque has estado con quienes te han motivado y ayudado a buscar soluciones a aquello que te ha estado preocupando.

Pero no olvidemos que también puede suceder lo contrario. Puedes despertar con un terrible sentimiento o sensación de angustia, falta de energía y depresión sin causa aparente. Pero ahora ya sabes qué es lo que podría estar causando esto. ¿No es así?

Si estudias un poco la historia del planeta y de los grandes descubrimientos del ser humano, te darás cuenta de que muchas veces una gran idea surge al mismo tiempo en varios puntos del planeta.

Esto se debe a la comunicación constante que tenemos con el mundo espiritual, tanto entre espíritus desencarnados, como encarnados.

A veces al despertar, podemos creer que tenemos alguna idea propia, cuando en realidad es algo que hemos aprendido en "el salón de clases espiritual".

Lo mismo le pasa a muchas personas alrededor del mundo que pueden despertar con una idea similar o complementaria a aquello que se le ha ocurrido a alguien que ya esté trabajando en algún proyecto.

Esto ocurre en diversas áreas: ciencias, artes, industria, etc. Esto da como resultado que varios descubrimientos similares salgan a la luz en todo el planeta al mismo tiempo.

136

Días Buenos y Días Malos
(Efectos del Sueño)

¿Cuántas veces no has despertado sintiendo un gran cansancio y has pensando que te has levantado "con el pie izquierdo"?

¿O qué me dices de esos días en que todo te sale mal y piensas que no debiste haberte levantado de la cama?

Usualmente culpamos a algo que comimos antes de dormir y que "nos cayó pesado"; a la cama que tal vez no sea la ideal; o a preocupaciones del trabajo o de la familia.

No nos damos cuenta que venimos de una vida paralela en la cual hemos pasado por diversas experiencias, encuentros, aprendizajes.

Hemos estado reunidos en lugares y con personas que de una u otra forma nos han influenciado durante el sueño. Por consiguiente, esta experiencia repercutirá en el estado en el cual nos encontremos cuando "volvamos" de aquellos lugares.

Es importante que siempre te prepares para el momento de separarte del cuerpo durante el sueño. De esta forma podrás evitar cualquier contaminación que pueda afectar tu paz y equilibrio a la hora de dormir.

No importa cuántos problemas hayas enfrentado durante el día ni cuántos más tengas que enfrentar al día siguiente.

La hora de dormir es "tu momento". Nadie debe perturbarlo.

Trata esta parte de tu existencia con respeto. Verás que tus despertares serán mucho mejores y tus días malos se irán extinguiendo para darles paso a días maravillosos.

Antes de Dormir, Prepara tu Viaje
(Ejercicio Nocturno)

San Agustín fue un hombre iluminado y de gran elevación espiritual.

Él nos dejó un mensaje que se ha convertido en una de las piedras fundamentales de mi trayecto por esta vida.

Te invito a que inicies este ejercicio cada noche en la tranquilidad de tu cuarto. Puedes hacerlo en la cama, en una silla, en el suelo o en cualquier lugar que sea cómodo.

Este es un ejercicio que debe hacerse antes de dormir:

1. Piensa en todo lo que hiciste durante el día. Trata de recordar cada detalle aunque pueda parecer sin importancia. No necesitas invertir mucho tiempo en esto. Puedes hacerlo rápidamente en unos cuantos minutos. Lo importante es que puedas hacerlo cada noche antes de dormir y que utilices los servicios de nuestra amiga la Conciencia conforme vayas recordando cada una de las actividades del día.

2. Pregúntate si cumpliste con tus deberes morales en cada uno de tus actos. Imagínate haber estado en los zapatos de las personas

   que tuvieron contacto contigo durante el día. Piensa cómo se habrán sentido contigo y si no podrías haber sido o hecho algo mejor en tu trato con ellos. No se trata de que este ejercicio te haga sentir mal. La finalidad es que seas capaz de reconocer en qué aspectos de tu vida has fallado y cómo podrías modificarlos.

3. Piensa no sólo en lo que hayas podido hacer mal. Piensa también en aquellas cosas que hayas hecho bien. Siente la satisfacción de saber que estás en el camino correcto a una Reforma Íntima.

4. Pide a Dios que ilumine tus fallas y te dé sabiduría para saber cómo puedes repararlas. Pídele también que te muestre aquellas cosas que podrías hacer mejor para el beneficio de los demás.

138

5. Piensa si habrás hecho algo que, en caso de que te lo hubieran hecho a ti, te hubiera hecho sentir mal. Piensa en alguna cosa que no te atreverías a confesarle a otras personas.

6. Incluso pregúntate esto: ¿Si en este momento perdieras la vida, habría algo que pudiera avergonzarte cuando pases de este mundo material al espiritual?

7. Piensa qué podrías haber hecho en contra de Dios, en contra de los demás y en contra de tu persona. Las respuestas serán las claves para entender quién eres, cómo eres y sobre todo cómo puedes mejorar y acercarte al punto de armonía con el Universo.

8. Medita sobre ello y haz votos para ser mejor el día de mañana.

Pero cómo ser capaces de juzgarnos a nosotros mismos? Cómo evitar caer en la trampa de auto-excusarnos y atenuar nuestras faltas?

Te has dado cuenta que hay personas que, a pesar de sus obvias faltas, real y honestamente creen no estar cometiendo ninguna? Alguna vez te has topado con alguna de ellas?

Es por eso que Dios nos dotó con nuestra ya famosa Consciencia. No podemos escapar de ella y bastará tan sólo con preguntarnos cómo nos sentiríamos si alguna de las circunstancias en las cuales nos hemos visto envueltos se hubiera hecho en nuestra contra.

No existen dos medidas para la justicia, tan sólo una. Y está en nosotros el poder de ser capaces de aceptar nuestras faltas y hacer lo correcto para conseguir el equilibrio en nuestro paso por este planeta.

Procura saber qué piensan las demás personas sobre tus actos y manera de ser. Pregunta inclusive a tus enemigos, ya que ellos no tienen ningún interés en "quedar bien" contigo. Dios los colocó a tu lado como un espejo, para que puedan advertirte con más franqueza de la que lo haría un amigo.

Atrévete a hacer un balance de tu día con toda honestidad. Sólo así podrás subir al siguiente escalón en tu camino y estarás más cerca de tu meta.

139

Algunas personas dicen erróneamente que "la vida es corta"... Nada podría estar más alejado de la verdad. Nuestra vida no sucede tan sólo en esta encarnación. Venimos de otras y continuaremos siempre en nuestro camino evolutivo a la luz.

Si te acostumbras a este ejercicio, habrás dado el primer paso en el sendero correcto que te convertirá en aquella persona que has sido destinada a ser. ¡Y podrás abordar el tren que te llevará a la siguiente etapa de este maravilloso y mágico viaje!

CAPÍTULO 8

LA SUPERSTICIÓN
Y LOS MERCADERES DE ESPERANZA
(No Creas Todo lo que te Cuentan)

Mercaderes de Esperanza
(Falsos Magos)

Ayer mientras leía el periódico, me encontré con la sección de horóscopos... Bajo mi signo (Sagitario) decía que me cuidara de las malas compañías, que Mercurio estaba en Cáncer (o algo así), que mi color era el turquesa, que había un viaje en mi futuro y que mis números para la semana serían 6, 3, 14, 44, 29 y 2...

Sólo pude reírme e imaginar cuántos millones de personas que comparten mi signo iban a salir a la calle vestidas de turquesa y apostando a la lotería (que por cierto y muy convenientemente también consta de 6 números en este país).

Estando cerca del fin de año, en una época en la cual salir de viaje es costumbre, no es ningún milagro prever que un "viaje" está en mi camino.

En cuanto a evitar las malas compañías... ¿No es eso lo que queremos hacer todos?

Vivimos en una sociedad en la cual los adivinadores de la suerte, los "brujos milagrosos", analizadores de sueños y demás fantoches hacen fortunas a costa de la ingenuidad e ignorancia de las personas. Todos queremos tener soluciones "mágicas" a nuestros problemas sin esforzarnos demasiado.

El tener este libro en tus manos demuestra que eres una persona dispuesta a ser diferente. Quieres aprender a hacer germinar esa semilla que Dios plantó en tu interior.

Esa semilla contiene todas las claves que te guiarán al Camino de la Luz donde tu "suerte" no dependerá de talismanes ni amuletos, sino de tu propia voluntad de ser mejor y del buen uso de las herramientas adquiridas para librarte de las cadenas de la ignorancia y de la ilusión.

No necesitas leer el horóscopo para descubrir cómo ni quién eres. Tampoco necesitas llenar uno de esos cuestionarios que vienen en algunas revistas de moda donde al final te dan el resultado de tu "personalidad".

Lo que necesitas es comprender el funcionamiento de las Leyes Universales.

No te dejes engañar por personas sin escrúpulos que se aprovechan de la buena fe de personas desesperadas por salir de situaciones difíciles y dejar de sufrir, sin entender que lo que viven es efecto de aquello que han causado.

Por todas partes parecen proliferar toda clase de adivinos, lectores de cartas, Tarot, santeros, brujos, "psíquicos", médiums a sueldo, sanadores, etc.

Todos ellos tienen algo en común: su deseo de ayudar es directamente proporcional la compensación monetaria que se efectúe a cambio de sus servicios.

Da Gratis, Lo Que Gratis Has Recibido
(Facultades que No nos Pertenecen)

Jesús les dijo a sus discípulos: *"Dad gratuitamente lo que habéis recibido gratuitamente"*. Este precepto es claro al indicarnos que no podemos cobrar por algo que no hemos pagado.

Dios le ha dado a algunos hermanos y hermanas en el planeta, la facultad de curar, de comunicarse con espíritus, y de adentrarse en el pasado y futuro de las personas con un único fin: el de aliviar las penas de aquellos que sufren y guiar al mundo por el Camino de la Luz.

142

De ninguna manera se puede hacer negocio con alguno de estos dones. En muchos casos, estos "dones" son mas bien pruebas o expiaciones para quienes los manifiestan. Es una oportunidad de hacer el bien y ayudar a quien lo necesite haciendo uso de la Caridad y de la Compasión así como del amor por nuestro prójimo.

Pero aquel que se atreve a hacer negocio con una herramienta divina como ésta, tendrá que rendir cuentas ante el Altísimo en un futuro que, en la mayoría de los casos, estará más cerca de lo que se cree.

Todos aquellos que cuentan con una facultad real para ayudar son médiums con un cierto poder para transmitir las instrucciones de los espíritus.

Pero quienes lo usen para fines que no sean del todo elevados, estarán adquiriendo débitos espirituales que tendrán que pagar.

Quienes tienen el don y la capacidad para ayudar, deben ganarse la vida de alguna otra manera.

Deben usar esa virtud tan sólo para ayudar a sus hermanos y para llevar consuelo y paz a los corazones de los afligidos. Jamás deberán lucrar con algo que no les pertenece.

La mediumnidad no es ni un talento ni un arte. Por lo tanto el médium no puede clamar posesión sobre la misma.

Son los espíritus quienes tienen la potestad sobre las comunicaciones y sin ellos, el médium dejaría de serlo.

Las obligaciones de aquellos que quieran desarrollar su mediumnidad son vivir apegados a las virtudes de alto contenido moral y alejarse de los vicios, sobre todo del orgullo. La capacidad de ayudar es un privilegio y no una virtud que se pueda adquirir.

Si Dios no vende las gracias y beneficios que nos otorga, ¿por qué alguien que sólo es un simple mortal tendría el derecho de hacerlo?

¿Acaso Ghandi cobraba por su lucha a favor de los desposeídos?

¿Será que la Madre Teresa cobraba a los huérfanos por darles de comer y a los ancianos enfermos por cuidarlos?

143

¿Y qué me dices de Francisco Cándido Xavier, el gran médium que dedicó su vida a llevar consuelo a miles de personas sin cobrarles jamás un solo centavo?

Todos estos sublimes hermanos tuvieron algo en común: entregaban todo cuanto poseían para ayudar a quien podían y jamás se dejaron tentar por el orgullo ni por el resplandor de los valores materiales.

Fueron seres de luz que, junto con los grandes hermanos que les precedieron, han dejado una estela de consuelo, amor y ejemplo sobre lo que Dios espera de todos nosotros.

Charlatanes, S.A.
(Circo de Pillos)

Hace unos días estaba hojeando una revista donde se publicó una entrevista que me hicieron. Me sorprendió mucho ver cuántas páginas de anuncios encontré con personas que aseguran poder resolver cualquier problema.

Prometen recuperar a la persona amada que se ha ido, hacer que alguien pida perdón, y dar suerte en el juego. También castigan a enemigos, curan enfermedades, incluyendo cáncer, SIDA y alcoholismo. Otros te hacen millonario, y hasta garantizan que te harán ganar cualquier proceso legal.

Lo más impresionante es que ofrecían sus servicios a distancia, es decir, al llamarles por teléfono, (pagando por supuesto) en tan sólo unas cuantas horas, todos tus problemas serían totalmente resueltos!

Tan sólo abre cualquier revista de espectáculos y verás docenas de anuncios como estos.

En un reciente viaje a Miami, mientras me dirigía a una entrevista de televisión, puse en la radio un popular programa donde justamente tenían a una persona que decía descifrar los sueños.

Pocas veces he sido testigo de situaciones tan indignantes y ridículas como las que escuché durante este programa. Los radioescuchas llamaban

144

al programa de radio y le contaban su sueño a la "experta", quien inmediatamente les decía cosas como:

"Tu cuñada te quiere separar de tu marido."
"Tienes un automóvil de color rojo y si lo usas, tendrás un accidente."

"Tu suegra te hizo brujería y está tratando de que su hija se junte con su ex-novio."

"Llámame y haz una consulta conmigo. Yo te ayudaré a resolver tu problema..."

Acto seguido, la famosa "lectora de sueños" daba sus números de teléfono y su dirección para quienes quisieran ir a "resolver todos sus problemas."

En mi país tenemos un dicho que dice: "No tiene culpa el indio, sino el que lo hace compadre." Es responsabilidad nuestra tener la cultivarnos suficientemente como para no caer en este tipo de pillerías.

Cosas como éstas me hacen sentir una profunda indignación por el atrevimiento de una persona en aprovecharse abiertamente de la ignorancia e inocencia de las personas desesperadas.

Es inaudito que una estación de radio, que se supone que debería ser seria y confiable, se preste a una jugada de este tipo. Los medios de comunicación tienen la obligación de comunicar y no de confundir a la población.

Esto me hace ver la gran necesidad de ilustración y cultura que tanto urge a nuestros hermanos y hermanas que son víctimas de estos charlatanes.

Éste fenómeno lo podemos ver en varios medios de comunicación. En la televisión suceden las mismas cosas. Millones de dólares se gastan en esta industria de mentiras y engaños.

Para que No te Engañen
(Manual Anti-Fraudes)

Tú no tienes que ser una víctima más de estas personas sin escrúpulos. Déjame aclararte y ser categórico en esto:

1. Tus sueños no tienen ningún significado que puedas encontrar en algún libro o manual.

2. El significado de tus sueños no te lo puede dar una persona que no sea un profesional titulado con experiencia en Terapia Espiritual.

   Soñar con un acordeón no quiere decir que tengas problemas familiares. Tampoco soñar con arroz quiere decir que vayan a acabar tus problemas.

3. Tu horóscopo no puede decirte ni lo que te va a pasar, ni qué tipo de persona eres. La humanidad no está dividida en 12 tipos de personalidades ni tampoco esos 12 grupos están destinados a vivir ciertas cosas. Tú eres un espíritu individual y has venido a este planeta a pasar por tus propias y particulares pruebas y expiaciones.

4. Cualquier persona que te adivine cosas, que incorpore espíritus, que necesiten sacrificar animales, beber alcohol o fumar tabaco, están necesariamente en contacto con espíritus de muy bajo nivel y sumamente apegados a la materia y al mundo de las sensaciones físicas.

   Aléjate lo más rápido que puedas de semejantes personas, que si bien pueden tener buena fe, están usando hermanos espirituales que no están en condiciones para ayudarte positivamente. Confía en esto que te digo.

5. Tu mano no tiene ningún mapa que alguien te pueda leer para que sepas cuántos hijos vas a tener o cuántas veces te vas a casar.

6. Siempre podrás encontrar a alguien que te sorprenda por la precisión de sus predicciones. Pero debes desconfiar si esa persona está ganando algo material a cambio de ello. Nadie que se enriquezca podrá ayudarte sinceramente.

7. Ningún ritual puede cambiar el año que vas a tener. Ningún ritual puede determinar que consigas un trabajo, encuentres al amor de tu vida ni que evites un aprendizaje por el cual necesitas pasar.

8. La capacidad de comunicarse con espíritus no es algo que se pueda determinar a voluntad del médium. Tienen que cumplirse ciertos requisitos y debe ser autorizado por Dios. Nadie puede garantizarte que estará en contacto con la espiritualidad en el momento y lugar que así lo decida.

9. No es posible llamar a espíritus de personas que hayan desencarnado a voluntad. En el mundo espiritual, como en el físico, tenemos actividades, pruebas, misiones, estados de evolución e infinidad de actividades que dependerán de lo que podamos o no hacer.

El merecimiento es algo vital para que Dios permita que un determinado espíritu pueda comunicarse con sus seres queridos en la tierra. También será decisivo saber si dicho espíritu está en condiciones para hacerlo. Entonces, nadie puede asegurarte que un espíritu vendrá a comunicarse. Y si te está cobrando por hacerlo, es casi seguro que le será imposible. Ten cuidado de médiums a sueldo y de espíritus engañadores.

10. Aléjate de las Ouijas y demás "medios de comunicación espiritual". Quienes puedan comunicarse por medio de cosas como éstas siempre serán espíritus de muy bajo nivel.

11. Recuerda que toda causa tiene un efecto. Si obras mal, mal te irá. Si caminas por un camino de espinas, te lastimarás y sufrirás por las heridas. En el tablero de ajedrez de tu vida, hay suficientes cuadros blancos para que puedas transitar por él sin caer en los cuadros negros. Usa las herramientas que aquí te ofrezco.

12. Absolutamente nadie puede quebrantar las Leyes Divinas. Nadie puede transformar piedras en diamantes ni curar a los enfermos si no están trabajando para Dios. Aquellos "curanderos" que se valgan de talismanes, amuletos o cualquier otra cosa para ayudarte, te están mintiendo.

Lo único que puede impresionar a un espíritu oscuro es el nivel moral de alguien ya que siempre los hará sentir inferiores y no aptos para enfrentarle. Así, puedes ver en las películas sobre exorcismos que un padre se defiende con la imagen de una cruz.

Pero no es de la cruz a lo que temen los espíritus del mal, sino al alto nivel moral de quien la sostiene. Los espíritus se ríen del uso de imágenes, piedras, cuarzos, y símbolos de cualquier tipo. Algunos de ellos se aprovechan de la ignorancia de las personas para divertirse y hacer sus maldades.

No busques agua donde no la hay ni la habrá jamás. Los mensajeros espirituales que han venido a este planeta han marcado claramente el camino a seguir.

En este libro tienes la fórmula para ser feliz - para abrirte camino entre los ignorantes e iluminar el sendero para los que vienen detrás de ti.

No te dejes engañar por esos mercaderes de esperanza quienes cada vez se hacen más ricos en bienes materiales pero más pobres en dignidad y amor por sus semejantes.

Antes de terminar este capítulo, quiero decirte que inclusive aquellos hermanos y hermanas que han equivocado el camino y se han dejado sumergir en el fango del orgullo y de las oraciones compradas, merecen nuestro amor y compasión.

Mi intención al escribir sobre este tema es prevenirte y guiarte por el Camino de la Luz. Mi intención no es juzgar, criticar ni condenar a nadie.

Cada uno cosechará lo que siembre. Espero sinceramente ser un faro de luz que guíe tu barca a puerto seguro.

148

PARTE 2

DRAMAS DE LA VIDA

LA AVENTURA DE EXISTIR

"Todo pasa, sólo la serenidad permanece".

Lao Tse

CAPÍTULO 9

DE REGRESO AL EXILIO
(Volviendo al Campo de Batalla)

La Aventura de Reencarnar
(Regresando a la Escuela)

Se requiere valor para volver al campo de batalla después de haber disfrutado de una realidad donde la paz, la armonía y el amor reinan entre todos los seres. ¿Pero cómo podría comprender semejantes tesoros alguien que todavía tiene deudas pendientes consigo mismo?

La reencarnación es un deber que Dios nos impone al iniciar nuestra existencia. Es la primera prueba del uso que haremos con nuestro libre albedrío. Aquellos que desempeñen esta misión con responsabilidad, pasarán rápidamente por las diferentes etapas de evolución hasta llegar al punto en que la reencarnación no será más necesaria.

Pero aquellos que sean irresponsables y hagan mal uso de la libertad que les fue concedida, retardarán su adelanto indefinidamente hasta que comprendan las Leyes inmutables que rigen el universo.

Es lo mismo que querer graduarnos en alguna carrera universitaria. Primero habremos de aprender a leer y escribir para así poder avanzar en nuestro aprendizaje y adquirir los conocimientos necesarios para completar los grados primarios. Después pasaremos por la etapa secundaria, la preparatoria, y así hasta estar listos para empezar la universidad.

Este proceso es paulatino y requiere de que pasemos con éxito las pruebas correspondientes a cada materia y cada grado. En caso de no pasar uno de ellos, habremos de repetirlo hasta que obtengamos buenas notas. Pero nuestro aprendizaje no terminará ahí. Después podremos estudiar una Maestría, un Doctorado y así sucesivamente.

Pero esto sólo sucederá si estudiamos y somos constantes en nuestro avance por los diferentes grados de estudio. Aquellos que sean perezosos, se quedarán estacionados en la ignorancia hasta que la vida los obligue a continuar el camino por medio del dolor y los sufrimientos.

Preparación para la Reencarnación
(Nuestra Estancia en el Mundo Espiritual)

Hemos dicho que siempre estamos en evolución y jamás podremos involucionar. Es decir, no es posible retroceder en nuestro avance espiritual. Lo único que puede pasar es que quedemos estacionados en la etapa en la cual nos encontremos hasta que nos veamos obligados a continuar el camino.

Cuando desencarnamos y volvemos a la patria espiritual, tenemos que pasar por diferentes etapas de recuperación, esclarecimiento, análisis de la vida corporal que dejamos y preparación para la siguiente etapa.

Nuestro estado evolutivo determinará si se nos da o no la oportunidad de participar en la decisión de reencarnar así también como en las decisiones sobre las pruebas que habremos de pasar, los aprendizajes que necesitamos e inclusive en qué seno familiar habremos de nacer.

Hay espíritus poco desarrollados que han vivido apegados al mundo de las formas y la materia. Su existencia pasada fue desperdiciada o poco provechosa. En el caso de estos hermanos, la Espiritualidad superior decide el tipo de reencarnación que habrán de tener y se les envía de regreso al mundo material para que continúen su evolución espiritual.

Formaremos parte decisiva del equipo que decidirá los pormenores de nuestro regreso al "campo de batalla" cuando:

- Hayamos aprendido las lecciones de nuestra existencia previa.

- Hayamos podido comprender los errores cometidos.

- Seamos conscientes de aquello en lo cual aún debemos mejorar; y entendamos la importancia y la necesidad de reparar nuestras faltas.

154

Nuestra estancia en el mundo espiritual es variable y dependerá de nuestro avance espiritual y de los merecimientos que hayamos obtenido. El tiempo que pasa entre la desencarnación y el renacimiento puede ser desde algunas horas hasta muchísimos años.

Habrán algunos espíritus primitivos en el sentido evolutivo que tendrán que pasar por una "encarnación compulsiva", ya que no les sería de provecho permanecer ningún tiempo en el plano espiritual.

Habrán otros espíritus culposos que hayan vivido su existencia previa por el lado oscuro del "tablero de ajedrez". Tendrán que pasar por un proceso de realización de sus equivocaciones, enfrentándose a sí mismos por medio de la consciencia. Inclusive, podrán tener que enfrentar a quienes fueron sus víctimas en la encarnación que recientemente terminó para ellos.

Todo espíritu sabe perfectamente lo que ha hecho aunque muchas veces necesitan de un tiempo más o menos largo para comprender la gravedad moral de sus actos.

Frecuentemente los espíritus solicitan la prolongación de su estancia en el mundo espiritual para poder así continuar estudios y preparación que sólo se pueden lograr en el plano espiritual antes de regresar a la Tierra.

Proceso Encarnatorio
(Iniciando la Misión)

Existen diferentes procesos encarnatorios. Estos dependerán de la misión particular de cada espíritu. En todos ellos existe trabajo conjunto de varios espíritus encargados de que ese espíritu en particular vuelva al mundo material con éxito.

En algunos casos, es todo un equipo de espíritus adelantados que trabaja en este proceso, ya que requiere de infinidad de detalles para que se realice adecuadamente.

Recuerda que nada sucede al azar ni por casualidad. Todo tiene un motivo y cada causa conlleva un efecto. Para cada caso particular se deberá planear una infinidad de cosas, como por ejemplo el cuerpo en el cual reencarnará. Para ello, hay espíritus encargados de la organización del mapa genético del cuerpo donde se habrá de reencarnar.

El futuro de este cuerpo en particular estará ligado a las pruebas y expiaciones particulares del espíritu que lo habrá de vestir y deberá tener ciertas características físicas para hacerlo posible.

Existirá una supervisión continua - desde los acontecimientos previos a la concepción del espíritu en el cuerpo de la madre hasta la fase de intercambio fluídico-espiritual durante el proceso genésico. Para poder ser concebido en el cuerpo de la madre, deberá ser modificado su Peri-espíritu de modo que sea posible su entrada al nuevo vehículo físico.

Son innumerables los factores relacionados con la reencarnación de un espíritu. La relación de este espíritu con su madre ocasionará una atracción específica entre ellos. La sintonía vibratoria entre ellos será específica, originándose en las zonas espirituales de ambos. Sucederá una especie de hipnosis mutua entre sus respectivas energías, haciendo que el espíritu reencarnante y la madre se vean influenciados mutuamente.

Recordemos que el espíritu cuando desencarna, deja sus vestiduras físicas y comienza a vestir sólo su cuerpo Peri-espiritual, el cual tiene la misma forma visual que tenía en su última encarnación.

El nuevo cuerpo tendrá características diferentes a las que el anterior tenía. Al momento de sumergirse de nuevo en la carne, deberá sufrir una reorganización en su cuerpo Peri-espiritual para poder "entrar" en el nuevo vehículo físico.

El campo Peri-espiritual sufrirá un proceso específico de reducción y concentración. Como resultado, parte de las energías Peri-espirituales serán cedidas a la naturaleza de la misma forma en que el cuerpo físico lo fue después de iniciar su descomposición. En el universo nada se desperdicia, todo forma parte de un conjunto o totalidad.

El espíritu, ahora de una forma más o menos ovoide será de tamaño correspondiente a su nivel de evolución. El campo de energías de este espíritu ocupará la zona uterina de la madre embarazada. Y es aquí cuando el espíritu pierde totalmente la consciencia.

156

Digamos que el espíritu ahora se encuentra en estado de hibernación. Su grado de inconsciencia estará directamente relacionado con el proceso reductivo que sufrió para poder habitar su nueva envoltura. Su grado de evolución determinará el nivel de consciencia que tenga sobre el proceso que ahora está viviendo.

Este estado de hibernación tiene una doble función. La primera es protegerle contra aquellas personas relacionadas con este embarazo que no se encuentren preparadas para auxiliar en su proceso de encarnación. Durante este estado inconsciente, no sufrirá las influencias de carácter negativo que puedan afectarle.

La segunda función es protegerle de sí mismo. En estado de hibernación, el espíritu no tiene otra opción más que participar ciegamente en el proceso encarnatorio sin intervenir de modo negativo, quedando sujeto a las correctas determinaciones de sus fuerzas instintivas.

El espíritu reencarnante vivirá envuelto en las energías peri-espirituales de su madre. Recibirá influencia de su madre y también influenciará parcialmente la matriz. Dependiendo de ésta influencia, podremos observar reflejos positivos cuando la madre se sienta feliz, dando lugar a una profunda harmonía.

La madre podrá sentir también algunos síntomas negativos de origen inarmónico que estarán relacionados a las influencias del espíritu reencarnante. Cuando éste es poco evolucionado, puede inconscientemente esparcir vibraciones negativas correspondientes a su propio nivel.

Aunque muchas de estas influencias estarán ligadas al espíritu reencarnante, muchas otras estarán ligadas a la propia organización corporal, a los cambios metabólicos y a otras reacciones normales de la etapa de embarazo.

Existen ciertos casos relacionados al espíritu reencarnante que causan en la madre una inmensa felicidad, haciéndola sentir un verdadero estado de éxtasis desde el momento en que su bebé comenzó a existir en su interior.

El brillo resplandeciente de estos espíritus es tan benéfico que las madres no saben cómo definir el estado de gracia en el que llegan a encontrarse. Llegan a sentir un estado de armonía, pureza y felicidad

157

tan grandes que son incapaces de explicar con palabras la grandeza de sus sentimientos.

Independientemente de la calidad moral o estado evolutivo del espíritu que está en proceso de reencarnación, existirá siempre un motivo para que la madre y el espíritu que llega estén relacionados. Ambos tendrán algo que ganar. Esta experiencia estará casi siempre ligada a las pruebas y expiaciones de ambos espíritus que tienen ahora la oportunidad de avanzar y mejorarse mediante esta experiencia en conjunto.

¿Es Niño o Niña?
(Escogiendo el Sexo)

Dios no deja nada a la casualidad y nada se desperdicia en el universo. Todo tiene una razón de ser.

Desde la selección del espermatozoide que fecundó el óvulo, el proceso de gestación, el embarazo, hasta las condiciones de su nacimiento, serán elementos que forman parte del plan reencarnatorio de este espíritu que llega a una nueva etapa en su evolución.

El sexo en el cual el espíritu venga a reencarnar no será tampoco dejado al azar. El espíritu que reencarna influenciará con sus vibraciones el proceso de fecundación y sintonizará con la matriz materna.

El óvulo, inundado con el potencial del espíritu reencarnante, seleccionará el espermatozoide que pueda determinar el sexo. Si selecciona el cromosoma Y, el producto será masculino, y si elige el cromosoma X, entonces nacerá mujer.

Pero que quede claro que todo esto dependerá de las pruebas y de las expiaciones particulares que el espíritu tenga para esta nueva encarnación. La selección del cromosoma que determine el sexo será por medio del campo energético del espíritu reencarnante, para así poder adquirir y construir el futuro cuerpo que le permitirá realizar su misión.

158

No olvidemos que existirán elementos importantes que provendrán del potencial genético de sus padres. La "manipulación" efectuada en la selección de los cromosomas estará supeditada a los factores hereditarios de sus padres, logrando así, un resultado en la morfología genética del individuo.

Hasta aquí hemos hablado sobre los detalles en la organización biológica del cuerpo que albergará al espíritu reencarnante. Sin embargo, existen muchos elementos que aparentemente pertenecen al campo físico y que tienen fines espirituales como a continuación veremos.

Espermatozoides, Guardaespaldas Espirituales
(Esos Guerreros Diminutos)

En el proceso de fecundación, es impresionante la cantidad de espermatozoides lanzados por el hombre para que tan sólo uno de ellos alcance su objetivo. Estamos hablando de un promedio mínimo de 280 millones de ellos, aunque hay investigadores que afirman que pueden ser hasta 600 millones.

Sabemos que nada en el universo se desperdicia y que todo tiene una razón de ser. ¿Por qué crees que se usan tantísimos espermatozoides si tan sólo uno de ellos será usado? ¿Será que los demás se van a desperdiciar?

Los Biólogos dicen que esto sucede para aumentar las posibilidades de fecundación. Aunque podríamos estar de acuerdo con esta respuesta, aún así la exageración en la inmensa cantidad de espermatozoides nos hace pensar que debe existir alguna otra razón que no hemos descubierto hasta ahora.

La diferencia abismal en estas cantidades debe tener algún sentido ya que en la naturaleza nada existe que no ocupe una posición perfectamente definida.

Sabemos que todo en el universo tiene energía. Las células emiten radiaciones de energía y los espermatozoides no escapan a esta cualidad ya que contienen intensas cargas energéticas.

Existe una teoría que vale la pena exponer aquí, en la cual yo firmemente creo, y cuya lógica hace imposible dejarla pasar de largo:

Cuando el óvulo es fecundado por un único espermatozoide, el resto de ellos (millones como ahora sabes) se quedan rodeando la célula femenina fecundada sin poder entrar a ella ya que una cubierta protectora secretada, llamada Fertilizina, lo impide.

Estos espermatozoides se quedan alrededor del óvulo por un tiempo de 48 a 72 horas. Después van muriendo y siendo absorbidos por el organismo femenino.

La energía emitida por estos espermatozoides permanece en forma de corona protectora por mucho más tiempo. Esta energía tiene la función de proteger vibratoriamente al óvulo fecundado contra posibles ataques espirituales de otra naturaleza que no sea aquella del espíritu reencarnante que, como recordarás, se encuentra hibernando en el vientre materno.

Esta hipótesis explicaría la razón por la cual existe una gran cantidad de células masculinas en el escenario de organización de los gametos durante el proceso de fecundación. La protección que le darían al espíritu en fase de reencarnación es invaluable y acontecería en un nivel más avanzado de las energías espirituales.

Con la protección resultante de las radiaciones de los espermatozoides que continuarían su función en la formación de un campo doblemente etérico, se crearía un contacto entre el espíritu y la materia, a fin de que ésta última se pudiera someter a la dirección preparada con antecedencia en cuanto al a morfología esperada para este vehículo físico.

A pesar de toda esta organización detallada proveniente del cuerpo físico, es el espíritu el verdadero organizador del proceso encarnatorio por medio de los implementos energéticos que trae consigo.

Cualquier característica relacionada con su equilibrio espiritual y armonía vibratorias repercutirán en los campos materiales a través de las pantallas cromosómicas, haciendo que cualquier desorden o desequilibrio se plasmen en el campo físico, pero también permitiendo que cualquier característica positiva sea plasmada de la misma forma.

160

Es de esta forma que muchas enfermedades espirituales son transferidas al cuerpo que las abriga como una necesidad de pasar por procesos libertadores a través del dolor.

El espíritu, cuando está enfermo, muchas veces por atracción, sintoniza con los potenciales genéticos de sus familiares enfermos, mostrando así, el campo de sus necesidades. Recordemos que en la cosecha del dolor estará uno de los más efectivos mecanismos de avance evolutivo.

Es importante que no olvidemos que todo esto estará siempre determinado y sujeto al plan de pruebas y expiaciones trazado con anterioridad. El espíritu, dependiendo de las condiciones de su propia reencarnación, de sus merecimientos y sus débitos del pasado, será el constructor de su propio cuerpo.

Pero siempre estará sujeto a la Ley de Justicia que manda que cosechemos aquello que sembramos. La herencia genética no escapa a esta definición.

Así, puedes darte una idea de lo detallado que es el proceso en cada caso encarnatorio. El nacimiento de un ser no es cosa para tomarse a la ligera. Cada reencarnación tiene una misión en particular que cumplir y mucha gente relacionada con esa meta.

Hemos recorrido ya los procesos previos a nuestro regreso a la Tierra, a continuación nos sumergiremos en todo aquello que sucede una vez que estamos de vuelta en esta "Universidad de la Vida" que es nuestro planeta.

Estoy listo para seguir. Sé que tú también lo estás. ¿Vamos?

CAPÍTULO 10

LAZOS DE FAMILIA
(Nuestro "Equipo de Trabajo")

Marcas de Ayer
(Tus "Medallas" de Combates Pasados)

El bebé al nacer, será en su físico, también resultado de sus acciones en pasadas existencias. Al nacer nos encontraremos siempre en el lugar y momento adecuados a nuestro momento evolutivo.

Cualquier error o éxito en el pasado, cualquier avance o retraso en nuestra evolución, ya sean conquistas o atrasos de tipo intelectual, moral, físico o mental, serán causas de aquello que iremos a enfrentar en la presente encarnación.

No olvidemos que en el campo físico seremos siempre efecto de la influencia de nuestro propio espíritu.

No solamente será posible que mostremos "marcas" espirituales de existencias anteriores, sino que también podremos tener marcas físicas. Estas marcas dependerán de nuestras particulares pruebas y expiaciones, así como de aquellos elementos importantes que permitirán que tengamos mayores posibilidades de éxito en la presente encarnación.

Es como una herida en el cuerpo físico. Si no la cuidamos, podrá abrirse de nuevo. Pero si la cuidamos, tan sólo quedará la cicatriz como recuerdo de aquello que nos sucedió.

De igual manera, el Peri-espíritu lleva consigo todas aquellas "manchas" que le causemos. Quedarán en nuestro mapa espiritual aquellas "cicatrices" del pasado debido a nuestros andares por existencias anteriores.

Este tipo de marcas o cicatrices se pueden eliminar conforme vayamos avanzando en nuestro camino evolutivo. Pero casi siempre estarán presentes aquellas causadas en previas encarnaciones recientes.

Todos aquellos actos que cometamos sobre nuestro cuerpo, nuestra mente, nuestra moral, e inclusive, en contra de nuestros semejantes, nos acompañarán por nuestro paso durante presentes pruebas y expiaciones. Estos actos formarán parte del plan de evolución que hemos venido a vivir.

Antes de darte algunos ejemplos, quiero que sepas que no es una regla absoluta que una característica particular sea efecto de una causa determinada. No vale la pena tratar de imaginar si alguna marca, defecto, ausencia o falta de cualquier cosa que exista en tu vida actual, esté o no relacionada con algo en particular perteneciente a tu vida anterior.

Lo que debe interesarte, es enfocarte en ser una mejor persona, avanzar positivamente en tu evolución y hacer de ésta, una existencia armónica y enfilada a tu realización espiritual. Si sigues las enseñanzas aquí ofrecidas, el efecto en tu vida será sorprendente y estarás en camino a la cima de la montaña de un glorioso amanecer.

Sigamos con el tema. Como ejemplos de lo anterior expuesto, podemos ver lo siguientes:

Entre aquellas personas que nacen con alguna deformación, podemos encontrar que algunas de las posibles causas se encuentran en suicidios, abusos o crímenes cometidos en el pasado.

- Una persona que se haya suicidado por medio de envenenamiento, podrá volver al planeta con problemas en la garganta o con un estómago lesionado.

- Alguien que haya muerto por suicidio dándose un tiro en el corazón, podrá volver con una cardiopatía congénita.

- Un tiro en la cabeza auto-infligido o abuso sobre el prójimo por medio de la inteligencia, podrá resultar en una hidrocefalia, problema neurológico o problema mental.

164

- Existe el caso documentado de una persona que nació sin miembros, sin sentido de la vista y oído. Por medio de comunicaciones espirituales se pudo descubrir que se trataba de un hermano que había cometido suicidio varias veces consecutivas en previas encarnaciones. Había elegido volver de esa manera para así no reincidir en el mismo acto criminoso contra sí mismo.

- Alguien que ha abusado del aparato genésico (sexual), podrá verse regresando al planeta con problemas en el aparato reproductor. En el caso de las mujeres que no pueden concebir, las causas podrían estar en vivencias y decisiones tomadas en el pasado.

Podríamos aportar infinidad de ejemplos de personas cuyo vehículo físico se ve "marcado" debido a causas del pasado existencial.

Lo que debe importarte, es que cuando una persona vive una situación como las anteriormente expuestas, los miembros de su familia son frecuentemente partícipes de dramas del pasado. Aún cuando no lo son, esto forma parte de sus particulares pruebas y expiaciones.

Este sería el caso de aquellos niños que mueren cuando apenas son bebés. No se trata de una prueba ni expiación necesariamente para el bebé, sino para los padres y personas relacionadas con el nacimiento de este espíritu.

Pruebas como éstas no deben verse como algo negativo. En realidad son una manera de rescatar nuestras deudas y de solucionar problemas dejados en el pasado.

> ¡No nacemos para sufrir!
>
> ¡No nacemos para pasarla mal!
>
> ¡Nacemos para progresar, para evolucionar y para estar mejor!

Para ello, habremos de eliminar malos hábitos y aprender a dominar los instintos y las emociones aún ligadas al deseo de satisfacción de los placeres del cuerpo físico.

Lazos de Familia
(¿Qué Personajes te Acompañan en esta Nueva Novela?)

¿Creías que te librarías de tu suegra sólo porque te moriste? Pues déjame decirte que no siempre será así. Los lazos de familia no son destruidos por la reencarnación. En realidad sucede todo lo contrario. Estos lazos se fortalecen y estrechan ante una nueva oportunidad de vida.

Formamos parte de una inmensa familia espiritual. A veces compartimos encarnaciones juntos. Otras veces nos reunimos durante nuestra estancia en el mundo espiritual, ya sea por estar desencarnados o debido a la emancipación del alma mientras dormimos. Sería ilógico pensar que después de haber amado profundamente a alguien, este amor se pierda al desaparecer el cuerpo físico.

El amor es inmortal, al igual que lo es nuestra alma.

Aunque la encarnación a veces nos separa momentáneamente de aquellos que forman nuestra familia espiritual, permaneceremos unidos en pensamiento. Aquellos que estén más adelantados procuran siempre hacer progresar a quienes se encuentren rezagados. Siempre existirá una unión entre almas que han compartido los dramas de la vida y que hayan sido felices en uno u otro plano.

Muchas veces nos acompañan en varias encarnaciones consecutivas. Muy frecuentemente estaremos ligados a varios integrantes del elenco de la novela de nuestra vida anterior.

Estos personajes podrán formar parte del núcleo familiar en el cual nacemos o formarán parte de nuestras vidas en el futuro. Esto dependerá de la utilidad que esto pueda tener.

Obviamente estamos hablando de aquellos integrantes de nuestros elencos anteriores que han estado unidos a nosotros por medio de afecto real del alma. No estamos hablando de quienes hayan estado ligados a nosotros por medio de los sentidos físicos o por motivos de tipo material, ya que no tendrían ningún motivo para reunirse con nosotros en el mundo espiritual.

Sólo los afectos espirituales prevalecen. Los afectos carnales se extinguen junto con el cuerpo que los causó. Aquellos espíritus que se hayan ligado a nosotros por interés de cualquier especie y no por verdadero afecto espiritual, serán separados de nosotros tanto en la tierra como en el mundo de los espíritus.

166

Ahora bien, no pienses que sólo aquellos con quienes has tenido una buena relación serán quienes estarán unidos a ti en esta nueva experiencia reencarnatoria, Dios nos pone también a aquellos con quienes hemos tenido alguna animosidad, algún conflicto. Incluso, no es raro ver a nuestro peor enemigo viviendo dentro del seno de nuestra nueva familia.

¿Por qué crees que suceda esto? ¡No será de ninguna manera para causar más conflictos ni por supuesto tampoco será para castigarte! Esto será permitido para que tengan la oportunidad de reparar las faltas del pasado y como una forma de expiar posibles culpas y débitos contraídos con anterioridad.

¿Cuántas veces no hemos escuchado a alguien decir que Fulano o Sutana no tienen ningún parecido ni inclinación semejante a las del resto de la familia y que pareciera que ni siquiera pertenece a ella? Esto es más cierto de lo que crees. Muchas veces encarnamos junto con espíritus antipáticos a nosotros o quienes no tienen nada que ver con nuestra personalidad o grado de evolución.

Pero esto sirve para un doble propósito: pasar las pruebas particulares de cada uno, y progresar. Un ejemplo sería para aprender la lección del perdón, del amor a nuestros enemigos de la tolerancia. Otro propósito sería el de desarrollar otras virtudes que más adelante veremos, y que forman parte de las herramientas esenciales para nuestra Reforma Íntima.

No pienses que debido a tus múltiples encarnaciones, has tenido entonces múltiples personajes familiares. Pongamos como ejemplo alguien que ha tenido 15 encarnaciones. ¡No quiere decir que ha tenido 15 padres, 15 madres, y cientos de hijos! Los actores del reparto de tu novela, frecuentemente han interpretado diferentes personajes

Reencarnando con Nuestros Enemigos
(Reparando Faltas)

¿Cuántas veces no has sabido de casos de padres que aparentemente no quieren a sus hijos? ¿Y de aquellos hijos que sienten un gran rechazo por sus padres? Lo mismo se puede observar en otros integrantes de la familia: primos, tíos, familia política, etc.

Es posible que en tu núcleo familiar exista algún caso de antipatía entre familiares. Seguramente has atribuido alguna actitud negativa o antipática al hecho de que alguien no te quiere o que simplemente "les caes mal". Pero déjame asegurarte que no es así. Todos aquellos integrantes de tu familia, sea inmediata o lejana, están ahí con un propósito definido: el de progresar, reparar sus faltas y ayudarte a reparar las tuyas.

Imagínate por ejemplo el caso de un joven cuyo padre haya abusado de él toda su vida. Ahora imagina que tanto el padre como él, regresan en una siguiente encarnación. Pero esta vez con los papeles intercambiados. El padre volverá como hijo, y el hijo como padre. Teniendo ambos la oportunidad de reparar y de progresar mediante el amor y el perdón.

El ahora padre, quien en el pasado fue abusado, podrá hacer uso del perdón y superar la posible aversión que pueda sentir por su hijo, quien en el pasado tanto abusó de él, y amarlo con todas sus fuerzas, progresando así mediante la virtud del perdón a nuestros enemigos.

En el caso del ahora hijo, quien fue un padre abusador en el pasado, tendrá la oportunidad de comprender su error y humildemente amar a su padre con todas sus fuerzas, reparando así los abusos cometidos en el pasado.

Podrías preguntarte por qué abusó el padre del hijo en la encarnación pasada. La respuesta se encontrará en encarnaciones previas a la anterior donde probablemente se originaron los rencores que hasta la fecha han venido repercutiendo pero que ahora tienen la oportunidad de ser reparados permanentemente.

Como este ejemplo, existen miles más, algunos más dramáticos que otros. Por ejemplo, existe el caso documentado en el libro "Sublime Expiación", dictado por el espíritu Víctor Hugo y psicografiado por el insigne médium Divaldo Franco, donde podemos ver la historia de un hombre que asesinó a sangre fría a una mujer frente a su hija.

Después se suicidó al darse cuenta que se trataba de su propia madre, de quien se había separado cuando era un niño.

En una siguiente encarnación, el asesino del pasado regresó como

168

Lucien, hijo de aquella muchacha que tuvo que presenciar cómo mataba a su madre. La aversión que la ahora madre (Doña Angelina) sentía, era enorme. Sin saber por qué, tenía una gran antipatía por su propio hijo. Lucien a su vez, regresó con la terrible enfermedad de la Lepra y con un intenso amor por su ahora madre.

El drama se desarrolla de manera que la madre actual no consigue sobrepasar el odio que tiene por su hijo. Inclusive intenta envenenarlo. Era profunda la vergüenza que le causaba a la familia esa enfermedad que le marcaba la piel. Y aquel odio antiguo no salía de su corazón.

Al final, termina sus días enloquecida en una institución, habiendo obviamente fracasado en sus pruebas y expiaciones particulares.

Por otro lado, su hijo Lucien, lleva una vida de intensos sufrimientos y dolores, y al mismo tiempo una vida de gran dedicación y amor por sus semejantes. Muere en la soledad de un hospital para leprosos con una intensa tristeza, pero habiendo pasado sus pruebas con éxito y habiendo expiado sus culpas del pasado.

En el mencionado libro podemos observar a los otros personajes que integraban el núcleo familiar anterior. Podemos también ver el círculo de allegados de la familia, encarnados ahora con nuevos personajes, también formando parte del drama que se desarrolló en la nueva oportunidad de vida que Dios les otorgó a todos para reparar sus faltas y progresar por el Camino de la Luz.

Reencontrando Aliados
(Familia y Amigos del Pasado)

De la misma manera en que reencontramos enemigos del pasado para tener la oportunidad de reparar nuestras faltas y progresar, también nos reencontramos con quienes nos han amado en el pasado y que ahora nos ayudarán a pasar por nuestras nuevas aventuras.

Podremos encontrarlos formando parte del nuevo núcleo familiar, en nuestro grupo de amigos y de allegados, así como en el grupo profesional del cual formemos parte.

Estos son espíritus que formaron parte de nuestras vidas anteriores, que gustan de nosotros y quienes sienten una simpatía inherente a las relaciones que tuvieron con nosotros en existencias anteriores.

Por ejemplo, en el mismo libro mencionado anteriormente, la mujer asesinada en una existencia anterior, después regresa como una mujer que dedica su vida a ayudar a Lucien. Lo aconseja, lo protege y lo guía con el amor intenso de una madre, cuando sabemos que Lucien, en la existencia anterior, la asesinó.

Esto nos demuestra que el amor trasciende las fronteras del tiempo y que no existe ofensa lo suficientemente grande para no ser perdonada por medio de la caridad y del verdadero amor del alma.

En tu vida encontrarás personas con quienes sientas una inmediata afinidad y simpatía natural. Aunque esto no siempre significará que los has conocido en otras vidas, en la mayoría de los casos será así si existiera alguna razón para este reencuentro.

Trata a todos como si hubieran sido alguien muy importante para ti en el pasado. Nunca desprecies a un mendigo porque no sabes si habrá sido tu propio hijo en el pasado.

Todos formamos parte de una gran familia espiritual, y estamos ligados a más personas de las que te puedes imaginar.

No Naciste en Esta Familia por Casualidad
(Todo Es Parte del Plan)

Nada es casual, y tu nacimiento en el seno de la familia en particular en la cual has reencarnado no escapa a esta afirmación. El "elenco de actores" de la novela de tu vida ha sido cuidadosamente seleccionado. De esta forma, todos juntos pueden tener la oportunidad de mejorar y acercarse al ideal de progreso que estamos destinados a alcanzar.

No importa si tienes una familia estable y amorosa o una disfuncional y poco preparada. Debes agradecer al cielo por ella y saber que estás en el lugar y tiempo precisos.

Perteneces a ella por razones que hasta ahora habían escapado a tu conocimiento. Pero ahora el velo de la ignorancia está siendo retirado y puedes asomarte a la gloriosa verdad que la Ley de Justicia de Dios te proporciona.

Respeta a tus padres y a los integrantes de tu familia como si fueran lo más sagrado para ti. La familia es el centro de estudios de la humanidad donde tenemos la oportunidad de vivir toda clase de experiencias. Es donde podemos hacer uso de las virtudes del amor, la caridad y el perdón, y donde aprendemos de nuestros errores del pasado.

Tus vivencias y aprendizaje en el seno familiar te preparan para el laboratorio de pruebas y expiaciones que es la vida. Te hacen progresar y comprender el funcionamiento del mundo espiritual.

Para poder mejorar el planeta y llegar al punto de ser capaces de amar y perdonar a nuestros enemigos, primero tenemos que pasar con éxito las pruebas que encontramos en nuestras familias.

Sólo así, podrás entender que el resto de tus hermanos y hermanas son igual de sagrados que lo son tus allegados más íntimos.

Sé que tienes lo necesario para salir triunfante de esta aventura y es un privilegio acompañarte durante este recorrido. ¡Vamos, que aún hay mucho por aprender!

CAPÍTULO 11

LA LEY DE IGUALDAD
(EQUILIBRIO Y JUSTICIA)

¿Por Qué a Fulano le Va Tan Bien, y a Mí No?
(Equilibrio Evolutivo)

Estamos acostumbrados a ver en la televisión y en las revistas a aquellos personajes a quienes pareciera que todo les sale bien. Tienen "todo" lo que una persona normalmente quisiera tener: fama, dinero, riquezas, un estilo de vida envidiable, etc. ¿Será que en verdad lo tienen "todo"?

En este punto de tu lectura conoces ya gran parte de las verdaderas riquezas que el mundo nos ofrece. Sin embargo, todavía existen millones de personas en este planeta, para quienes pareciera que nada es nunca suficiente. Siempre hace falta más dinero, un mejor trabajo, una mejor pareja. En general, nunca estarán satisfechos de aquello que forma parte de las ilusiones del mundo material.

Pero enfoquémonos en lo que es verdaderamente importante. Frecuentemente vemos que algunas personas parecen tener el camino de su vida fácil, mientras a otras se les presenta lleno de obstáculos y tropiezos. ¿Por qué crees que sea esto?

Hemos hablado ya de la Ley de Causa y Efecto - Todo lo que causes tendrá un efecto similar en vibración. ¿Entonces todos los seres humanos son iguales ante los ojos de Dios? Tú, ¿qué piensas? ¿Te sientes tratado por la vida con la misma medida que tus vecinos, amigos y hermanos? ¿Hay algún área donde sientes que debías haber estado mejor?

Dios nos ha creado a todos iguales. Estamos sometidos a las mismas leyes de destrucción del cuerpo, de inmortalidad del alma. A nadie le fue otorgada ninguna ventaja sobre los demás.

Las aptitudes que tenemos dependen del avance ocurrido a través de nuestras diversas encarnaciones. Las diferencias que se puedan encontrar se deben al grado de experiencia adquirida y a las decisiones correctas o equivocadas que hayamos tomado por medio de nuestro libre albedrío.

Pero no te engañes, no siempre las cosas parecen "color de rosa" sólo para quienes parecieran tener un grado de evolución mayor. Entre aquellos que regresan al planeta con aparentes ventajas, se encuentran quienes tendrán que pasar ciertas pruebas que requieren de esto.

Del mismo modo, hay otros que tendrán que expiar sus faltas del pasado por medio de aquellas posibilidades que les son otorgadas, y frecuentemente estas pruebas son mucho más difíciles que las de la carencia.

Hay quienes pareciera que tienen más talento o aptitudes que otros. Esto no es más que el hecho de haber avanzado en el progreso de sus vidas más rápidamente que otros. Y esto es siempre debido a decisiones tomadas conforme a las leyes de evolución y buena conducta. Cada uno de nosotros tiene una misión especifica que cumplir, y a ninguno se le ha dado nada que no haya merecido conforme a sus acciones previas.

La justicia Divina ha permitido que espíritus con diferentes grados de evolución, y por consiguiente, diferentes aptitudes adquiridas, puedan interactuar. De esta forma, quienes estén más adelantados podrán ayudar a quienes se han quedado rezagados en el camino.

Es por eso de gran importancia que entiendas que la Caridad es vital en tu desarrollo espiritual y el único medio, junto con el amor, para avanzar en tu camino de evolución.

Desigualdades Sociales y Financieras
(Pruebas Disfrazadas)

Este planeta, a través de su historia, ha sido testigo de constantes luchas por la igualdad social y los derechos de los individuos. Las desigualdades sociales entre sus habitantes no es obra de la casualidad. Hemos sido nosotros los responsables de las diferencias sociales debido a las luchas de

174

poder y a la ambición desmedida que no ha dejado lugar para la compasión y caridad entre hermanos.

La Ley de Igualdad dicta que todos los seres humanos somos iguales, sin importar el color, la nacionalidad, el sexo o cualquier diferencia de tipo físico o material.

Las únicas diferencias reales entre hermanos radican en la calidad moral de cada individuo. No debemos aceptar jamás la teoría de la pureza de la sangre, ya que Dios no hizo a algunos de sus hijos más "finos" que a otros.

Llegará el día en que los seres humanos de este planeta se miren como verdaderos hermanos. Para ello debemos luchar con fuerza contra el orgullo, la arrogancia y el egoísmo.

Otro tipo de desigualdad que constantemente nos causa sentimientos de frustración e injusticia es la desigualdad en las riquezas.

¿Por qué algunos nacen en cunas de oro mientras tanto otros apenas y alcanzan a nacer en la tierra sucia de los pantanos?

La respuesta a esta nueva interrogante la encontraremos también en la Ley de Causa y Efecto. Recuerda que aquellas características que rodean tu encarnación actual tienen origen en el pasado de tu existencia.

A veces la riqueza será más una prueba que una facilidad para tu vida, ya que es muy fácil olvidarse de aquellos menos afortunados cuando nos sobran las riquezas. ¿No lo crees?

Las riquezas materiales son una extraordinaria oportunidad para reparar injusticias y para hacer de ellas, medios de consuelo para quienes no tienen los recursos esenciales de subsistencia o están angustiosamente pasando por crisis que bien pudieran resolverse con algo de dinero.

La plaga social no se encuentra en las riquezas, sino en el mal uso que se hace de las mismas. Combatamos el egoísmo y transformémoslo en actos de caridad. Dios siempre te dará más cuando entregues lo que necesitas para aliviar a tus hermanos. Esa es la ley.

Tanto las riquezas como la pobreza son pruebas difíciles de pasar.

Recuerda que las pruebas de la vida las eliges tú. Cada caso tiene su propio drama que deberá ser enfrentado con alegría y optimismo.

La miseria es una prueba que frecuentemente provoca que quienes la sufren, se sientan víctimas de injusticias divinas, murmuren y se quejen ante Dios y no comprendan la oportunidad maravillosa que se les ha ofrecido.

La Caridad no requiere de dinero para ser efectuada. Hasta el más pobre de nuestros hermanos tiene algo para dar a los demás. Busca bien y encontrarás algo que ayudará a quien lo necesite.

La riqueza a veces es una prueba más difícil de pasar ya que nos inclina a cometer excesos y a olvidarnos de quienes la necesitan. Las personas ricas pueden caer en la creencia de que son superiores por el sólo hecho de tener dinero.

Pueden menospreciar a sus hermanos sin entender que estos podrían, el día de mañana, ser quienes estén por encima de ellos -económicamente hablando - y encontrarse en una situación penosa en la que dependen de quienes hoy sufren sus excesos.

Los ricos tienden a querer siempre más y a ser insaciables. Sus necesidades aumentan conforme aumenta su fortuna. Esto es algo difícil y peligroso a la vez ya que tendrán que presentar cuentas de aquello que podrían haber hecho para ayudar a los que aún sufren.

Mientras más poderoso sea el ser humano, mayor será su responsabilidad hacia sus hermanos y mayores serán las obligaciones que tendrá que cumplir para su propio progreso espiritual.

Dios prueba al pobre por medio de su resignación y buena disposición para pasar por sus pruebas de pobreza, y al rico por el uso que haga de sus riquezas y poderío.

Recuerda, el dinero y los bienes materiales son generadores de aquellas pasiones que nos apegan a la materia y que retrasan nuestra evolución espiritual.

Igualdad entre Mujeres y Hombres
(Intercambiando Personajes)

A pesar de los grandes avances en materia de justicia y evolución en los conceptos de igualdad, aún podemos observar el triste fenómeno de quienes aún creen que los hombres son superiores a las mujeres.

Esta ha sido una costumbre que viene desde la noche de los tiempos y cuya herencia todavía contamina nuestra existencia actual.

Las religiones y las instituciones sociales en el pasado veían a la mujer como un ser inferior que no servía para las mismas cosas que el hombre. No observaban la grandeza y sacralidad del género femenino que llega a ser, inclusive, superior al hombre en diversos aspectos.

La debilidad física natural en las mujeres no las hace inferiores a los hombres. Tan sólo nos recuerda el equilibro que debe existir entre las funciones que ambos géneros deben efectuar. Las mujeres usualmente tienen la delicadeza, la sensibilidad y la paciencia que a los hombres nos falta.

La fuerza física no significa superioridad entre mujeres y hombres. Sólo quienes han avanzado muy poco moralmente todavía piensan que la fuerza es sinónimo de poder sobre otro ser humano.

Son las mujeres quienes nos dan las primeras lecciones en la vida, quienes nos llevan en el vientre y quienes forman con nosotros el primer núcleo donde nos desarrollamos antes de nacer. Este solo hecho las hace seres sagrados a quienes debemos respetar y tratar siempre como unas reinas.

Recordemos también que si hoy nacemos con un sexo determinado, ya hemos pasado por encarnaciones en las cuales hemos venido con el sexo opuesto. Y dependiendo de las experiencias que necesitemos para progresar, en un futuro habremos de venir en diferentes cuerpos que algunas veces serán masculinos y otras serán femeninos.

Entendamos que somos espíritus y entre los espíritus no hay sexo. Si bien, tomamos la forma peri-espiritual de la encarnación anterior. En esencia el sexo no es algo tan importante como se cree.

Como hemos dicho anteriormente, hoy seremos de un sexo y en la siguiente experiencia encarnatoria podríamos ser de otro.

La igualdad entre los sexos debe ser total. No debemos permitir que la barbarie y la esclavitud de otros tiempos nos contaminen con sus ideas poco evolucionadas.

Así que, hombres del mundo - ¡Regocíjense por tener a las maravillosas mujeres al lado! ¡Trátenlas como algo sagrado y protéjanlas siempre!

Y, mujeres del mundo - ¡Aprecien el esfuerzo de sus hombres quienes lucharán por ustedes para hacer de este planeta una herencia maravillosa para nuestro regreso futuro!

Cosechamos lo que Sembramos
(Si Quieres Trigo, No Plantes Maíz)

¿Alguna vez has visto que un campesino plante una semilla de mala calidad, se olvide de fertilizarla adecuadamente o se descuide en el riego de su plantío, y aún así dé como resultado una cosecha abundante y de primera calidad? ¿Verdad que no?

De la misma manera, en nuestras vidas cotidianas, si hacemos como el mal granjero y plantamos acciones de baja vibración, seguramente obtendremos resultados desastrosos que afectarán irremediablemente nuestra felicidad y armonía.

Todos somos iguales a la hora de desencarnar. Una tumba del mármol más fino o el funeral más comentado no harán ninguna diferencia en quienes somos realmente.

Planta hoy tus mejores semillas, cuídalas con las virtudes con las que Dios te ha dotado, y sé paciente.

¡La cosecha más gloriosa de tu vida está por llegar!

CAPÍTULO 12

LAS ENFERMEDADES
Y SU ORIGEN ESPIRITUAL
(TODO COMIENZA EN EL PERI-ESPÍRITU)

Origen de las Enfermedades en el Peri-Espíritu
(Correspondencia Orgánica)

Nuestro cuerpo físico está sujeto a una serie de funciones orgánicas que, cuando salen de ciertos parámetros armónicos, ocasionan enfermedades de diversa índole.

¿Pero cuales son esos parámetros armónicos? Primero veamos qué es la salud del cuerpo. ¿Será que la salud es lo mismo que ausencia de enfermedad?

Según el Organismo Mundial de Salud, la salud es un estado de completo bienestar físico, mental y social y no simplemente la ausencia de la enfermedad.

> **1.** Bienestar Físico
> **2.** Bienestar Mental
> **3.** Bienestar Social

Cuando uno de estos elementos no está en armonía, entonces ocurre la falta de salud. Es decir, es cuando llega la enfermedad.

¿De dónde provienen las enfermedades? ¿Dónde se originan? ¿Por qué se manifiestan en tan diversas formas, siendo la más obvia nuestro cuerpo físico?

Recordemos que somos una Trinidad que se comprende por:

> **1.** Cuerpo
> **2.** Alma o Espíritu Inteligente
> **3.** Peri-Espíritu

179

El primero es el vehículo físico en este plano material que es la Tierra. El segundo es nuestro ser inteligente. El tercero es el vehículo espiritual o envoltura etérea.

Hemos visto en el Capítulo Diez, "Marcas de Ayer", que el cuerpo físico actual es reflejo de nuestro pasado espiritual, así como también de las acciones y decisiones tomadas en otras encarnaciones.

Pero este cuerpo físico es también reflejo de nuestro Peri-espíritu actual. Todo aquello que se manifieste en el vehículo físico, primero deberá ocurrir en el cuerpo espiritual.

Con excepción de aquellas enfermedades que formen parte de nuestro plan reencarnatorio, todas las demás enfermedades pueden ser evitadas o modificadas si entendemos su funcionamiento y origen.

Existen orígenes puramente físicos como lo serían un enfisema pulmonar causado por fumar o la cirrosis causada por el abuso del alcohol. Sin embargo, hay muchas otras enfermedades que no tendrían que manifestarse en el cuerpo físico si mantuviéramos el cuerpo espiritual en buen estado de salud.

El estado en que conservemos nuestro Peri-espíritu determinará la salud del cuerpo físico actual. La mayoría de las enfermedades físicas y psíquicas ocurren primero a través del Peri-espíritu y se reflejan después en el cuerpo físico.

Enfermedades Psico-Somáticas
(Los Males de Nuestro Tiempo)

Más de 450 millones de personas en el planeta sufren de algún desorden de tipo mental. Debido a que la salud mental forma parte integral de la salud, entendemos que no puede haber salud en el cuerpo físico si no existe primero en la mente.

Esta salud mental está determinada por factores tanto del medio ambiente socio-económico como del biológico. Cuando un individuo no se siente realizado con sus propias habilidades; o no puede mantener control sobre el estrés de la vida cotidiana; su trabajo no le satisface; no es capaz de contribuir positivamente en su comunidad y de mantener su vida material elemental; entonces ocurre un desequilibrio que se deriva en problemas como:

> ● Depresión
> ● Ansiedad
> ● Ataques y Episodios de Pánico

Vivimos en tiempos en los cuales las crisis financieras parecen estarse multiplicando en todas partes. Lo que antes era una clase socio-económica medio-alta, ha pasado a ser una clase baja a nivel adquisitivo.

Las riquezas se han distribuido entre grupos de unos cuantos, dejando a la mayoría de la población en la constante lucha por su sobrevivencia.

Esto ocasiona que no sólo ocurran los trastornos antes citados, sino también que todo tipo de enfermedades fisiológicas comiencen a ser aparentemente más comunes.

Cada vez más personas sufren de padecimientos como el Cáncer, problemas cardíacos y enfermedades psicológicas. Además, cada vez más personas recurren al abuso de sustancias para enmascarar la realidad en la que vivimos.

La Amiga Quejumbrosa
(Remedio Milagroso)

Cuando yo era pequeño, mi madre tenía una amiga que siempre se quejaba de todo. Podían pasarle las mejores situaciones y aún así sus quejas no cesaban.

Cada vez que íbamos a visitarla (muy a mi pesar), mi madre le preguntaba: "¿Cómo estás amiga?"

Ella ponía su cara de mustia y afirmaba: "Ay amiga... ya sabes... muy mal, como siempre... Ya no sé cuánto más voy a poder aguantar vivir así...".

Las escenas se repetían cada vez que la veíamos aunque pasaran años entre nuestros encuentros. Ella siempre entraba en su personaje preferido de mártir y empezaba su discurso sobre lo mal que estaba, lo mucho que sufría y lo infeliz que era...

Un buen día, para variar, mi madre me quería obligar a acompañarla a ver a la depresiva amiga. Yo, como siempre, no quería ir y me quejé todo el camino, portándome lo peor que pude - cosa rara porque yo suelo ser un angelito.

El humor de mi pobre madre fue empeorando conforme pasaban los semáforos en camino a casa de su amiga.

Cuando llegamos, mi madre estaba que echaba humo. Había yo logrado sacarla de quicio y poco faltó para que me dejara encerrado en el carro.

Así que cuando la amiga de ella nos recibió en su casa y estaba a punto de comenzar con su cantaleta de rutina, mi madre en un arranque de desesperación le dijo: "¡Sí, ya sé que estás muy mal, que todo es terrible, que sufres mucho. Y es que tu eres horrible, nunca te arreglas. Lo tienes todo y siempre te quejas. Con ese cabello pareces momia, con esas ropas oscuras pareces viuda y tu pobre marido seguramente te dejó por eso!"

La transformación de mi madre fue tan asombrosa para mí que casi me arrepiento de haberme portado tan mal. Pero te cuento que el resultado fue milagroso. Su amiga nunca más volvió a quejarse y cada vez que nos volvió a invitar a su casa (aunque no lo creas sí nos volvió a invitar), pudimos ver su asombrosa transformación.

Nunca más volvió a quejarse y como por acto de magia... se curó...

No hay enfermedades incurables, lo que hay son enfermos. Hay personas que disfrutan de estar mal y enfermas. Si algo les sale bien, se les cae el personaje y no pueden aceptarlo. Así que tienen que hacer de todo para estar mal y tener algo de que quejarse.

Por otro lado, existen enfermedades y estados del alma que real-

mente existen y hacen infelices a millones de personas. Estas enfermedades se han convertido en verdaderas epidemias que causan pérdidas
en diferentes sectores de la sociedad. Estoy hablando de:

La Depresión, la Ansiedad, los Ataques de Pánico y sus Orígenes Espirituales
(Algo Más que los Nervios)

A finales del siglo veinte a la depresión se le llamó "la enfermedad
del siglo." Fue el padecimiento más diagnosticado en la última década
de ese siglo y actualmente afecta alrededor de 121 millones de personas en el planeta.

Afecta por igual a niños, jóvenes, adultos y ancianos. Es responsable
no sólo de la incapacitación de millones de personas, sino también de
las correspondientes consecuencias económicas, sociales y espirituales a nivel planetario.

Más que una enfermedad mental, la depresión es un estado del alma
reflejado en el cuerpo físico. Desde el punto de vista de la Medicina,
la depresión es una enfermedad de tipo bioquímico, causada por la
disminución de algunas hormonas neuronales que no consiguen mantener una actuación apropiada al nivel de la estimulación neuronal.

Por medio de potentes medicamentos químicos existentes en el
mercado, la depresión puede ser regulada - al menos en el aparato físico que es el cuerpo. Esto se logra actuando en los niveles de serotonina
y manteniendo un nivel de acción más prolongado sobre las neuronas
en determinadas áreas del cerebro, logrando así un "equilibrio".

Aunque el estado bioquímico de los enfermos es tan sólo reflejo del
estado de su alma a consecuencia de acciones de esta vida, también es
principalmente efecto de causas sucedidas en existencias pasadas.

A veces, existe un sentimiento de culpa que puede ser consecuencia
de acciones del pasado. Por ejemplo, esta sensación de culpa puede ser
el resultado de acciones cobardes de cualquier índole, especialmente
en situaciones donde se haya lastimado a alguien, o peor aún, que se
haya causado la muerte de alguien más o de uno mismo.

183

Esto puede ser motivo suficiente para que en esta existencia vengamos con un pesado bagaje espiritual, cuya característica principal sea esa profunda tristeza, y no tengamos aparentemente idea alguna de las causas reales de nuestro estado emocional.

Los Ataques de Pánico y la Ansiedad son también males de nuestro tiempo que atacan a millones de personas que generalmente no entienden lo que les está pasando.

Comienzan sin previo aviso. La persona siente una sensación de miedo a que suceda algo desconocido, convirtiéndose después en verdadero pánico a morir. Las salas de emergencia de los hospitales reciben a miles de personas quienes creen estar sufriendo un infarto, cuando en realidad lo que les está dando es un ataque de pánico.

El enfermo frecuentemente hace una peregrinación a consultorios médicos de todas las especialidades con la esperanza de encontrar re puesta a lo que le está sucediendo, hallándose casi siempre ante la respuesta médica de: "Usted no tiene nada".

Esto causa una obvia frustración hasta que cae en manos de algún profesional de la salud mental quien sí puede rápidamente identificar lo que le está sucediendo y comienza a tratarlo con medicamentos que le ayudarán a regular los componentes químicos en su organismo a fin de evitar dichos ataques o episodios.

El uso de medicamentos en casos de depresión, ansiedad o pánico son totalmente aconsejables cuando son recetados por un profesional.

El escenario ideal para la cura verdadera de alguien que esté padeciendo esta enfermedad, sería un tratamiento conjunto de medicamentos y terapia espiritual y mental. Desgraciadamente aún no existen suficientes profesionales en el área de la Psicología, la Psiquiatría y las terapias concernientes a la mente que estén especializados en terapias espirituales.

Si bien, el enfermo debe seguir las indicaciones de su médico, no debe olvidar resolver las otras dos partes de su Trinidad existencial - el alma y el Peri-espíritu. Y esto sólo puede lograrse con disciplina, modificando el estilo de vida, y sobre todo modificando nuestros pensamientos y estado espiritual.

184

Esta modificación se puede obtener por medio de la oración, la meditación, y el estudio de temas concernientes a la realidad espiritual. Es importante también hacer un esfuerzo para lograr un auto-conocimiento más profundo que nos permita conocer los orígenes reales de nuestro actual estado espiritual y emocional.

Es posible "activar" aquellos genes que hasta ahora se encuentran "reprimidos" para que se unan a la lucha por rescatar el equilibrio físico-psíquico-espiritual del ser que somos.

Y por medio del trabajo y tránsito por el sendero del bien, será posible conquistar aquellos obstáculos que hasta ahora han formado parte de nuestras pruebas y expiaciones particulares.

Recordemos que el estilo de vida determinará los pensamientos y el comportamiento que presentaremos. Atraeremos así a determinado tipo de hermanos del plano espiritual que no siempre serán aquellos que nos quieren bien.

En gran cantidad de los casos de depresión y crisis de pánico, hay influencia espiritual que, de no ser tratada a tiempo, puede convertirse en un proceso obsesivo que haga más difícil la cura del enfermo.

La persona que sufre de ataques de pánico puede ser alguien con una cierta sensibilidad mediúmnica que aún no ha sido desarrollada adecuadamente.

En casos como éste, las sensaciones provenientes de esa capacidad de "sentir" a los integrantes del plano espiritual, le causan un miedo terrible sin entender qué ni por qué le pasa. Como hemos dicho antes, no estamos solos, sino siempre acompañados de toda una población de espíritus desencarnados.

En el caso de los médiums que no han desarrollado su facultad, esta cercanía puede tener consecuencias difíciles de superar.

De este modo, no debemos olvidar que para remediar cualquier enfermedad, debemos tratar no sólo el vehículo físico por medio de medicinas químicas o naturales, sino también deberemos tratar la parte espiritual y mental, para equilibrar así al ser integral que somos.

El Poder de la Mente y las Enfermedades
(Influencia de Las Emociones en la Salud)

Hace algunos años se efectuó un estudio interesantísimo en la Universidad de California donde se tomó a un grupo de enfermos de SIDA y de Cáncer con metástasis en fase terminal y se les metió en una sala de cine donde pudieron ver escenas sobre la vida de la Madre Teresa de Calcuta.

Al mismo tiempo, se tomó a estudiantes de la misma universidad y se les metió a otra sala donde vieron una película sobre la guerra de Vietnam. En esta película abundaban escenas de muertes terribles y de personas inocentes quemadas por el mortal Napalm - sustancia química que se usó en esa guerra. Por un espacio de más de dos horas estuvieron expuestos a escenas de horror, dolor y espanto.

Al salir ambos grupos, se les tomaron muestras de saliva. En la saliva existe una sustancia llamada inmunoglobulina que es un tipo de anticuerpo que tiene características inmunológicas.

El contaje de esta sustancia se comparó con las muestras tomadas antes de entrar a las salas de proyección. Se pudo comprobar que, en el caso de los enfermos terminales, la inmunoglobulina había aumentado notablemente, mejorando su salud y haciéndolos más resistentes a la enfermedad que los aquejaba.

En el caso de los estudiantes que estuvieron expuestos a las escenas de guerra, el conteo se redujo de forma considerable. Este resultado se debió a las emociones de miedo, rabia, coraje y ansiedad que experimentaron durante la proyección.

Con el tiempo se pudo comprobar que algunos de ellos tuvieron problemas respiratorios ya que la ausencia de esta sustancia los hizo más propensos a este tipo de enfermedades.

Se efectuó una segunda fase de este experimento. Ahora los enfermos terminales fueron expuestos a películas cómicas. Al principio mostraron tan sólo una risa tímida. Luego se pudieron observar risas más espontáneas y abiertas. Hasta que al final, el teatro estaba inundado de carcajadas.

186

En el grupo de los estudiantes saludables, se proyectaron películas de alto contenido erótico y sexo explícito.

El resultado fue impresionante al ver que el grupo de los enfermos arrojó resultados altísimos no sólo de Inmunoglobulina, sino también de Neuropéptidos. Estos últimos incluyen la Dopamina, Seratonina y Noradrenalina, que son responsables de causarnos sensaciones de bienestar, buen humor y felicidad.

Por otro lado, el grupo de los estudiantes mostró conteos asombrosamente bajos de Inmunoglobulina debido a las descargas de adrenalina y las cargas de Cortisol secretadas por las glándulas supra-renales. Este último grupo tuvo problemas en sus sistemas inmunológicos y endocrinos.

Con esto se puede comprobar el efecto que tiene la influencia de imágenes y situaciones de baja vibración en nuestra salud, abriendo las puertas a enfermedades que más tarde se manifestarán en el cuerpo físico.

El Amor y la Caridad, las Más Poderosas Medicinas
(Medicinas Sagradas)

Vivimos buscando ser felices pensando que la felicidad es un estado de ánimo permanente. Ese tipo de felicidad no existe en el nivel evolutivo en que nos encontramos en la Tierra.

La felicidad no es una línea recta sino una línea sinuosa con picos arriba y abajo. Y nos debemos concentrar en convertirla en una línea en ascenso donde cada día estemos mejor que el anterior.

El amor es la fuerza más poderosa del universo. El amor tiene poderes curativos impresionantes.

Esto es debido a que la vibración del sentimiento del amor es altísima y capaz de modificar las células de nuestro cuerpo, haciendo que se equilibren y armonicen con el estado perfecto del cuerpo saludable.

Si analizas las vidas de aquellos hermanos y hermanas que han venido al planeta y han dedicado sus vidas al amor a sus semejantes y a la caridad, podrás ver el fenómeno sorprendente del hecho de que era casi imposible verlos enfermar.

Cuando una persona dedica su tiempo a ayudar a los demás, no tiene espacio en su mente para enfermarse. Simplemente no tiene tiempo para ello ya que debe seguir su misión de caridad y amor a sus semejantes.

Esto sucede con los grandes misionarios de la historia quienes podían pasar meses y hasta años viviendo en condiciones difíciles con carencias económicas y en situaciones donde el hambre y las enfermedades contagiosas abundaban. Sin embargo, ellos jamás se contaminaron de ninguna enfermedad.

Esto está directamente relacionado con el poder de la mente y la armonía espiritual que mantiene al Peri-espíritu con los niveles vibratorios de salud que se requieren para continuar el trabajo deseado.

Aquella persona que viva con alegría, satisfecha con sus actividades y ayudando a los demás de una u otra manera, vivirá una existencia libre de enfermedades.

Aquellos que no guarden rencores y hayan aprendido a perdonar las ofensas, así como aquellos que caminen por el camino de la luz, trabajando y esforzándose por un mundo mejor, viviendo conforme a los elevados códigos morales y de dignidad, estos también vivirán una existencia libre de enfermedades.

Se curarán a sí mismos mediante la energía pura del amor, iluminando a su paso a todos aquellos que, con su ejemplo, se vean motivados e inspirados a hacer lo mismo.

Conforme entiendas esta maravillosa realidad, verás que aunque la medicina química es importante para equilibrar el cuerpo físico, el origen de las enfermedades se encuentra en el cuerpo espiritual.

Es ahí donde estarás conquistando tu verdadera felicidad.

La Fe Mueve Más que Montañas
(Fuerza Celestial)

❦

No existe triunfo en ningún aspecto de la vida que no esté ligado a la fe en aquello que se quiso lograr. La Fe es otra de las fuerzas Divinas con las que Dios nos ha dotado y de la cual hablaremos más a detalle en capítulos posteriores.

Quiero que sepas que sin la fe no puedes ni siquiera levantarte de la cama. El conocimiento y la certeza de aquello que habrá de venir es lo que te impulsa a realizar desde los actos más simples, hasta los más arrojados. La fe en uno mismo transforma todo a nuestro alrededor y abre las puertas y los caminos hacia aquello por lo cual se está luchando.

La fuerza y el poder que la fe causan en nosotros cuando vamos por el sendero del amor es poderosísima. El psiquismo de la persona se activa en el cuerpo físico y no permite que ninguna célula decaiga ni pierda su balance en la trinidad humana.

Por medio del poder de la mente, la fe acciona todas aquellos acontecimientos alrededor de un "milagro". De esta forma, las enfermedades ceden ante fuerzas superiores que las modifican, llegando hasta el punto de eliminarlas por completo.

A continuación te expongo el proceso llamado:

Las 4 Fes
(El Proceso de Curación)

❦

El proceso de curación que aquí te expongo, consta de 4 tipos de fe:

- Fe en uno mismo
- Fe en el Médico
- Fe en la terapia
- Fe en Dios

189

La Fe en Uno Mismo
(El Poder del Auto-Conocimiento)

La Fe en uno mismo parece la más obvia pero no necesariamente es la más simple de lograr. Tú me podrías asegurar que tienes absoluta fe en ti y que no dudas del éxito de aquello que te propones. Pero corres el riesgo de caer en la fe ciega que sólo te llevará a un callejón sin salida.

La fe en uno mismo parte del auto-conocimiento y de ser capaz de contestar las "preguntas de la Esfinge" que hemos visto en capítulos anteriores: ¿Quién soy? ¿De dónde vengo? Y ¿A dónde voy?

Este entendimiento, además del proceso de auto-conocimiento, requiere de un discernimiento del ego y del "self", que el insigne Psiquiatra Suizo Carl Gustav Jung nos propone como aquel lugar en nuestro subconsciente que debe estar en armonía para evitar el malestar emocional.

La Fe en el Médico
(Fortaleciendo a tus Aliados)

La Fe en los médicos es algo de lo cual no todos ellos pueden presumir. Desafortunadamente una gran cantidad de profesionales de la salud, que han visto en tan noble labor un medio de vida en lugar de un medio de servir a los semejantes, ha causado que la población en diferentes sectores no confíe en su médico de la forma que se podría esperar.

Desgraciadamente para muchos profesionales, el paciente no es más que un número o estadística. No es inusual ver en hospitales, sobre todo de bajos recursos, escenas donde médicos y enfermeros ni siquiera miran a la cara a los enfermos y mucho menos saben su nombre.

Sin embargo, entre la comunidad médica mundial existen aquellos que son verdaderos apóstoles de amor y compasión. Existen infinidad de médicos que lo han entregado todo en su deseo de ayudar a sus pacientes, sin importarles en lo absoluto si pueden o no pagarles.

190

Son estos espíritus que han regresado al planeta a ayudar en su proceso de regeneración, dedicando sus vidas al servicio de sus hermanos.

Por ello, debemos darles siempre el beneficio de la duda y confiar en ellos al cien por ciento, Esto definirá el éxito del tratamiento al cual nos estaremos sometiendo por medio de ellos.

Cada vez que entres a una sala médica, te invito a que hagas una oración por aquellos profesionales que ahí se encuentran y que bien o mal, están dedicando su tiempo a la salud de sus pacientes.

Crea en tu imaginación una lluvia de flores sobre ellos para que así puedas contribuir a limpiar la Psicoesfera mental en la cual ellos se encuentran y puedan ser influenciados por espíritus de luz en su sagrada labor de curar los cuerpos enfermos.

Fe en la Terapia
(Vibraciones de Energía)

La Fe en la terapia es la fuerza vibratoria que ejerces al creer que aquel tratamiento que tu médico te está dando, tendrá resultados positivos en tus células desequilibradas. Créeme cuando te digo que tu mente es capaz de cargar energéticamente cualquier medicamento, tratamiento o terapia que te sea recetada.

Las células tienen memoria y se regeneran de cada 28 a 30 días. Pero pueden perder esta memoria cuando se ven bombardeadas por sustancias dañinas o por el mal uso y abuso que hagamos de ellas. Esta "pérdida" de memoria puede hacer que produzcan células anormales, dando como consecuencia el crecimiento de tumores en determinadas partes del cuerpo.

En un experimento de gran importancia, el Dr. Bernard Grad de la universidad McGill en Montreal, Canada, probó que la energía emitida por personas de alto nivel moral sobre agua pura, transformaba el líquido en medicina natural capaz de curar a algunos pacientes que más tarde la bebieron.

191

Al mismo tiempo, en otro experimento, pudo probar que la energía proveniente de las manos de psicópatas sobre el agua, daba como resultado un líquido con cargas negativas, totalmente contrario al del grupo anterior.

A esto se le llama Bioenergía. También se le conoce como "Factor-X", nombre que el Dr. Grad le dio a este factor de la energía vital que somos capaces de emitir por medio de nuestra voluntad. Esto es lo que sucede cuando ciertas personas con la facultad de sanar consiguen efectos benéficos sobre individuos a quienes les hacen imposición de manos.

Esto demuestra la importancia de creer en aquello que estamos haciendo para curarnos, ya que sin estudios científicos como estos, mucha gente podría pensar que se trata de fantasías provenientes de una mente fértil o perteneciente a alguna corriente del "New Age".

La Fe en Dios
(El Elíxir Sagrado)

Te preguntarás por qué he puesto al final la Fe en Dios cuando debería ser la más importante.

La Fe en nuestro Creador es y será siempre la más importante. Pero la he puesto como la cuarta para coronar el proceso de curación ya que esta fe es la que nos hará resistir y ser capaces de efectuar las tres anteriores.

La Fe en Dios es vital no sólo para curar el cuerpo. Es totalmente indispensable para curar el alma y equilibrar el Peri-espíritu. Es elemental para el sólo hecho de existir.

Este libro trata de lo que Dios quiere de nosotros, de Sus enseñanzas y del camino de la luz que Él ha trazado para nosotros.

Él nos ha dado ya el "mapa del tesoro" de todas las riquezas habidas y por haber. Ahora será tu responsabilidad seguir el sendero correcto y ayudar a todos aquellos que "tengan ojos para ver" y "oídos para oír"...

CAPÍTULO 13

AY, LOS PLACERES...
(LA CARNE ES DÉBIL)

Disfrute de los Placeres Temporales
(Gozando la Vida)

Estamos en este planeta para aprender y mejorar. Pero es necesario que lo hagamos por medio del dolor y del sufrimiento. Dios nos ha dado infinidad de maravillas para que podamos disfrutar de nuestra estancia en el planeta.

Los placeres no tienen nada de malo mientras no le hagamos daño a nadie incluyendo a nosotros mismos. El gusto por la comida es muy disfrutable cuando se hace con moderación y sin abuso. Cualquier exceso nos llevaría por la ruta del sufrimiento a través de la enfermedad.

Lo mismo sucede con cualquier otra cosa como los placeres visuales, los placeres táctiles, el divertirse, bailar y reír. Disfrutar de la vida es un derecho y también una obligación. No nacimos para sufrir, sino para disfrutar de este proceso maravilloso de nuestra existencia.

Las Tentaciones de la Carne
(Uso y Abuso del Placer)

Cuando era yo un adolecente - no hace mucho tiempo - y empecé a bailar Ballet Clásico, me mudé a un apartamento pequeñísimo que una tía mía tenía. Ella, con tal de ayudarme, me permitió usarlo por un tiempo.

Aunque en esa época, ya hacía yo teatro, lo que ganaba no daba ni para pagar el transporte público. Tuve que empezar a trabajar como

193

modelo de comerciales, pasarela y fotografía. Fue ahí que conocí a un querido amigo cuyo nombre omitiré para respetar su privacidad, y que para efectos de esta historia llamaré Rubén.

Mi amigo Rubén era un muchacho muy bien parecido, proveniente de un país de América Latina, cuyos ojos de intenso azul y cabello rubio volvían locas a las Mexicanas que se cruzaban por su camino.

Mi amigo tenía mucho éxito como modelo y ganaba bastante dinero, el cual frecuentemente se gastaba en juergas que duraban desde unas horas hasta varios días.

A pesar de mis esfuerzos por tratar de prevenirlo contra posibles consecuencias de sus excesos, él siempre decía: "!*La vida es corta y hay que aprovecharla al máximo*"!

Esto lo llevaba a aprovechar cualquier oportunidad que se le presentaba para tener sexo con cuanta mujer hermosa se le atravesaba, a beber a veces desde temprano y a usar las drogas de moda de aquel entonces.

Su carrera como modelo empezó a verse afectada por el estilo de vida que llevaba. La agencia que nos representaba a los dos empezó a tornarse cada vez más exigente con él con respecto a su comportamiento profesional, ya que frecuentemente llegaba tarde a los llamados. A veces, simplemente no llegaba por haberse quedado dormido e imposibilitado de levantarse después de una noche de fiesta pesada.

Esto lo hizo ir perdiendo cada vez más trabajo. Llegó a un punto en que el dinero no le alcanzaba para nada debido a los vicios que había adquirido. Finalmente llegó el momento en que decidió regresarse a su país para no volver jamás.

La noche en que le hicimos una despedida fue la última vez que lo vi. Tiempo después me enteré que había muerto a consecuencia de la terrible epidemia del SIDA que en esos tiempos ya estaba cobrando miles de víctimas alrededor del mundo.

Dicha enfermedad se llevó a una gran cantidad de gente que formaba parte de la gran familia de modelos, diseñadores, coordinadores de moda, fotógrafos y demás integrantes del medio en el cual yo me desenvolvía.

Fue en ese entonces que mucha gente empezó a decir que el SIDA era una enfermedad que sólo le podía dar a homosexuales. Ahora sabemos perfectamente que esto no es así.

¡Rompe el Hechizo de los Medios de Comunicación!
(Escogiendo lo que Entra en tu Hogar)

Esto lo podemos observar en todas partes. Sólo prende la televisión y verás que en cualquier programa, novela, película o serie prolifera siempre una inclinación hacia la sensualidad y los placeres de la carne.

La prensa escrita y las revistas no son excepción, ni tampoco lo es la radio.

Lo mismo sucede en el ámbito de la música, cuyas letras se han visto invadidas de términos sexuales, menciones sobre drogas, alcohol y violencia, por mencionar tan sólo algunos aspectos.

Cabe mencionar que aunque existen excepciones a la regla en todas partes, desafortunadamente no son frecuentes.

Hace unos días estaba en las noticias que una persona que aparecía regularmente en un programa de los llamados "reality shows", se había suicidado debido a las presiones constantes que el show y sus productores le exigían para divertir al público.

Se llevó a cabo un estudio que comparaba el éxito de un programa de estos con otros donde no se muestran las intimidades de los participantes.

En este estudio se pudo constatar que, cuanto más escándalos, sexo, sufrimientos y violencia se mostraban, el público enloquecía y prendía la televisión cada noche sin falta con tal de asistir a las desgracias de los demás.

Esto me hizo recordar los circos Romanos donde las personas asistían por millares a la masacre de los esclavos y rugían cada vez que una cabeza era cortada.

195

¿Por qué somos así?

¿Por qué aún estamos viviendo en niveles tan bajos de nuestra evolución, e incluso permitimos que nuestros hogares se vean contaminados por bajezas producidas por la ambición de productores sin escrúpulos?

A raíz de este fenómeno, me puse a investigar aquellos programas, revistas y demás medios de comunicación de más éxito en la actualidad.

Pude comprobar que aquellos que tienen entre sus títulos las palabras: "escándalo", "asesinato", "infidelidad", "muerte", "sexo", "drogas" y "violación" son los que atraen más personas.

Aquellos que tienen temas sobre la naturaleza, la espiritualidad, la cultura y otros temas de elevada dignidad, son los que a veces desaparecen por el poco "rating" que tienen.

No tiene nada de malo distraernos por medio de los medios de comunicación. De hecho es saludable. Porque para progresar en tu vida, no necesitas sumergirte en un montón de libros serios como si estuvieras en un convento.

Tan sólo te pido que vigiles lo que entra por tus sentidos físicos. No permitas que la armonía inherente a tu ser se vea perjudicada por este tipo de ataques contaminantes cuyo único objetivo es el de enriquecer a quienes lo producen sin importarles el daño que le hacen a los usuarios de sus productos y servicios.

Escápate de la herencia de la raza que dicta que hay que hacer lo mismo que los demás hacen. Filtra lo que reciben tú y los tuyos. Ayuda a otros a tener consciencia de la influencia negativa que recibimos cada minuto del día.

¡Atrévete a descubrir otras cosas!

Te sorprenderás al ver que existen otros géneros musicales, literarios, televisivos y demás corrientes de comunicación que llenarán el vacío que han dejado tus costumbres de consumo en el pasado.

Viviendo como "Turistas" del Planeta
(Depredadores Sin Consciencia)

Desgraciadamente vivimos en una sociedad en la cual exaltamos y le rendimos tributo al cuerpo físico.

Nos hemos convertido en turistas del planeta que tratan de aprovechar al máximo sus "vacaciones". Consumimos todo a nuestro alrededor. Probamos de todo para experimentar alguna nueva sensación, haciéndonos adictos al placer en sus diferentes formas.

Por todas partes somos bombardeados por publicidad que nos trata de convencer acerca de las delicias que es vestir a la última moda; ser deseado por el sexo opuesto o por el propio; beber alcohol para estar "en onda" a la hora de divertirnos; ser lo más apetecibles para la gente que esté a nuestro alrededor...

En general, nos convertimos en maniquís que son exhibidos para despertar deseo de algún tipo en quienes tengan la oportunidad de vernos.

Las Drogas, Veneno Espiritual
(El Alcohol, la Marihuana, y el Tabaco)

Cada día aumentan más las muertes por accidentes de diversa índole donde el alcohol se ve implicado.

Todos los días vemos que drogas "suaves" como la marihuana y las pastillas "calmantes" se venden por todas partes. Incluso hay lugares donde la marihuana se vende con el pretexto de ser para fines "medicinales".

¿Y qué me dices del alcohol y el tabaco? Son sustancias que pueden adquirirse en cualquier esquina sin problema ni restricción alguna.

La marihuana es comprobadamente una droga que va matando neuronas. Éste es sólo uno de los múltiples efectos negativos que esta droga tiene sobre el cuerpo físico y el cuerpo espiritual.

197

¿Por qué crees que los consumidores de esta droga, aún cuando no están bajo sus efectos, hablan y se mueven en cámara lenta? ¿Y qué me dices de sus ojos a media asta?

La marihuana, hasta ahora, es prohibida en la mayoría de los países del mundo. Sin embargo, existen infinidad de personas y grupos que quieren legalizarla argumentando que con esto se podría avanzar en la lucha contra el narcotráfico. Pero parecen olvidar que no sólo es dañina para el organismo, sino que también ha costado muchas vidas.

La marihuana es responsable del 70% de las muertes violentas en países como México, donde quienes la producen, hacen cualquier bajeza con tal de poder pasarla a los Estados Unidos y seguirse enriqueciendo.

El alcohol también es una droga. A pesar de ser legalmente producido y comercializado, no deja de ser igualmente responsable de infinidad de males y tragedias a diversos niveles de la Trinidad humana.

Con esto no quiero decir que a partir de ahora no debes beber ni una gota y debes convertirte en una persona abstemia. Lo importante es que reconozcas los peligros invisibles que hasta ahora no conocías y que pueden definir el éxito o fracaso de tus pruebas y expiaciones presentes.

Es de todos conocido el efecto mortal que causa sobre las células del cuerpo, pero de pocos es conocido el efecto que causa sobre nuestro cuerpo espiritual.

El alcohol adormece nuestras capacidades parapsicológicas naturales y abre las puertas al ataque de espíritus de bajo nivel vibratorio que aún se encuentran apegados a los placeres del cuerpo y que aprovechan el consumo de estas sustancias para satisfacer sus placeres bajos.

El tabaco es responsable de la muerte de millones de seres humanos cada año así como de pérdidas económicas en el sector de la salud. El costo de los tratamientos médicos es sumamente elevado.

También son grandes las pérdidas en los sectores productivos de la sociedad debido a las enfermedades que ocasionan que miles de personas falten a sus trabajos todos los días.

Si acaso eres una persona que fuma, te invito a hacer uso de tu libre albedrío para tomar la decisión de escapar de este veneno lento que ningún bien te hace y que poco a poco irá minando tu equilibrio orgánico hasta causar efectos irreversibles en algunas células de tu cuerpo.

No necesitas de elementos externos para vivir feliz. Nada que pueda entrar en tu cuerpo te podrá dar paz ni armonía verdaderas.

Las verdaderas "substancias" de luz existen ya en tu interior. Puedes multiplicarlas y hacer uso de ellas cuantas veces quieras si sigues las enseñanzas que aquí te entrego.

El Poder y el Dinero como Medios de Placer
(Valores Destructivos)

Hemos advertido ya sobre los peligros de caer en la trampa de creer que, por tener dinero, se es más o menos valioso que los demás. El dinero, las riquezas y el poder son serias responsabilidades.

Aunque pueden proporcionarnos una vida de confort y tranquilidad en lo concerniente a nuestras necesidades cotidianas, pueden también convertirse en una verdadera pesadilla. Y esta pesadilla, al final del camino, siempre dejará un mal sabor de boca si no lo sabemos manejar.

¿Cuántos casos hemos conocido de personas que, mientras gozaban de una buena posición económica estaban constantemente rodeadas de personas que se decían amigos sinceros, y ante la llegada de la desgracia y consecuente caída financiera, todos esos "amigos" desaparecieron como por arte de magia?

Sabemos de sobra que el dinero no puede comprar la felicidad ni la salud. Pasamos la vida trabajando y perdiendo la salud con tal de conseguir riquezas, y luego perdemos estas mismas riquezas en un intento desesperado de recuperar la salud perdida.

Por supuesto que el dinero es importante para mantener un estilo de vida digno y libre de preocupaciones (al menos financieras).

199

La falta del mismo es un factor de desequilibrio emocional que causa la infelicidad de millones de personas alrededor del mundo.

Es bueno trabajar, y hacerlo duro, pero no con la sola intención de amasar una fortuna que después habremos de abandonar irremediablemente ante la ley de destrucción del cuerpo y consiguiente desencarnación.

Ese dinero se verá entonces dilapidado y será frecuentemente motivo de discordias y rencores entre aquellos integrantes de la familia y allegados del espíritu desencarnante.

Usualmente estos espíritus son mudos testigos que observan con gran pena los efectos que la ambición de sus familiares causa con respecto a los bienes que le han costado una vida de esfuerzos y trabajo.

El dinero en sí no tiene culpa de nada, ya que no es ni malo ni bueno. Es tan solo un elemento de intercambio de bienes al cual los seres humanos frecuentemente le damos un valor que no tiene.

La aplicación inteligente que hagamos de él lo puede convertir en un agente de progreso social, desarrollo técnico, nuevos descubrimientos en las áreas de la ciencia, avances en la medicina y las artes y muchas otras vías de progreso.

Pero en el sub-mundo de las bajas pasiones, el dinero se convierte en elemento siempre presente en infinidad de canalladas, desgracias, indignidades y demás comportamientos de poca dignidad, enfocados, casi siempre, al goce y disfrute indiscriminado de los placeres del cuerpo.

El planeta ha sufrido hasta guerras debido a la desmedida ambición de poder y dinero, dejando consecuencias catastróficas para la paz del seno familiar de millones de personas.

Debemos abrir los ojos a las verdaderas virtudes y entender que, si te falta dinero, eso no te hace una persona menos digna. Lo que te haría avergonzarte sería el hecho de usar medios poco virtuosos para conseguirlo.

Tener o dejar de tener dinero carece de total importancia en el plan financiero de tu espíritu. En el plano espiritual las verdaderas riquezas no pueden ser compradas ni robadas, sino que sólo pueden ser adquiridas por medio del comportamiento elevado en armonía con las leyes Divinas y con las más altas virtudes que le han sido otorgadas al ser humano.

No permitas jamás verte esclavizado por los bienes materiales. Por nada del mundo te aproveches de ellos para rebajar, esclavizar o menospreciar a tus hermanos y hermanas del planeta. El mundo está lleno de mendigos que alguna vez abusaron de su poder financiero para vejar el honor y la dignidad de los menos afortunados.

El Sexo y el Amor
(Energía Sagrada)

El sexo... Se dice que mueve al mundo. ¿Por qué será?

Si observas con atención a tu alrededor... Si analizas el mundo y el comportamiento de sus habitantes, y tan sólo haces un ejercicio simple de observación en cualquier lugar concurrido como un aeropuerto, un centro comercial o centro de reuniones, verás que la gran mayoría de las motivaciones, las acciones y las actividades de las personas, están en mayor o menor grado relacionadas con el sexo.

He incluido el tema del sexo en este capítulo porque es una energía que puede ser tan dañina como la peor de las drogas si se abusa de él y si no se le tiene el respeto sagrado que merece.

¿Qué es el sexo?

Para algunos significará tan sólo el intercambio de fluidos orgánicos entre dos personas cuyo libido se vea excitado. Para otros será la capacidad que tiene el ser humano de dar a luz a un ser en su nueva oportunidad reencarnatoria. Ambos conceptos son correctos y ninguno es negativo.

Una vez más, nos enfrentamos al fenómeno de algo que no es malo. Sin embargo, las acciones que llevan a realizarlo son las que definen su negatividad.

Debes saber que el sexo no es patrimonio exclusivo de la humanidad terrestre. Es tesoro Divino de todos los mundos del Universo.

Para nosotros, en el estado elemental de evolución en el cual todavía nos encontramos, no tiene la sacralidad y belleza que tiene en otros niveles. Escapa a nuestra comprensión debido a la triste ignorancia, desequilibrio y perversiones inherentes a este planeta.

En siglos pasados fue tratado como un tabú. Este tabú hizo una extraordinaria labor como publicista cuya campaña de promoción ocasionó que viéramos al sexo como algo prohibido, a veces sucio, y otras veces como algo no digno de nuestro respeto.

Afortunadamente el ser humano está "despertando" de su largo sueño. Poco a poco vamos saliendo de la fase de ignorancia para descubrir las bellezas ocultas bajo las formas aparentes de la realidad material.

El sexo verdadero es una poderosa fuerza creadora, cuya atracción une a los cuerpos físicos, reencontrando las almas, hasta ese momento ignorantes de su pasado espiritual en conjunto, permitiéndole acercarse a niveles altos de espiritualidad mediante el amor.

No confundamos sexo físico con sexo con amor. Este último es sagrado y conlleva una carga vibratoria especial de gran potencia.

Esta carga vibratoria nos permite sumergirnos en niveles especiales de la consciencia y libertarnos, en parte, de las cadenas de la materia a través del inmenso amor que se siente por la pareja en el momento sublime del éxtasis.

El sexo per se es una fuerza instintiva, inconsciente e inherente a la naturaleza humana. El amor es energía consciente y espontánea.

Mucha gente confunde el deseo sexual con el amor. Es el deseo de poseer (o de ser poseídos) lo que causa este fenómeno que, muchas veces tiene una gran carga de carencia afectiva y emocional que causa el desequilibrio del ser espiritual y el auto-conocimiento.

Cuántas uniones y matrimonios no decaen hasta llegar a la separación después de algunos meses y nadie se explica cómo es que pudo "terminarse el amor" entre la pareja.

202

No comprenden que el amor no termina nunca, lo que termina es el deseo sexual puramente físico, causando una contaminación del ambiente vibratorio necesario para una relación saludable y armoniosa.

El amor verdadero no comprende egoísmos de ninguna naturaleza y se entrega en pos del bien y la felicidad de la persona amada.

El sexo viene a causar la culminación de ese sentimiento de alto contenido vibratorio, creando un verdadero arcoíris de luz para aquellos que pueden llegar al punto sagrado de la unión de dos almas.

Esta forma pura de amor se preocupa de amar sin importar si es correspondido. No cae en la ilusión de los placeres carnales y no permite mentiras ni medias verdades.

Entre sus "herramientas de trabajo" se encuentran la bondad, la tolerancia, la delicadeza, la ternura, la renuncia, el entendimiento, la indulgencia y el perdón. No alimenta al orgullo y no sabe comprar ni vender porque el intercambio no forma parte de su esencia. No necesita protegerse porque sabe que al entregarse, ya habrá cobrado su cuota. Vive para dar sin esperar recompensas.

El sexo es un mecanismo de evolución y un elemento de creación. Pero si se abusa de él, se convertirá en una vía de destrucción y decadencia moral.

Cuando una pareja hace el amor, el intercambio fluido-energético les hace sentir fuerza, vitalidad y alegría. Pero en el sexo sin amor, este intercambio se convierte en un acto de vampirismo donde las energías vitales son desperdiciadas y el resultado es la sensación de fatiga e insatisfacción espiritual.

Para aquellas personas que se encuentran en niveles bajos de evolución y que todavía no han comprendido la importancia de caminar el buen camino, el sexo se convierte frecuentemente en un medio de abuso, infidelidades, infelicidad, tragedias y demás consecuencias de su mal uso.

La fidelidad y la lealtad hacia la pareja deben ser inquebrantables. Cuando somos infieles, no sólo traicionamos a quien amamos, también nos traicionamos a nosotros mismos. Retrasamos nuestro progreso espiritual al mismo tiempo que ensuciamos esa parte sagrada de nuestro Peri-espíritu.

El deseo sexual entre los seres humanos es una de las debilidades favoritas de los espíritus inferiores. Estos espíritus se aprovechan de esta situación para influenciarnos y causar toda clase de problemas e infelicidad familiar, desintegrando hogares, retrasando el avance de quienes caigan en la tentación de hacer algo incorrecto, llegando en ocasiones al punto de ser causa de verdaderas tragedias.

El sexo entre personas que ya han alcanzado niveles de evolución superiores es muy diferente. Ocurre un intercambio sublime de energías periespirituales, convirtiéndose en alimento Divino para el alma.

La procreación de nuestros hijos no sólo significa darles un cuerpo de carne. ¡También simboliza brindarles la oportunidad de reencarnar y avanzar en su evolución espiritual! ¿Acaso existe un acto más sublime que éste?

Es por todo esto que quiero que entiendas la gran importancia que tiene el uso de las energías sexuales.

No hay nada de malo en el placer por medio del sexo. Pero abusar de él, ensuciar su sacralidad, manchar nuestro espíritu y causar infelicidad en nuestros hermanos sí es algo que no podemos seguir dándonos el lujo de hacer.

Ahora conoces las consecuencias de actuar indebidamente. Te has sumergido en la piscina del conocimiento espiritual. Entiendes ya que la Ley de Causa y Efecto es inmutable y no admite atajos. Lo que siembres, cosecharás.

Estás en el momento perfecto para modificar tus pensamientos y acciones. Este momento es el primero del resto de tu vida, en el cual transitarás con la tranquilidad de saber que finalmente estarás avanzando hacia aquel lugar donde has soñado llegar desde tu nacimiento espiritual.

¡Sígueme! Acompáñame a la siguiente etapa...

CAPÍTULO 14

DIME QUIÉN ERES, Y TE DIRÉ CON QUIÉN ANDAS...
(TUS ENEMIGOS INVISIBLES)

Contaminación de la Psicoesfera Mental
(Nubes Oscuras que Contaminan tu Alma)

Leíste bien... **No me he equivocado** al escribir el título de este capítulo. Aquel dicho popular "dime con quién andas, y te diré quien eres", se refiere al hecho de que frecuentemente las personas se ven influenciadas por la compañía que tienen y eventualmente adquieren el carácter de sus acompañantes.

Pero en este caso es al revés: "Dime quién eres, y te diré con quien andas" significa que dependiendo de tu esencia, tus pensamientos y tus acciones, atraerás a determinado tipo de "acompañantes" invisibles del plano espiritual.

En todo el mundo existe preocupación por la contaminación ambiental que aqueja peligrosamente a nuestro planeta. Ecólogos y luchadores ambientales trabajan sin descanso para revertir los efectos de la destrucción que estamos haciendo en el planeta y también para educarnos al respecto de este tan importante problema.

Pero existe un tipo de contaminación que es aún peor que la que aqueja la parte material del planeta - la contaminación de la Psico-esfera mental.

A pesar de su nombre rimbombante, esto no es más que la polución constante a través de pensamientos, emociones y deseos de baja vibración que invaden como una peste el ambiente espiritual al movernos en este plano material.

Todo lo que pensamos tiene una carga vibratoria que puede ser positiva o negativa. Esta es la causa por la cual, cuando vamos a algún lugar de oración como un templo o lugares de retiro espiritual donde las personas van a meditar y buscar paz, se siente una vibración armónica y agradable.

205

Lo contrario sucede cuando entramos en lugares donde frecuentemente se tienen discusiones acaloradas y sentimientos negativos como por ejemplo una estación de policía o antros de vicio.

Debido a que en estos lugares abundan los pensamientos libidinosos y de bajo nivel de dignidad, aquellas personas que no están inclinadas a esas bajas pasiones y nivel vibratorio, se sentirán frecuentemente incómodas y con un malestar general aparentemente inexplicable.

Tenemos un promedio de 60,000 pensamientos por día. Muchos de ellos son pensamientos sin gran importancia, de corta duración y con poca o neutra carga vibratoria. Pero muchos otros están relacionados con aquellas cosas que nos preocupan en relación a nuestras vidas cotidianas.

Nuestros más profundos anhelos, deseos, sueños, fracasos, angustias, y muchos otros tipos de emociones, pensamientos y sentimientos, contribuyen a cargar de forma negativa aquellos lugares donde pasamos más tiempo.

Esto causa en ellos una modificación de su Psicoesfera mental y abre las puertas a la influencia negativa y a malestares de quienes por ahí pasen. Esto también contribuye a que se tenga cierta sensibilidad a este tipo de cargas energéticas.

Cada uno respira la Psicoesfera que genera en su campo mental. Es un hecho que todo lo que pienses y sientas, será arrojado al campo mental invisible en el cual te mueves y desenvuelves.

Es vital que entiendas este fenómeno para que puedas comenzar hoy mismo a modificarlo y puedas tener una antorcha de verdad más para alumbrar tu camino.

¿Quiénes Son Esos que te Acompañan?
(Los Que No Puedes Ver, Pero Están a tu Lado)

Hemos hablado ya de aquellos espíritus inferiores que se encuentran todavía en el pantano de la ignorancia y que viven apegados al mundo material. Sus inclinaciones de bajo nivel les hacen disfrutar con el fracaso y las desgracias de los demás.

Recuerda lo que te he dicho antes, estos hermanos son más dignos de pena que de rencor. Pero es importante tener consciencia de su existencia y de los riesgos que corres en caso de insistir en conductas poco nobles. Estas conductas son lo que finalmente te harán "visible" para ellos, convirtiéndote así en víctima ideal para sus bajos instintos.

Estamos acompañados en todo momento. A nuestro alrededor habitan y se mueven millones de seres que, como nosotros, aún no han podido liberarse de su apego a la materia. Tú no puedes verlos a menos que tengas un tipo de mediumnidad que así te lo permita.

El hecho de verlos o no es totalmente irrelevante. Debe bastarte saber que existen y están en todas partes. Pero recuerda que sólo podrán verte e influir en ti aquellos espíritus que se encuentren en el mismo o a un más alto nivel de frecuencia vibratoria con respecto a tu evolución moral, intelectual y espiritual.

Nuestros pensamientos, acciones, sentimientos y forma de vida hacen que aquellos que son afines a nosotros se sientan atraídos a estar cerca. Irremediablemente sentiremos su influencia aunque no nos demos cuenta a nivel consciente.

Es maravilloso estar acompañado de espíritus de luz que quieren ayudarnos y vernos bien. Pero cuando abrimos las puertas de zonas vibratorias más bajas, casi siempre entrarán a tu zona de vida aquellos que se sientan en armonía con aquel tipo de Psicoesfera de baja calidad.

Aquellos enemigos del pasado espiritual nos encontrarán y se aprovecharán de cualquier debilidad, error o falta de carácter. De esta forma nos influenciarán y empujarán a caer en el error, empezando así nuestra declinación y fracaso en las pruebas que hemos venido a pasar.

Afortunadamente Dios nos ha dado las herramientas adecuadas para defendernos e inclusive para ayudarles a ellos a salir de su estado deplorable. Posiblemente hasta podríamos impulsarlos a mejorar y modificar su camino. Ese camino es el mismo que todos estamos destinados a transitar - el Camino de la Luz.

Pero antes, veamos cómo evitar caer en lugares donde estos espíritus abundan y esperan a sus víctimas.

Luz y Sombras
(Lugares Sombríos)

En todas las películas de horror vemos que los personajes principales pasan por terribles situaciones cada vez que se hace de noche o se adentran en lugares sombríos y deprimentes. ¿No es así? Usualmente es un castillo o casa viejísima en medio del bosque, o algún lugar con telarañas y puertas que crujen.

También vemos frecuentemente que hay personajes tétricos que hacen el papel de mayordomos, o amas de llaves o algún personaje de esos con los que nadie quisiera pasar una noche sin energía eléctrica.

Pero en la vida real sucede de una manera muy diferente. Aquellos lugares donde la gente va cada fin de semana a divertirse y pasar un buen rato son frecuentados también por hermanos con malas intenciones.

En los siguientes tres casos te voy a explicar la razón:

1. Imagínate a una persona que ha pasado toda su vida sumergida en el alcoholismo, drogas, y sexo promiscuo, sin hacer nada de provecho por nadie.

2. Ahora imagínate a otra persona de gran maldad, como un asesino múltiple, un violador, un pedófilo o alguien que haya pasado años en la cárcel, convirtiéndose cada vez en una peor persona.

3. Por último, imagínate a otra persona que no haya sido tan mala como la anterior, ni tan apegada a los placeres como la primera. Aún así, esta persona ha sido alguien a quien toda su vida le han gustado los placeres que da el dinero, la buena vida y las fiestas y quien jamás ha hecho nada bueno en su vida (ni nada malo tampoco).

¿Qué crees que pasaría si estos tres individuos desencarnan, y después de pasar algún tiempo en el umbral, y sin haberse podido alejar del deseo que los placeres de la carne física les ocasionaban, comienzan a vagar por el planeta, sintiendo mucha falta de las sensaciones que les daba el cuerpo y añorando volver a sentirlos?

¿Dónde crees tú que irán primero a estar cerca de estos placeres?

En el caso número 1, de aquel viciado en el sexo, el alcohol y las drogas, seguramente irá a aquellos lugares donde pueda volver a percibir las sensaciones que cuando estaba encarnado sentía. Estos lugares serán cualquier lugar donde se venda alcohol y las personas puedan emborracharse. Irá a prostíbulos, clubes de intercambio de parejas y "strip-clubs".

En el caso número 2, el criminal irá a lugares donde pueda saciar sus instintos como cárceles y manicomios. Estará presente en guerras y lugares donde se efectúan matanzas y asesinatos frecuentes. Acompañará a otros criminales que como él, hacían toda clase de bajezas contra personas inocentes. En general, estará siempre presente en aquellos lugares donde pueda sentir el placer que la sangre, el abuso y la violencia le daban cuando estaba encarnado.

En el caso número 3, el "bon-vivant" (que se refiere a una persona a quien le gustan los lujos y la buena vida), seguramente acompañará a otros que, como él, disfrutan de lujos sin beneficiar a nadie. Estará siempre presente entre celebridades, políticos y artistas de alto nivel para disfrutar de aquello que, cuando encarnado, le daba placer y satisfacción.

Ahora imagínate cuántos de estos están cada noche en lugares donde abunda el alcohol, la sensualidad y todos aquellos placeres que tanto les atraen. Si pudieras ver lo que hay en realidad, inclusive desde afuera de estos lugares, acechando a quienes inocentemente llegan a pasar algunas horas, te aseguro que no te acercarías ni por equivocación.

Por favor no entiendas con esto que no debes salir a divertirte nunca. ¡Claro que no!

Pero es muy importante que sepas escoger el tipo de diversión y compañía que tienes.

No es necesario emborracharse para divertirse. No es necesario desgastar nuestras energías vitales en intercambios fluídico-energéticos por medio de sexo promiscuo o casual.

Tampoco es necesario que frecuentes lugares donde es evidente la crueldad hacia los animales con su consecuente desangramiento, como en el caso de las corridas de toros o las peleas de gallos. En esos lugares abundan espíritus que se alimentan, como verdaderos vampiros espirituales, de los fluidos de los animales sacrificados.

Modifica tu estilo de vida en la Tierra si quieres tener luz y alegría en el mundo espiritual. Aléjate de lugares donde se rinda tributo a las bajas pasiones. Reduce o elimina tu consumo de sustancias dañinas para el organismo.

Tienes un solo templo físico para esta encarnación. Debes cuidarlo al máximo si quieres llegar hasta el final del camino que te ha sido trazado desde antes de volver al planeta.

La música que glorifica las drogas, el sexo y la violencia está siempre influenciada por espíritus oscuros. Los juegos de video violentos, donde nuestros hijos aprenden a disfrutar de la fantasía de matar sin ser heridos, están también influenciados por espíritus que pretenden contaminarnos de esa forma.

Sé feliz y diviértete al máximo pero sin olvidar tus compromisos espirituales. Te aseguro que en lugares y situaciones como las antes mencionadas sólo abunda la oscuridad y la caída espiritual.

¡Se responsable no solamente por ti, sino por este planeta que te necesita para su inminente transformación!

Vampirismo
(No Es Sangre lo Que Chupan, Es Peor...)

No, no estoy hablando ni de Drácula ni de alguno de esos personajes tan de moda en las series de televisión. Los vampiros existen pero no como las películas nos los han pintado. No tienen ni colmillos ni se ocultan del sol. Tampoco viven en castillos ni se convierten en murciélagos. ¡Ah! Y tampoco los podemos matar clavándoles una estaca en el corazón, ni lastimarlos con ajos o crucifijos.

En el vocabulario Espírita podemos encontrar la definición siguiente:

Vampirismo: "Absorción de fuerzas psíquicas de encarnados y desencarnados por parte de Espíritus Obsesores."

Este fenómeno ocurre de maneras muy diversas a través de espíritus inferiores que al igual que los vampiros de las películas, "chupan" nuestras energías psíquicas.

Existen 3 tipos de vampirismo:

> **1.** Aquel que es efectuado por un espíritu inferior, que todavía se encuentra apegado a las impresiones de la vida material, sobre otro espíritu también desencarnado.

El espíritu "vampiro" absorbe las energías vitales de sus víctimas para revitalizarse y lo hace de diferentes maneras.

Ejemplo: ¿Te acuerdas del caso numero 1 del espíritu desencarnado que en su última encarnación había sido alcohólico, entre otros vicios?

Bueno, pues este espíritu buscará a alguien que guste de beber en exceso y disfrutará de cada trago de alcohol que consuma, absorbiéndole las energías consecuentemente.

> **2.** El segundo tipo de vampirismo ocurre entre espíritus encarnados. Cada vez que estamos en compañía de otra persona, somos influenciados de una u otra manera por ella. Siempre sucederá una simbiosis energética donde estaremos intercambiando energías todo el tiempo.

No sólo somos influenciados, sino que también, estamos permanentemente influenciando energéticamente a otras personas.

¿Nunca te ha pasado que, después de haber estado con alguna persona, cuando te separas de ella, te queda una sensación inexplicable de malestar y debilidad general?

Esto se debe a que la persona con la que estuvimos, absorbió (a veces sin siquiera sospecharlo) nuestras energías, transformándose en un vampiro sin quererlo.

Para que esto ocurra, la víctima usualmente se encuentra desequilibrada en algún aspecto y por eso se debilita. Los "vampiros" casi siempre son personas orgullosas, egocéntricas y egoístas. Su presencia carga negativamente el ambiente, contaminando la Psicoesfera ambiental.

> **3.** Cuando ocurren desastres naturales extensos donde desgraciadamente desencarnan muchas personas a la vez, las víctimas se ven frecuentemente atacadas por entidades espirituales inferiores y vampirizadoras interesadas en absorberles el fluido vital a los recién desencarnados.

Si bien esto puede parecerte asustador, no debes preocuparte más de la cuenta. Las defensas a este tipo de situaciones son muy simples y están al alcance de tu mano. Antes de decirte cuáles son, quiero que analicemos lo que es la tan famosa "Posesión Diabólica."

Para poder entenderla, debemos primero saber qué es, analizar como funciona y las consecuencias que puede tener.

Existen 4 tipos de "Posesión Diabólica":

> **1.** Obsesión   **3.** Fascinación
>
> **2.** Subyugación   **4.** Posesión

Veamos la primera.

Obsesión
(Enfermedad del Alma)

¿Cuántas historias de posesiones diabólicas has conocido en tu vida?

Existen infinidad de libros y películas sobre exorcismos que causan horror a quienes las conocen. Pero una vez más, la fantasía no está siempre apegada a la realidad ya que, como hemos visto antes, los espíritus inferiores se ríen de símbolos, amuletos y palabrerías recitadas con el fin de ahuyentarles.

Es imposible que los espíritus puedan ejercer posesiones sobre nosotros de la manera en que Hollywood nos ha mostrado simplemente porque dos espíritus no pueden habitar un mismo cuerpo físico.

212

Lo que sí es posible es que un espíritu inferior ejerza una poderosa influencia hipnótica sobre una persona, haciendo parecer que el espíritu de la víctima no está más ahí.

A esto algunas veces se le llama obsesión y otras subyugación, dependiendo del grado de influencia que esté sufriendo la persona afectada.

La obsesión que causa un espíritu sobre una persona encarnada puede presentar muy diversas características. Puede ser desde una simple influencia en la parte moral que no nos causa la menor sospecha, hasta una perturbación completa del organismo y la mente.

Podríamos decir que la obsesión es una enfermedad del alma. Proviene invariablemente de una falla moral que le permite la entrada a este tipo de espíritus de bajo nivel.

Así como para evitar enfermedades, debemos mantener el cuerpo sano, bien alimentado y prevenirnos por medio de vacunas y vitaminas, en el caso de las obsesiones, el tratamiento preventivo es por medio del cuidado del alma.

Recordemos que en existencias pasadas hemos hecho muchos amigos y familia que hasta ahora nos ama, guía y desea que seamos felices y alcancemos nuestras metas. Pero también hemos dejado enemigos que pueden estar deseando vengarse y nos busquen en la época actual para hacernos daño.

Subyugación
(¿Locura Temporal?)

Cuando un caso de obsesión se torna grave causando que la víctima pierda la voluntad y el libre albedrío, entonces podemos llamarlo subyugación.

¿Recuerdas la última vez que viste en las noticias que alguien, sin motivo aparente hizo algo terrible como asesinar a personas a las que ni siquiera conocía e incluso a la propia familia?

Usualmente esa persona se suicida o enloquece cuando se da cuenta de lo que ha hecho.

Cuando no se suicida o muere por las fuerzas del orden, invariablemente leemos que en sus declaraciones no sabe lo que ocurrió o simplemente no entiende por qué lo hizo.

Siempre que algún reportero entrevista a sus amigos, vecinos o familiares, la respuesta es la misma: *"Siempre nos pareció una buena persona, dulce y muy amable que nunca tuvo problemas con nadie, etc."*

¿Hace falta que te diga lo que le ha ocurrido a esa desafortunada persona?

En gran parte de los casos, ha sufrido de una poderosa subyugación que le ha hecho cometer atrocidades innombrables.

Ahora bien, y quiero ser muy claro en esto:

Una obsesión o subyugación no exime de responsabilidad a quien hace algo malo a causa de ella.

Recuerda: Toda causa conlleva un efecto.

Nadie es en verdad una víctima inocente. Hemos venido arrastrando culpas terribles del pasado. Aunque transitemos por el camino de la luz y vivamos con amor, compasión y caridad por los demás, cuando no hacemos nada por reparar las malas acciones del pasado, muchas veces tendremos que pasar por ciertas pruebas y expiaciones relacionadas con éstas .

Dios permite que los espíritus oscuros vivan entre nosotros, unas veces como pruebas, y otras como expiaciones. Pero siempre nos da las herramientas para rechazar su influencia y transformar el dolor en amor.

Cuando transigimos las leyes Divinas e insistimos en seguir una existencia egoísta y dedicada a los placeres inmediatos, irremediablemente caeremos y sólo una verdadera reforma íntima podrá asegurarnos una existencia libre de estos obsesores.

Fascinación
(Seducción Espiritual)

Cuando la persona que está siendo subyugada se deja seducir por el espíritu que lo está victimando, se deja engañar creyendo en las cualidades del espíritu obsesor, rechazando cualquier tipo de ayuda o tratamiento, entonces la subyugación se convierte en fascinación.

En todos los casos de influencia perniciosa por parte de un espíritu inferior, la herramienta inmediata más poderosa es la oración sincera y el arrepentimiento de las faltas cometidas en la actualidad.

En esta oración y arrepentimiento no estamos incluyendo las faltas del pasado porque éstas permanecen ocultas por el velo del olvido mientras estamos encarnados conforme hemos visto en el tema "Emancipación del Alma"

Posesión
(¿Me Prestas Tu Cuerpo?

El proceso de obsesión, en cualquiera de sus grados, ocurre cuando el espíritu obsesor actúa directamente con el Peri-espíritu de su víctima, haciendo que ésta actúe en contra de su voluntad.

Pero en la posesión, el espíritu inferior sustituye al espíritu encarnado. Esto no significa que el espíritu original salga del cuerpo. Como hemos dicho antes, esto sería imposible ya que la unión molecular entre el Peri-espíritu y el cuerpo sólo se produce en el momento de la concepción.

Cuando acontece la posesión momentánea del cuerpo encarnado, el espíritu obsesor lo utiliza como si fuera su propio cuerpo, usando los sentidos y posibilidades que el vehículo físico le otorga.

Ahora bien, estoy seguro que te sorprenderá saber que en la obsesión hay siempre un espíritu maligno, mientras que en la posesión no necesariamente habrá un espíritu oscuro presente.

Existen casos en que puede tratarse de un espíritu bueno que solamente quiera comunicarse por medio del cuerpo del encarnado - como si el espíritu estuviera pidiendo prestado un traje para vestirlo. En estos casos, podrá existir una transfiguración momentánea donde el cuerpo "prestado" se transforme ligeramente.

De esta forma, quienes hayan conocido en vida al espíritu posesor, le reconocerán en su fisionomía, su voz, su lenguaje y hasta la forma en que se expresa y mueve. Mientras esto ocurre, el espíritu original del cuerpo estará presente observando los acontecimientos ocurrentes durante la manifestación.

Sin embargo, en el caso de posesión por espíritus malignos, las cosas son muy diferentes. El espíritu maligno se apodera del cuerpo encarnado sin que "el poseído" pueda resistirse ya que carece de fuerza moral para rechazar a este espíritu oscuro.

Estos son los casos que frecuentemente vemos en las películas, donde la persona poseída se comporta como si fuera un demonio. Intenta lastimarse a sí misma y a quienes están alrededor de ella mientras blasfema y se comporta furiosamente.

Casos Bíblicos
(Jesús Expulsando a Legión)

Podemos encontrar en los libros sagrados de varias religiones y doctrinas mención de influencias como las ya mencionadas.

Por ejemplo en el Evangelio, particularmente en Mateo 8:16-18 podemos leer: "*Al atardecer, le llevaron muchos endemoniados, y él, con su palabra, expulsó a los espíritus y curó a todos los que estaban enfermos.*" Este pasaje se refiere a cuando el Divino Maestro Jesús expulsó a los espíritus oscuros que causaban las enfermedades de los enfermos.

En Marcos 5:1-20 podemos leer otro ejemplo de la influencia de los espíritus: "*Vinieron al otro lado del mar, a la región de los Gadarenos. Y cuando salió Él de la barca, en seguida vino a su encuentro, de los sepulcros, un hombre con un espíritu inmundo, que tenía su morada en los sepulcros, y nadie podía atarle, ni aun con cadenas.*"

216

Porque muchas veces había sido atado con grillos y cadenas, mas las cadenas habían sido hechas pedazos por él, y desmenuzados los grillos; y nadie le podía dominar. Y siempre, de día y de noche, andaba dando voces en los montes y en los sepulcros, e hiriéndose con piedras. Cuando vio, pues, a Jesús de lejos, corrió, y se arrodilló ante él. Y clamando a gran voz, dijo: ¿Qué tienes conmigo, Jesús, Hijo del Dios Altísimo? Te conjuro por Dios que no me atormentes.

Porque le decía: Sal de este hombre, espíritu inmundo. Y le preguntó: ¿Cómo te llamas? Y respondió diciendo: Legión me llamo; porque somos muchos. Y le rogaba mucho que no los enviase fuera de aquella región."

Como estos, existen infinidad de ejemplos de casos de posesiones de diversos grados a través de la historia. Hay miles de casos más que han sido documentados ya en los anales de la ciencia y medicina. Pero en este momento sé que no necesitas leer más a este respecto.

Pasemos a los métodos para defendernos de estos ataques y vivir una vida mejor, alejada de la contaminación espiritual negativa.

Antorchas de Luz en la Oscuridad
(Sigue La Luz y No Te Perderás)

Hemos visto ya los peligros de la contaminación de la Psicoesfera así como los grandes riesgos que corremos cuando descuidamos nuestro comportamiento, pensamientos y actitud ante la vida.

Veamos ahora de qué manera podemos defendernos y prevenir situaciones como las anteriormente expuestas.

La primera y más importante manera de prevención ante este tipo de ataques es la Reforma Íntima. En otras palabras, debemos modificar la manera en que nos hemos comportado ante la vida hasta ahora.

Es preciso que entendamos que el egoísmo y la ambición, así como el abuso de los placeres que el cuerpo carnal nos permite, son cosas que deben ser transmutadas y transformadas en virtudes como la Caridad, el Amor y el Perdón.

217

Esta transformación se verá reflejada en un estilo de vida donde los demás estén a la par de nuestra valía y los intereses de otros pasen a ser tan importantes como los nuestros.

Somos una familia inmensa que habita este planeta. Estamos aquí pasando por las últimas oportunidades encarnatorias para seguir avanzando y poder transformar el planeta en un lugar donde los bajos instintos y el mal serán erradicados.

La oración, la generosidad y la entrega hacia causas de dignidad superior son indispensables para modificar la Psicoesfera actual del planeta.

Evitemos seguir cayendo en las tentaciones de los placeres efímeros. Rechacemos con todas las fuerzas hacerle mal a alguna persona.

Transitemos por el camino glorioso del bien, de la armonía con los valores elevados del progreso. Hagámonos amigos de la meditación para conectar con el plano espiritual que venimos transitando desde hace tanto tiempo.

Si haces el bien, y pones toda tu confianza en Dios, te harás inmune a los ataques de los espíritus inferiores y a su influencia decadente. Evita las malas compañías y los lugares donde la sensualidad y los vicios existan.

Cuando te des cuenta que estás teniendo malos pensamientos, repélelos poniendo en su lugar pensamientos e imágenes de luz y amor.

Acércate a aquellos que en verdad quieren lo mejor para ti y que han estado cerca desde tu nacimiento aunque no puedas verlos con los ojos del cuerpo.

Desconfía de quienes quieran exaltar tu orgullo y vanidad. Ésta es una de las debilidades más fuertes en el ser humano en este nivel de evolución. Es por eso que el Divino Maestre nos enseñó a orar diciendo: "*...no nos dejes caer en tentación, y líbranos del mal.*"

Si haces esto, estarás bien e irás en camino al sol verdadero que iluminará tu existencia.

CAPÍTULO 15

LOS VERDADEROS PECADOS CAPITALES
(Los Cuadros Negros del Tablero de Ajedrez)

¿Con qué Derecho Matas a mi Hijo?
(Atentando Contra los Hijos de Dios)

De todos es conocida la lista de los famosos "7 Pecados Capitales" que son: Lujuria, Gula, Avaricia, Pereza, Ira, Envidia y Soberbia que, algunas religiones dictan como prohibidos para ser salvos. Dichos "pecados" son en realidad comportamientos que debemos evitar para tener una vida mejor, más saludable y más armónica.

La realidad espiritual nos muestra aquellos actos que deberán ser no solamente evitados, sino que debemos luchar sin descanso para erradicarlos del planeta.

Estos actos contribuyen al retraso evolutivo de sus habitantes, causándoles penas y sufrimientos que irremediablemente habrán de pagar en esta y futuras encarnaciones.

Para Dios, existen acciones injustificables que deberán ser expiadas duramente y cuyo costo espiritual es enorme. Todas se derivan de una sola causa - la muerte de uno de sus hijos en cualquiera de sus variantes.

A continuación, las más importantes:

1. Asesinato	**4.** Pena de Muerte
2. Aborto	**5.** Suicidio Voluntario
3. Eutanasia	**6.** Suicidio Involuntario

Asesinato
(Acción Injustificable)

¿Qué puede ser más contrario a los mandamientos de amor, caridad y perdón que nos han sido enseñados que el asesinato de un hermano?

El asesinato es un crimen atroz a los ojos de Dios. Quien le quita la vida a un semejante, le está impidiendo cumplir su misión, pasar sus pruebas y expiar su pasado. Obviamente no todos los asesinatos tienen el mismo grado de culpa.

Dios, que es infinita justicia, siempre tomará en cuenta la intención con la que se haya llevado a cabo este acto. Imaginemos a alguien que, para salvar su vida o la de alguna persona, se ve obligado a matar a un agresor. Ésta sería una atenuante al crimen cometido.

No habrá castigo si la intención no fue de matar, sino de defenderse. En un caso así no habría culpa real. Sin embargo, siempre se debe hacer el máximo esfuerzo para intentar salvar la vida de quien pueda estarnos agrediendo.

Lo mismo sucede en la guerra. Cuando un soldado se ve obligado a matar a otro ser humano, no será culpable del hecho. Pero sí será responsable de las crueldades que pueda cometer y su compasión le será tomada en cuenta a la hora de ser "juzgado".

Desgraciadamente abundan las noticias de seres humanos asesinando a sus hermanos sin piedad por motivos que van desde el deseo sexual hasta la ambición desmedida. Estos motivos son de muy baja índole y conllevan a tratar la vida de nuestros semejantes sin el respeto sagrado que se merece.

Aborto
(La Peor de las Cobardías)

No hay justificación para la cobardía de acabar con la vida de un ser que no tiene posibilidades de defenderse, y quitarle la posibilidad de reencarnar, retrasando así su camino evolutivo.

220

Hemos visto ya que la vida comienza desde la concepción. Existe todo un equipo espiritual relacionado a cada nueva encarnación. Es injustificable interrumpir el nacimiento de un nuevo ser por las razones que sean.

El crimen existe tanto para quien lo ejecuta, como para quien lo permite. Todos los involucrados serán culpables y tendrán que presentar cuentas ante Dios.

Sólo en aquellos casos en los que se tenga que decidir entre la vida de la madre y la del bebé, se podrá decidir por la madre. Es preferible sacrificar al ser que aún no ha nacido, y no a quien ya está aquí.

Pero el feto deberá siempre respetarse de la misma manera en que respetamos a un niño, por la simple razón de que es una obra de Dios, sin importar si se trata de una obra completa o no. Si no se quiere tener a un bebé, entonces se podrá dar en adopción, pero jamás asesinarle.

Desgraciadamente existen algunos países que han legalizado el aborto. Esto no lo hace moralmente correcto. La ley de los hombres no puede, ni podrá estar jamás por encima de la Ley de Dios.

No existe ninguna razón justa para interrumpir el nacimiento de un ser en evolución. La única excepción es cuando se está salvando otra vida como lo mencionamos antes.

Mucha gente sin escrúpulos, aún en las redes de la ignorancia ancestral, piensan que en el caso de embarazos que sean consecuencia de una violación, sería justificable asesinar al bebé que no tiene ninguna manera de defenderse ni culpa alguna de lo que su padre ha hecho.

El asesinato de un ser indefenso es el crimen más aberrante que existe y las consecuencias serán siempre pesadas y muy duras de reparar.

Recordemos una vez más que la Ley de Causa y Efecto aquí se manifiesta. Aquel ser que estaba en proceso de nacer, cuya llegada haya sido interrumpida en esta oportunidad, siempre volverá en una futura encarnación.

La atracción magnética que habrá entre ese ser y la que hubiera sido su madre, hará que ambos se atraigan, causando un sinfín de circunstancias no siempre con un final feliz.

Existe también la corriente de pensamiento que dice que en los casos de deformación o deficiencias en los fetos, el aborto es necesario.

Esto no podría estar más alejado de la verdad. La vida es propiedad Divina y nadie tiene derecho a interrumpirla. Aquellos espíritus que vienen con deformaciones de cualquier tipo, cegueras, problemas neurológicos o cualquier malformación genética, están en camino a difíciles pruebas y expiaciones que no son sólo destinadas a ellos, sino también a los padres.

Quitarles la oportunidad de cumplir su misión es una cobardía motivada por el egoísmo de quienes no quieren "pasar el trabajo" de tener que atenderlos. No hay justificación que valga ante una encarnación en proceso.

Entendamos que a pesar de lo terrible de este crimen, existen maneras de reparar estos errores desde este momento, sin tener que esperar a futuras pruebas y expiaciones. Hay millones de mujeres y hombres que desconocen la gravedad y la bajeza que es el aborto. Estas personas han actuado pensando que no estaban haciendo nada terriblemente malo. Han ignorado la intuición existente en todos nosotros acerca de estos comportamientos equivocados.

Si eres alguien que ha efectuado un aborto, ya sea en tu persona o en alguien más, o si has sido cómplice de ello, te invito a que sigas los siguientes pasos:

1. Ahora tienes el conocimiento de la gravedad del error que ha sido cometido. Medita sobre ello y analiza lo que aquí has aprendido.

2. El segundo paso es el auto-perdón. Debes perdonarte y perdonar a aquellos que puedan haber influido en tu decisión o que hayan tenido algo que ver en esta situación. Dios es un padre de infinito amor y misericordia. Él nos ha enseñado que si somos capaces de perdonar, podemos esperar ser perdonados también. Recuerda las enseñanzas del Divino Maestre en "El Padre Nuestro: "...perdona nuestras ofensas, así como también nosotros perdonamos a quienes nos ofenden..."

3. El tercer y más importante paso es la reparación de la falta que puede ser efectuada de muy diversas maneras:

- Mediante la adopción de una criatura necesitada.

- Ayuda voluntaria y constante en hogares de huérfanos y niños sin hogar.

- Mediante servicio comunitario en labores que tengan que ver con la niñez desprotegida.

- Haciendo caridad verdadera, ayudando a niños sin hogar, dándoles alimento, techo, estudios o supliendo cualquier otra necesidad importante que puedan tener.

- Colaborando activamente para la diseminación de esta información referente a la gravedad del aborto.

- Formando parte de alguna organización que se dedique a ayudar a mujeres víctimas de violación, o que necesiten ayuda para enfrentar un embarazo no deseado.

Existen tantas maneras para ayudar como tu imaginación te permita. Tan sólo debes comenzar desde ahora y hacer lo mejor que puedas para reparar las faltas cometidas. Tienes la oportunidad de equilibrar el pasado y convertirlo en un futuro glorioso. ¡Comienza ya!

Eutanasia
(Crimen Disfrazado de Compasión)

Hace poco murió quien fuera conocido como el "Dr. Muerte", se trata del Dr. Jack Kevorkian, quien ayudó a suicidarse a más de 100 personas que en estados avanzados de enfermedad.

Algunas personas veían a este polémico médico como un héroe, ya que según ellos, les permitía a los enfermos terminales tener una muerte digna. Otros lo veían como un asesino a sangre fría, quien se aprovechaba de aquellos enfermos con dolores crónicos y depresión.

La labor de los médicos debe ser sagrada y enfocada a la preservación y defensa de la vida. Jamás deberá ser instrumento de destrucción, ya que estaría traicionando la esencia del juramento Hipocrático al cual todos los médicos se comprometen.

En la antigua Grecia se legalizó la eutanasia para que aquellas personas que nacían con algún desorden mental, enfermos, mutilados o con alguna malformación, fueran eliminados inmediatamente, ya que los consideraban una carga para la economía del Estado.

Esta ley absurda fue motivada por el exagerado orgullo nacional, que no permitía ciudadanos que no estuvieran a la altura de lo que se esperaba.

Recuerda, aún los sufrimientos más terribles causados por alguna enfermedad son parte de nuestras pruebas y expiaciones. No debemos acortarlos ni modificarlos de manera alguna.

A veces la prisión del cuerpo físico es la única oportunidad que el espíritu tiene para meditar sobre su vida, entender lo que ha hecho mal y tener tiempo de corregirlo aunque sea tan sólo en el plano mental.

Es una especie de terapia espiritual que Dios nos permite tener, donde la consciencia de las personas en esa fase de la enfermedad podrán tener la oportunidad de encontrar paz espiritual antes de desencarnar.

No permitamos el asesinato de enfermos ni el suicidio asistido. Nadie tiene derecho de interrumpir una preciosa existencia. Aquellos que así lo hagan, serán cómplices del crimen y tendrán que enfrentar sus consecuencias.

Confiemos en Dios y en su sabiduría, misericordia y amor infinitos. Todo sucede por una importante razón a pesar que nuestra limitada inteligencia no nos permita entenderlo en este plano.

Todo es parte de un gran plan que puedes no comprender del todo, pero que es absolutamente real y verdadero. Dios no permitirá que ninguno de sus hijos sufra ni un segundo más de lo necesario para su progreso espiritual.

Cada minuto de vida es sagrado e inmensamente valioso. No podemos interrumpir las pruebas de nuestros hermanos ni ayudarles a hacerlo por su cuenta. Aquí también se encuentra la verdadera caridad.

Pena de Muerte
(Asesinato "Legal")

El ser humano no tiene ningún derecho de decidir sobre la vida de otro ser humano. Eso pertenece única y exclusivamente a Dios.

Ni siquiera el más odiado de los criminales, genocidas, violadores o cualquier persona cuyo comportamiento le haya ganado el desprecio de sus semejantes, deberá ser asesinado. Para eso están los sistemas judiciales que, nos gusten o no, son el único recurso en este plano para ejercer la justicia civil y penal.

Por otra parte, nunca olvides que la Ley Divina es inmutable y no hay manera de engañarla. Una vez más, la Ley de Causa y Efecto nos muestra que cada detalle de lo que hagamos, tendrá siempre una consecuencia del mismo tipo vibratorio.

Quienes hagan mal, siempre serán obligados a expiar sus culpas por medio del dolor, hasta que entiendan que el camino de la luz es el único que habremos de transitar.

Es aquí cuando debe entrar la piedad, la compasión y la misericordia en todos nosotros. No debemos permitir que el deseo de venganza, el rencor y el odio tomen cuenta de nuestra evolución.

Aquellos que apoyan el asesinato, sin importar si tan solo simpatizan con la idea, serán cobrados de una u otra manera por tan sólo contemplar como necesaria la posibilidad de matar a un hijo de Dios.

Al matar a un asesino, nos convertimos exactamente en eso que intentamos eliminar. No habrá ley ni gobierno que pueda legitimar el asesinato a pesar de los esfuerzos que se hagan por "maquillar" el atroz hecho.

La muerte de quien ha matado, no traerá de vuelta a la víctima, pero sí acarreará consecuencias graves en la responsabilidad que tengamos al ser parte de ella.

Todos los asesinos y criminales son enfermos espirituales y requieren tratamiento mental y espiritual. No podemos simplemente cortarles la cabeza como si tuviéramos algún poder otorgado por la Divinidad para

225

hacerlo. Los tiempos de los sanguinarios emperadores Griegos ha pasado hace mucho tiempo. Pero desafortunadamente gran parte de aquellos espíritus aún habita la tierra, haciendo de este tipo de comportamientos algo deplorable que debe ser erradicado.

¿Hasta cuando entenderemos que la aplicación de la Pena Capital no ha hecho que el crimen disminuya? Lo único que hace es contribuir a que los criminales sean cada vez más violentos y se entreguen a las peores bajezas sabiendo que ya no tendrán nada que perder en caso de ser atrapados.

Si el gobierno es capaz de quitarle la vida a un ciudadano, ¿Cómo puede esperar que los ciudadanos lo respeten?

No importa la interpretación que le demos a la ley ni el nombre que le pongamos a la Pena de Muerte. Esto nunca será moralmente correcto.

Hagamos uso de todas las posibilidades que tengamos para hacer que los criminales se arrepientan de sus actos. Traigamos educación espiritual y religiosa a las cárceles e instituciones correccionales; ¡Pero no matemos jamás!

Suicidio
(La Puerta Falsa)

Suicidio... el asesinato de uno mismo...

¿Qué puede ser más terrible que imaginarse que al acabar con la propia vida, los sufrimientos acabarán, para después encontrarse con que no solamente no terminaron, sino que ahora serán mucho peores?

Porque esto es precisamente lo que sucede con el suicidio. Algunas personas todavía piensan que con la muerte llega una gran "nada", que todo termina como si durmiéramos para siempre. Afortunadamente esto no es así.

Como bien sabes, somos almas inmortales y no podemos ser destruidas jamás. El suicida se deja llevar por la desesperación y comete actos de locura que le ocasionan la muerte del cuerpo físico, Con esto, está cometiendo un crimen gravísimo ante los ojos de Dios.

No sólo no pudo pasar sus pruebas ni sus expiaciones, sino que cobardemente abandonó el campo de batalla y desertó de su sublime misión.

En los casos de suicidio en enfermos terminales, estos equivocadamente piensan que sus sufrimientos terminarán y se verán "libres" del cuerpo en decadencia. Pero cuando lo hacen, se enfrentan a una realidad terrible.

No sólo no se han librado de los sufrimientos que les aquejaban, sino que ahora se verán encadenados a un estado interminable de desesperación, acompañado del mismo dolor que anteriormente les torturaba.

Quedarán apegados al cuerpo que han destruido y frecuentemente serán testigos del proceso de putrefacción del mismo y de las sensaciones terribles de aquello que les causó la muerte.

Se tendrán que enfrentar a los nuevos padecimientos que hayan resultado de su acto irresponsable en contra de su vida, la cual no tenían ninguna autoridad para destruir.

Ésta es una realidad. Tu vida no te pertenece, te la ha dado Dios para que hagas buen uso de ella. Te ha dado la oportunidad de avanzar en tu camino evolutivo y de participar en la creación de nuevas eras y en el adelanto de la raza humana. No te dio el derecho de destruir tu vehículo físico.

Aquellos que huyen de los compromisos adquiridos antes de nacer, se enfrentarán a una terrible decepción. No morirán. Tan sólo habrán desperdiciado el cuerpo que les permitía comunicarse en el plano terrestre. Habrán retrasado su progreso y tendrán que volver a comenzar desde el principio una vez más.

Aquello de lo cual el suicida está tratando de escapar, le acompañará más allá de la tumba y le torturará por mucho tiempo hasta que pueda salir del lugar al cual se habrá condenado en su consciencia espiritual y mental.

Existen dos tipos de suicidios:

1. Suicidio Voluntario:

Aquel que se causa por la acción directa del libre albedrío de la persona por cualquier medio destinado a la interrupción de la vida orgánica.

Algunos ejemplos de Suicidio Voluntario son:

Disparos de arma de fuego, ahorcamiento, envenenamiento, tirarse de gran altura, arrojarse al agua causando ahogamiento, asfixia por sustancias gaseosas, electrocución.

2. Suicidio Involuntario:

El suicidio involuntario ocurre cuando la persona va destruyendo persona va destruyendo su organismo poco a poco por medio de actos irresponsables, envenenándolo con sustancias tóxicas o comportamientos que más tarde lo llevarán a la tumba anticipadamente. También sucede con quienes arriesgan sus vidas sin ningún motivo superior, haciendo que sus existencias se vean truncadas antes de lo previsto.

Algunos ejemplos de Suicidio Involuntario son:

- Tabaquismo

- Alcoholismo

- Conducir con exceso de velocidad

- Actividades de alto riesgo

- Excesos en la alimentación

- Falta de ejercicio - abriendo la puerta a posibles infartos
- Exceso de trabajo - resultando en un estrés elevado
- Cualquier ingestión de sustancias dañinas al organismo
- Someterse a cirugías riesgosas e innecesarias originadas por un exceso de vanidad. Un ejemplo de esto es la liposucción, que no es necesaria ya que por medio del ejercicio y la dieta se pueden lograr los mismos resultados
- Cualquier comportamiento que ponga en riesgo el vehículo físico o lo dañe

El suicidio involuntario es tan culpable como el voluntario. De todos son conocidos los peligros de los comportamientos antes mencionados y no se puede alegar ignorancia.

Las pruebas de la vida a veces pueden parecer demasiado duras e impasables. Podemos caer en estados depresivos, desesperanza y otros estados anímicos difíciles de sobrellevar.

Pero es posible recobrarnos de cualquier caída si tenemos Fe en nuestro Padre Celestial y sabemos que la ayuda siempre llega a quien la solicita con el corazón.

Podemos recuperar hoy el tiempo que hayamos desperdiciado ayer. Nunca permitas en tu mente que la idea del suicidio se albergue porque siempre te arrepentirás. Podemos transmutar la tristeza en alegría y la falta de ganas de vivir en esperanza.

Estamos destinados a vivir una existencia de luz, alegría y abundancia espiritual. El tesoro está ahí, sólo tienes que preparar los ojos del alma para poderlo ver. Transformemos los caminos espinosos en senderos de luz y esperanza.

¡Por medio de las conocimientos que estás aprendiendo en este libro, podrás encontrar el camino correcto y modificar tu existencia para siempre!

Flechas Mortales
(El Poder de las Palabras)

Las palabras son como una flecha lanzada por un arquero. Una vez soltada de entre los dedos, será imposible parar su trayectoria... Así sucede con todo lo que decimos. Las palabras que salen de nuestras bocas tienen carga vibratoria ya que representan pensamientos, sentimientos y emociones de muy diversas índoles. Por eso debemos cuidar aquello que decimos y pensar antes de hablar. Cuando nos alteramos por alguna circunstancia o desentendimiento, es muy fácil soltar alguna "bomba" verbal que cause algún daño al ser escuchada.

Pero esto no sólo sucede cuando estamos enojados o fuera de nuestro estado de paz y armonía, también sucede cuando hablamos de otras personas, criticándolas y contribuyendo a los chismes y murmuraciones sobre las vidas de los demás. No calumnies ni siquiera cuando pienses que la persona de la cual quieres hablar se lo merece. Nada es oculto a los ojos de Dios. No debes contribuir a la caída de ninguno de tus hermanos. Esta es la primera enseñanza del amor y la caridad - debemos tratar a otros de la misma forma en que queremos ser tratados.

Evita habladurías y conversaciones sin contenido. Cada vez que hablas sin sentido real de comunicar algo, estás desperdiciando energía vital necesaria para tus otras funciones diarias. Analiza y verás que cuando hablas mucho sin decir nada, siempre te queda una especie de cansancio interno que pareciera inexplicable. Seguramente lo atribuyes a otras causas. Pero te aseguro que lo que sucede es que estás dejando escapar fluidos energéticos importantes para tu desenvolvimiento y también estás contribuyendo a la contaminación de la Psicoesfera del lugar donde te encuentras y la del planeta en general.

Se dice que el movimiento de las alas de una mariposa se puede sentir del otro lado del mundo. Esto quiere decir que un pensamiento generado en un lugar del globo terráqueo, repercutirá en algún lugar distante donde encuentre sintonía y recepción de la misma frecuencia vibratoria. Así que te pido que antes de hablar mal, te muerdas la lengua y transmutes ese deseo y pensamiento negativos por uno donde la tolerancia y la benevolencia tomen su lugar. Así, estarás haciendo tu parte para la regeneración espiritual de nuestro planeta y te liberarás de los brazos oscuros de la maledicencia y los comportamientos indignos.

230

PARTE 3

REFORMA ÍNTIMA

SOLUCIONES A LOS DRAMAS DE LA VIDA

"La Vida es el regalo que Dios nos hace. La forma
en que vivas tu vida, es el regalo que le haces a Dios".

Miguel Ángel

CAPÍTULO 16

HERRAMIENTAS PARA SER FELIZ
(LOS CUADROS BLANCOS DEL TABLERO DE AJEDREZ)

El Mapa para Llegar a la Montaña de Cristal Azul
(Un Viaje Astral)

Hace muchos años tuve la extraordinaria experiencia de hacer un viaje astral – un viaje donde somos capaces de dejar nuestro cuerpo físico y desplazarnos conscientemente a otros lugares. Es como la emancipación del alma, que vimos en capítulos anteriores. Pero en este caso, nos mantenemos conscientes durante la experiencia y no la olvidamos cuando regresamos.

No puedo revelar los detalles de este "viaje" en su totalidad. Lo que te puedo contar es que fui llevado por el más hermoso campo que jamás haya visto, tapizado de un musgo de color verde brillantísimo, alto y suave como la más dulce caricia, hasta llegar a un lugar maravilloso en lo alto de una montaña de cristal azul, donde me esperaban mis guías espirituales.

Desde ese día, esa montaña se ha convertido para mí en símbolo de aquel lugar donde quiero estar. Siempre será mi objetivo merecer alcanzar ese privilegio.

Herramientas Milagrosas
(Arboles de Luz)

Para ser capaces de alcanzar lugares sagrados como la Montaña de Cristal Azul, necesitas conocer y desarrollar tu capacidad para usar las "Herramientas de Origen." Éstas son las herramientas que Dios te entregó cuando te creó, y que han ido mejorando en calidad y poder conforme has ido pasando tus pruebas existenciales.

Forman parte de tu esencia y son diferentes en cada uno de nosotros ya que dependen de nuestro grado de evolución.

Estas herramientas forman parte de la semilla que habita en nuestro interior. Estas semilla han empezado a germinar ya a través del Sol constante que ha iluminado nuestras vidas por medio de los Mensajeros Celestes y sus Mensajes de Vida.

Se han convertido en bellos árboles de Luz que están listos para alcanzar alturas inimaginables.

Las Herramientas de Origen son 10 principales y se dividen en dos grupos:

> 1. Virtudes
> 2. Facultades

Veamos en qué consisten éstas llaves que abrirán el cofre de tu felicidad:

El Mapa del Tesoro
(El Sendero del Triunfo)

Existe una ruta por la cual jamás te perderás. Es una ruta que no todo el mundo conoce. Se trata de un camino que requiere de ciertas aptitudes para poder transitarlo y estamos seguros de que tú sabrás desarrollarlas.

Si estás leyendo este libro, es porque eres una persona que tiene lo que se necesita para ser feliz. Eres alguien que quiere progresar, desarrollar su potencial y florecer en una majestuosa planta de luz y formar parte del reino sagrado que el Padre ha preparado para nosotros.

Las virtudes que a continuación veremos ya existen en ti, pero muchas veces las has pasado de largo por diferentes razones. Es momento de recuperar el tiempo perdido y reclamar tu lugar en el campo de las rosas.

El Amor
(Mirando a Dios)

El amor es la fuerza más poderosa que existe en el universo. Es motivo de creación, de luz y de surgimiento de las más bellas obras conocidas por el ser humano en cualquier plano.

Es la fuerza motora que nos impulsa siempre hacia delante. Es motivo de intensa felicidad y pura armonía. El amor no devora, ni consume. El amor da vida a los más sagrados momentos que la humanidad ha vivido.

El amor es energía sagrada de lo más alto de la escala de evolución que ilumina a todos los espíritus en cualquier etapa de su desarrollo.

Amar es como mirar a Dios. Los sentidos se hacen más sensibles. Incluso aquellos sentidos del Peri-espíritu que en este plano no nos han sido posible percibir, se hacen aparentes.

No confundamos el amor con la pasión de los cuerpos carnales. Esto no es más que una vulgar imitación de aquello que es sublime y Divino. En el verdadero amor se funden todas las cualidades del ser humano, todas las virtudes y actos benevolentes están conectados con él.

El amor es el generador de las otras virtudes del ser humano que veremos a continuación. Pero ninguna de ellas podría existir si no fuera por el amor que todo lo puede.

El amor es la luz que abraza a todos los seres. Dios es su centro generador, que como el sol, brilla por igual para todos sin importar su calidad moral ni su estado vibratorio.

Aprende a amar sin esperar que te amen. Aprende a sacrificar en nombre del amor. Haz de tus días, jornadas donde el amor esté siempre presente. Y antes de tomar alguna decisión, siempre pregúntate si el amor está en control de tus actos.

Si haces esto, el éxito es seguro.

La Compasión
(La Hija del Amor)

¿Cuándo fue la última vez que pasaste frente a un mendigo en la calle?

¿Puedes recordar qué fue lo que sentiste con honestidad?

La mayoría de las veces pasamos de largo escenas tristes como esa sin pensar mucho en el asunto. Nos hemos acostumbrado a que son "parte del paisaje" y hemos desarrollado una especie de inmunidad ante el dolor ajeno.

Cuando pasamos suficiente tiempo evitando sentir compasión por nuestros hermanos menos afortunados, entonces se abren las puertas a la impiedad y esa es la primera etapa del camino de la oscuridad.

Si eres capaz de amar, también eres capaz de sentir compasión, ya que ésta es hija del amor.

Si eres capaz de sentir dolor ante el dolor
ajeno, dando paso a la compasión, tendrás una de las llaves principales para la liberación del egoísmo.

Pero la compasión debe llevar a la acción, ya que la compasión pasiva no sirve para nada.

El hecho de ser testigos de una escena como por ejemplo la de niños hambrientos en la calle, pidiendo limosna para poderse llevar algo a la boca, y tan sólo sentir "pena" por ellos, decir "pobrecitos" y seguir nuestro camino, no les aliviará el dolor infame que causa el hambre.

Tampoco aliviará la vergüenza de un padre que, por circunstancias del destino, ha caído en desgracia y no puede alimentar a su familia, llevándolo muchas veces a la desesperación y a tomar decisiones equivocadas y a veces fatales.

La Compasión debe ser activa. Cuando esto sucede, damos paso a:

La Caridad
(Un Arcoíris de Cualidades)

"Sin Caridad no hay salvación". Esta máxima simboliza la más pura verdad espiritual. Su práctica hace de todos los seres humanos verdaderos hermanos, independientemente de la religión o dogma que practiquen, ya que es común a todas las doctrinas y filosofías de luz.

La verdadera caridad se manifiesta en nuestros pensamientos y forma de comportamiento ante las desgracias de la vida. La caridad lleva luz a donde hasta entonces había oscuridad y consuelo a las lágrimas que antes no tenían un paño sincero para ser enjugadas.

Por medio de esta dulce virtud se manifiestan todas las cualidades del corazón - la bondad, la benevolencia y el respeto a todos nuestros hermanos sin distinción de clases, razas, creencias o posición cultural, social o económica.

Esta herramienta es un faro que guiará los corazones extraviados a tierras seguras. Con su práctica, tendrás siempre asegurado el paso a la tierra prometida donde se encuentran aquellos tesoros que tanto anhelas.

Nada expresa más la esencia de las enseñanzas del Divino Maestre y el legado de aquellos hombres y mujeres maravillosos que han pasado por este planeta, dejándonos ejemplo de virtud, desapego y sacrificio por el prójimo. Son los colores del estandarte de espíritus superiores cuyo manto de luz ha venido a cuidar de los espíritus enfermos y los corazones contaminados.

La Caridad es un bálsamo para quienes se han perdido del camino y para quienes han caído en las trampas de sus propias debilidades y errores. Es también uno de los más poderosos medios que Dios nos ha dado como una oportunidad para reparar nuestras faltas y equilibrar nuestras acciones.

¡Es tiempo de cambiar! Debemos hacer algo para aliviar los sufrimientos de quienes se encuentren en apuros. Levantémonos las mangas y pongamos manos a la obra para hacer que su dolor se vea disminuido lo más posible.

239

Con esto no te quiero decir que cada vez que veas algo triste o conmovedor, tengas que poner tu vida en pausa y dedicarte a ayudar a las personas (lo cual sería ideal). Pero sí te pido que cuando te enfrentes a este tipo de situaciones, permitas a tu corazón dirigir tu camino y no a tu cabeza.

A veces una oración desde lo profundo de nuestro corazón puede hacer más que una moneda. Es siempre un hermoso obsequio ofrecer una sonrisa sincera a quien sólo recibe calumnias o a quienes por haber caído en la desgracia se ven rechazados por su familia y amigos.

Pero no olvidemos que para aliviar las penas del alma existen muchos casos en los que primero tenemos que resolver las necesidades más básicas del cuerpo hambriento o con frío. De este modo, tendremos un recipiente armonioso, en cuyas aguas calmas podrá el amor navegar en paz.

Hagamos pues, caridad de corazón. Y hagámosla siempre de manera que nadie tenga que saber quienes somos, para no humillarles ni hacerles sentir vergüenza. La verdadera caridad no tiene remitentes, ni deja direcciones dónde se puedan agradecer.

Tú sabrás que has cumplido tu deber. Y aún más importante: Él sabrá lo que has hecho y estará esperándote con los brazos abiertos.

El Perdón
(La Conquista Más Sublime)

"¡Mirad cuán bello y cuán delicioso es, habitar los hermanos juntos en armonía! Es como el buen óleo sobre la cabeza, el cual desciende sobre la barba, la barba de Aarón, y baja hasta el borde de las vestiduras; como el rocío de Hermón, que desciende sobre los montes de Sion; porque allí envía Jehová bendición y vida eterna."

Pocos momentos existen que sean más sublimes que cuando nace el perdón entre hermanos. El texto anterior, perteneciente al Salmo 133, "La Bienaventuranza del Amor Fraternal. Cántico Gradual de David" así lo simboliza.

¿Cuántos de nosotros hemos tenido algún desentendimiento que nos ha alejado de alguien a quien antes le teníamos un cariño sincero?

¿Cuántas veces hemos dejado que el rencor contamine nuestra Psicoesfera, haciendo nuestra vida miserable y ocasionándonos mal humor que afecta nuestro desempeño cotidiano?

Hace unos días estaba buscando un programa en la televisión, cuando al pasar por un canal donde estaban entrevistando a una persona, alcancé a escuchar: *"Nunca la perdonaré, e incluso si la perdono, jamás olvidaré lo que me ha hecho."*

Aparentemente se trataba de una "celebridad" que se quejaba de quien antes era su "mejor amiga" por algo terrible que, supuestamente ella le había hecho. No pude enterarme de más porque ahí decidí apagar la televisión.

Me puse a meditar en lo que había escuchado. No pude evitar sentir una gran pena y compasión por la persona que guardaba tanto rencor.

Es triste ver que exista tanta ignorancia todavía sobre el funcionamiento de nuestra realidad espiritual. Todavía existen muchos hermanos que creen que con la muerte se librarán de sus enemigos. No se dan cuenta que el rencor y el odio le acompañarán más allá del lecho donde exhalará su último suspiro.

¿Cuántas tragedias y existencias de sufrimiento podríamos evitarnos si comprendiéramos este simple hecho?

Cualquier rencilla, rencor o sentimiento que tengas en contra de un hermano te envenenará de la misma forma en que lo haría el veneno inyectado por una Cobra.

A veces es preciso, inclusive cortar el miembro afectado. Pero debe evitarse a toda costa que el veneno llegue al corazón porque éste se detendrá irremediablemente y la muerte orgánica sobrevendrá.

La contaminación producida por el rencor y los sentimientos negativos contamina mucho más de lo que puedes ver. Inclusive puede ser motivo por el cual las cosas se empiecen a obstaculizar en tu vida.

Los rencores de antaño nos acompañan siempre. Cuanto más tiempo pasa, es más difícil erradicarlos. Hemos hablado ya de obsesión, subyugación y posesión. Pues bien, estos tres hermanos del mundo inferior están siempre acompañados del rencor y el odio.

241

Cuando Jesús dijo: *"Id a reconciliaros con vuestro hermano antes de presentar vuestra ofrenda al altar."* Se refería al hecho de que antes de pretender pedir algún favor a Dios, primero debemos perdonar las ofensas recibidas, cualesquiera que éstas sean.

Sólo un corazón puro podrá esperar que el cielo le escuche. Y sólo quien se ha librado de rencores, ha perdonado o ha pedido perdón, podrá alcanzar este sublime estado de gracia.

Acostumbramos advertir los más mínimos defectos y errores en nuestros hermanos, y hacemos caso omiso de nuestros gigantescos errores. Ya lo dijo el Divino Maestre cuando dijo: Por qué, pues, ves la pajita en el ojo de tu hermano y no ves la viga en tu ojo?

Es parte de la naturaleza humana en este nivel de evolución, juzgar a otros antes de juzgarnos a nosotros mismos. Hacer lo contrario es un ejercicio liberador y muy provechoso para nuestro progreso espiritual.

El perdón es el verdadero cáliz de vida que proviene del amor. El más sublime acto ante los ojos del Señor es perdonar a nuestros enemigos. No es una tarea fácil, sobre todo si aquello que nos ha ofendido es de gran magnitud y ha sido hecho con maldad e injusticia.

Pero recuerda que antes de sentir rencor u odio por un hermano, debes sentir pena por él, ya que ahora conoces las consecuencias reales que cada uno de sus actos tendrá.

Así que te pido que a partir de hoy, hagas del perdón un ejercicio diario. Si guardas algún rencor en contra de alguien, o alguien te ha hecho mal, acércate a esa persona y haz todo lo que puedas por resolver el conflicto.

Si te han ofendido, perdona. Y si has ofendido, has todo lo que esté en tu poder para que te perdonen. Si aún después de haber agotado los recursos para resolver el problema, la otra persona insiste en su actitud negativa, podrás retirarte en paz sabiendo que habrás hecho tu parte y que ahora el conflicto no te pertenece más.

Bendice a esa persona y ora por ella, va a necesitar toda la ayuda espiritual y vibraciones positivas que puedas enviarle.

La Fe
(El Guerrero Invisible)

"Porque en verdad os digo, si tenéis fe como la de un grano de mostaza, le diréis a esta montaña: Moveos de aquí para allá, y ella se moverá, y nada os será imposible..."

¿Qué quiso decir el Divino Maestre con estas palabras?

¿Es acaso una fórmula mágica de gran poder con la cual podemos dominar las leyes físicas?

No. Jesús hablaba en parábolas para que la gente de aquel tiempo pudiera comprender sus enseñanzas. De otro modo, la luz sería demasiado fuerte para algunos y los cegaría. Para otros sería como él mismo nos dijo: "... tirarles perlas a los puercos..."

La montaña que podremos mover con nuestra fe simboliza nuestros problemas, nuestras angustias, nuestros defectos e imperfecciones. Él nos hace reflexionar sobre el poder que tiene la fe sobre esas "montañas".

No importa si éstas son grandes o pequeñas. Tan sólo con un poco de fe simbolizada por un diminuto grano de mostaza, seremos capaces de vencerlas y superar cualquier obstáculo.

La Fe es una poderosa fuerza espiritual de la cual hemos sido dotados y que nos capacita para vencer inclusive ante situaciones aparentemente imposibles. Es el "guerrero invisible" que lucha por nosotros, nos sostiene cuando estamos fatigados y nos cuida ante las angustias.

Es el único remedio contra el sufrimiento. Siempre te mostrará el horizonte infinito ante el cual, las pocas nubes del presente desaparecerán.

Pero, ¿cómo hacer uso de la fe? ¿Cómo llegar a sentirla cuando todo parece perdido? Esta valiosa herramienta merece ser analizada para que así podamos comprender el extraordinario poder que posee.

243

Existen 6 tipos de fe:

1. Fe Humana	**4.** Fe Racional
2. Fe Divina	**5.** Fe Activa
3. Fe Ciega	**6.** Fe Pasiva

Fe Humana y Fe Divina
(Fuerza en la Tierra y el Cielo))

Dependiendo de la aplicación que le demos a nuestras facultades, la Fe puede ser humana o divina. Si está relacionada a nuestras necesidades terrenas, será humana. Si está relacionada a nuestras aspiraciones celestes o futuras, entonces será divina.

El ilustre codificador del Espiritismo Cristiano, Alan Kardec, define la Fe como una fuerza de voluntad dirigida hacia un cierto objetivo, es decir, ocurre tan sólo por la voluntad de desear algo.

Esta fuerza puede ser aplicada en dos campos distintos: el material o el espiritual, dependiendo del objetivo que nos hayamos propuesto. En el campo material, la fe se define como humana cuando ésta es usada para conseguir objetivos materiales o intelectuales. Por ejemplo, cuando nos proponemos éxito en un negocio, la mejoría profesional en cualquier área, o el deseo de comprar una casa.

Esta fe es saludable porque es la creencia en nuestra propia capacidad de realizar algo en el campo material. Pero debemos tener cuidado con la forma en que la ejerzamos.

Si no está aliada a la humildad y a la racionalidad, la Fe Humana podría hacer que nos hagamos ilusiones falsas en cuanto a nuestra propia personalidad, abriendo así la puerta al orgullo y la arrogancia.

En el campo espiritual, la fe se define como divina, ya que ésta hace que coloquemos nuestra esperanza en la certeza de la existencia de una fuerza superior a nosotros mismos. Nuestra creencia se dirige

244

hacia nuestra capacidad de búsqueda de algo más allá de lo material, y se inclina a nuestra realidad inmortal.

Este tipo de fe es religiosa y es también saludable y hasta necesaria cuando agregamos a la fórmula la caridad, la fraternidad y la mejoría interior.

La Fe Divina aliada a la Fe Humana, espiritualiza los objetivos de ésta última y dirige esta fuerza material para el bien de la humanidad y no sólo de forma individual. Es decir, pensamos no tan sólo en nuestro bienestar particular, sino también en el bienestar de los demás.

Fe Ciega y Fe Racional
(Cuidado Con lo Que Crees)

"Ver para creer..." El mundo materialista está acostumbrado a vivir bajo esa creencia. Pero para creer no es suficiente ver. Es necesario también comprender. La fe necesita de una base. Esa base es la perfecta comprensión de aquello en lo que se debe creer.

La Fe Ciega es aquella de la cual debes alejarte lo más rápido que puedas. Ésta es la más peligrosa de las inclinaciones en cuanto a las diferentes creencias del ser humano. Es ingrediente principal en el fanatismo de cualquier especie y ha sido causa de innumerables crueldades a través de la historia.

La fe ciega es hija de la ignorancia ya que ésta hace que las personas crean sin comprender, sin cuestionar y sin averiguar la veracidad de aquello que profesan y defienden. Éste tipo de fe debe ser combatida con serenidad y racionalidad.

La Fe Racional es aquella que usa la razón como base sólida para cualquier creencia. Es capaz de enfrentarse cara a cara con la ciencia y permite el progreso constante en dirección a nuestros objetivos.

La fe racional permite creer con total certeza de que aquello que conforma nuestra creencia de pensamiento, está basado en factores probados. Es capaz de responder cualquier cuestionamiento relacionado con aquello en lo cual creemos.

245

Como dijo Santo Tomás de Aquino: "Ambas, la luz de la razón y la luz de la fe provienen de Dios, por eso no pueden contradecirse entre sí." Éstas son plenamente conciliables.

Fe Activa y Fe Pasiva
(Ayúdate para que te Ayuden)

"Hermanos míos, ¿de qué aprovechará si alguno dice que tiene fe, y no tiene obras? ¿Podrá la fe salvarle?" "Así también la fe, si no tiene obras, es muerta en sí misma."

Santiago, 2:14 y 17

Aquí en Los Ángeles está lleno de "actores" que quieren convertirse en el próximo Brad Pitt o la próxima Meryl Streep. Es interesante ve los constantemente sentados en los cafés fumando y platicando cada vez que voy camino a una reunión de trabajo o a una filmación.

Conozco a algunos de ellos y es interesante observar como casi todos tienen las mismas quejas. *"Mi agente no me consigue trabajo"* o *"Esta industria es muy injusta"* o *"No me contratan porque no quiero salir con el productor"* o *"Estoy harto de intentarlo, es muy difícil, no es para mi..."*

¿Sabes por qué es para mí interesante observarlos? Porque es asombroso como tienen tiempo para quejarse día a día en los mismos cafés mientras los verdaderos actores están estudiando, ensayando, audicionando, preparando sus videos de trabajo, buscando agentes, mandando publicidad, etc. En una frase: están trabajando activamente en pos de su objetivo.

La Fe sin obras no sirve de nada. Ni siquiera la Fe Racional es útil si no aplicas tu esfuerzo a favor de aquello por lo cual luchas. El simple deseo de triunfar no sirve de nada. Como tampoco sirven la belleza física, las relaciones importantes o el talento que puedas tener para algo si no trabajas con disciplina, constancia y perseverancia.

A la creencia de que puedes lograr algo mientras luchas por conseguirlo, se le llama Fe Activa.

Aquel que "busca trabajo pidiéndole a Dios no encontrarlo" está usando la Fe Pasiva. Al mismo tiempo desperdicia su precioso tiempo porque nunca llegará a su meta si sigue mirando la acción desde las gradas, esperando un milagro que lo ponga donde quiere estar.

Para transformar tu vida y hacer que se realicen tus sueños, es necesario que primero empieces por cambiar internamente.

La Fe es esencial. Cuando la usas correctamente, la fe ocasiona que "el Cielo te ayude" y que el Cosmos conspire a tu favor,

No caigas en la trampa de creer que tan sólo el deseo te hará "atraer" algo. Sé que está de moda, pero creer que algo llegará a tu vida tan sólo por desearlo y "echarte a dormir", terminará frustrándote y te hará perder la esperanza.

¡Te felicito! Estás ya en una etapa de este viaje donde juntos abriremos la siguiente puerta. Esta entrada te llevará al sendero por donde seguirás descubriendo que tu mundo puede dejar de ser blanco y negro para pasar a convertirse en un arco iris infinito de luz y colores.

Hemos visto hasta aquí la primera parte de las "Herramientas de Origen" que Dios ha hecho parte de nosotros. En el siguiente capítulo, veremos la segunda parte.

Tienes en tus manos la fórmula del alquimista para transmutar aquello que no te gusta y convertirlo en lo que siempre has deseado.

Ven, sigamos caminando...

CAPÍTULO 17

BENDITAS FACULTADES
(Herramientas de Luz)

Las Llaves del Cofre del Tesoro
(Facultades que Abren tus Caminos)

Las Facultades son también herramientas Divinas que, a diferencia de las anteriores, son inherentes a tu persona y no puedes "decidir" tenerlas o no. Están contigo de cualquier manera.

Sin embargo, si no son ejercidas, pueden atrofiarse. Simplemente habitarán en ti, y se quedarán estacionadas como muebles viejos en el ático de tu ser, causando un desperdicio de tus capacidades y talentos.

Veamos de qué te estoy hablando. A continuación, analizaremos las 5 facultades principales que en este plano de consciencia y evolución poseemos:

La Consciencia
(El Termómetro Sagrado)

¿Qué es y para qué sirve la Consciencia?

Esta primera facultad, hermana del Instinto, nos fue dada para poder mirarnos en el espejo de nuestra alma, ver con claridad aquello que nos molesta y saber cómo mejorarnos.

Conoces ya la importancia que tiene el auto-conocimiento. Sólo a través de éste, podrás entender el nivel moral en el que te encuentras para continuar tu camino hacia una exitosa superación espiritual.

Sumerjámonos una vez más en la piscina del auto-conocimiento. Pero ¿Cómo podemos verdaderamente conocernos a nosotros mismos?

Debido a que somos seres individuales, no podemos compararnos con nadie más. Nuestro interior es único.

Sólo nosotros seremos capaces de analizar con sinceridad y claridad nuestra esencia. Por ello, es importante ser capaces de abstenernos de la tentación de vernos como aspiramos a ser.

Debemos tener el valor para enfrentarnos a nuestra verdad. De esta manera tendremos un lienzo puro y sin mancha en el cual podremos comenzar la hermosa pintura de nuestra vida.

Debes comenzar por mirarte en el espejo de tu conciencia y analizar con toda honestidad la forma en que te has comportado en cada una de las situaciones y acontecimientos de tu vida.

Debes ser capaz de observar los más íntimos secretos de tu alma y diferenciar con claridad las buenas y las malas acciones. Analiza tus acciones y reacciones ante las situaciones cotidianas y ante los demás.

La verdadera Ley de Dios no está plasmada en escrito alguno. Lo que hasta ahora hemos podido accesar, son tan sólo las claves y mapas que conducen al camino correcto. Pero sólo podremos descifrarlas por medio de nuestras Herramientas de Origen.

La Verdad no podrá ser encontrada en templos ni en las palabras de ningún "gurú". Tampoco la encontrarás en "viajes astrales" ni por medio de sustancias tóxicas.

La Ley de Dios está plasmada en tu consciencia.

Tú sabes por naturaleza lo que está bien y lo que está mal, sin importar tu educación ni entorno social. Puedes diferenciar aquello que es correcto de lo que no lo es. Y el mejor ejercicio para saber si estamos en lo correcto o no es aquel que nos fue entregado en dos ocasiones. La primera, por Confucio y la segunda por Jesús:

"No hagas a otros lo que no quieres que te hagan a ti."

"Haz a otros lo que quieres que te hagan a ti."

Cada vez que dudes de la elevación moral de aquello que hayas hecho o estés por hacer, tan sólo hazte esa pregunta y respóndete con sinceridad:

¿Me molestaría si alguien me hiciera a mí, aquello que he hecho o estoy a punto de hacer?

Ahí tendrás la respuesta del verdadero oráculo de sabiduría que habita en ti. Este ejercicio y las decisiones que tomes al respecto, iniciarán el verdadero "Despertar de tu Consciencia".

Descubrirás que cada vez que hagas lo correcto (sobre todo si implica un sacrificio de tu parte), sentirás una paz y una emoción que no habías conseguido sentir por otros medios.

Cada vez que ejercites más este "músculo", verás que cada vez se torna más fácil caminar por la vida sin remordimientos, culpas ni cargos de consciencia. Tu camino será más alegre y tu carga más ligera.

Comenzarás a percibir a los demás de una forma diferente. Y el mundo a tu alrededor también te percibirá de otra manera. Tu energía será distinta y empezarás a notar que todos buscan tu compañía.

En el subconsciente de las personas, existe la necesidad de estar cerca de aquellos que pueden darnos "luz y conocimiento". Tú te convertirás en alguien así.

Serás capaz de ayudar a los demás y de convertirte en una mejor persona. Podrás conocer el placer de adquirir las virtudes que han sido motivo de las enseñanzas de todos aquellos Avatares que han venido al planeta, a través de milenios, a entregarnos el mensaje Divino.

Este sagrado mensaje hará que alcancemos cada vez mejores niveles de evolución. De esta forma podremos entregar a nuestros hijos un mejor planeta que aquel que encontramos a nuestra llegada.

La Intuición
(Conocimiento Interior)

La palabra intuición viene del latín "intuire", que significa ver por dentro. Es una sabiduría interior que nos permite tomar decisiones por medio de la "visión interior".

Existen diferentes corrientes de pensamiento que definen la intuición de formas relativamente diferentes. Veamos algunas:

- Jung, Psiquiatra Suizo y fundador de la Psicología Analítica define intuición como la capacidad interior de percibir posibilidades.

- Emerson, eminente ensayista y filósofo Americano, líder del Movimiento Transcendentalista, considera a la intuición como una sabiduría interior que se expresa por sí misma.

- Kant, Filósofo Ruso ve la intuición como el conocimiento que se relaciona inmediatamente con los objetos, que muestra realidades singulares que no dependen de la abstracción. Es decir, es aquello que se sabe sin tener que deducir ni analizar.

- Kaplan, Filósofo Americano, dice que la intuición es probablemente una condensación de una o más líneas de pensamiento racional en un momento singular en que la mente reúne rápidamente una gama de conocimientos y de ahí pasa a convertirse en una conclusión que es parte del proceso que se recuerda.

Muchas veces la intuición condensa años de experiencia y aprendizaje en una "visión" instantánea.

Si nos apegamos al concepto de Kaplan, la intuición pasa a ser algo que nos es revelado en un cierto momento - el llamado "insight".

Esto implica un proceso que incluye raciocinios anteriormente elaborados y con secuencia lógica. Como ese proceso sucede de manera inconsciente, tenemos la impresión de que es atemporal. En realidad se trata tan sólo de la conclusión súbita de algo que ya estaba siendo elaborado.

Estos conceptos dicen que la intuición presupone una condensación de conocimientos y raciocinios lógicos que son revelados súbitamente. Sin embargo, incluso cuando el fundamento esté basado en la lógica, esto no quiere decir que la intuición esté siempre correcta.

Esto, como nos dice Jung, es una forma de prever posibilidades de ocurrencia. Pero por mayor que sea la posibilidad de que algo suceda, incluso así, existe la posibilidad de que no ocurra.

Muchas personas se arrepienten de no haber seguido su intuición en determinados momentos de su vida. Pero en este estado evolutivo en el cual nos encontramos, no siempre es posible lograr una intuición desarrollada de tal forma que no exista posibilidad de error.

Es de gran importancia tener cuidado y no confundir intuición con presentimiento o superstición. Existen claras diferencias entre intuición, presentimiento y presagio.

Así como la intuición es una capacidad de prever posibilidades, "insight" es la forma por la cual la intuición es revelada, es decir, la súbita toma de consciencia del conocimiento intuitivo.

El presentimiento es la impresión o sentimiento de algo que va a ocurrir. Presagio es el hecho a partir del cual se supone que ocurrirá un evento no relacionado con el mismo, es decir, lo que se acostumbra llamar "señal".

Como ejemplo, supongamos que estás en el aeropuerto a punto de subirte a un avión, y de pronto te viene a la cabeza la idea de que el avión puede a tener un accidente. Tratas de no pensar en ello, pero comienzas a sentir cada vez más aprehensión.

¿Qué pudo haberte hecho sentir así?

Tu subconsciente podría estar analizando el hecho de que está lloviendo, o tal vez la desorganización que percibas en la sala de espera, o el mal humor de la agente de vuelo que está en el mostrador y te haya tratado de una manera poco amable y te haya irritado, o tal vez has visto el avión a través de la ventana del aeropuerto y te hayas dado cuenta de que están haciéndole mantenimiento, etc.

Todos estos factores pueden hacerte "intuir" que existe una mayor posibilidad de que ocurra un accidente. Sin embargo, esto no es más que un conocimiento interno sobre las circunstancias que rodean tu vuelo, pero esto no significa en lo absoluto que vayas a tener un accidente.

Esto, aliado con el miedo, puede ser interpretado por tu cerebro como un presentimiento.

De igual manera, si ocurre alguna cosa inesperada como por ejemplo que el vuelo se atrase, o que se te caiga el café y te mancha la ropa, o que al taxi que te llevó al aeropuerto se le ponche la llanta en el camino, podrías tomar estos hechos como "señales" de que no debes viajar y así pensar que estás teniendo un "presagio".

Los presagios, a diferencia de la intuición, no tienen ningún fundamento lógico y se basan más en miedos y supersticiones que en el conocimiento adquirido por medio de experiencias anteriores o de la observación de los hechos.

El Instinto
(Centella Inteligente)

El Instinto es otra más de las facultades con las cuales Dios nos ha dotado para diferentes funciones importantes para nuestro paso por este planeta.

Pero para poder comprenderlas mejor, vamos a analizar sus dos divisiones por separado ya que existen dos tipos de Instinto:

● El Instinto Físico.
● El Instinto Espiritual.

Veamos el primero:

254

El Instinto Físico
(Inteligencia Rudimentaria)

El Instinto Físico no puede ser desarrollado. Lo tenemos desde que nacemos y es inherente a nuestro cuerpo físico. Está siempre presente y no tiene capacidad de raciocinio.

Como ejemplos de esto, tenemos el instinto de supervivencia, el instinto de conservación y el instinto sexual. Sus manifestaciones son casi siempre espontáneas y variadas.

En los seres que tienen consciencia, permite la percepción de las cosas exteriores, se alía a la inteligencia y da vida a la voluntad y la libertad.

Es, digámoslo así, una inteligencia rudimentaria que no decide por sí misma, funciona como instrumento a través del cual, los seres vivos atienden sus necesidades.

Sin embargo, el instinto no es tan solo inherente al reino animal. El instinto está presente en el reino vegetal también. Por ejemplo, las plantas reaccionan notablemente a las vibraciones de afecto, así como a las de odio.

Cuando son tratadas con cariño y respeto, reaccionan favorablemente. Pero si se encuentran en un ambiente de hostilidad y bajas vibraciones, se secan y mueren sin razón aparente.

Este conocimiento ha sido parte de la sabiduría de diferentes culturas indígenas a través de los tiempos.

El Instinto Espiritual
(Percepción Libre de Barreras)

El Instinto Espiritual es aquella capacidad que La Divinidad nos ha otorgado por medio de la cual podemos "percibir" una realidad no palpable para nuestros sentidos físicos.

255

Nos permite "escuchar" consejos provenientes del mundo espiritual y nos influencia positivamente ayudándonos así a evitar peligros o tomar las decisiones adecuadas cuando la razón no es suficiente.

Imagínate que estás durmiendo. Mientras descansas, alguien acerca a tu oído una grabadora donde empiezas a escuchar una suave y rítmica voz que, con insistencia te está diciendo algo específico.

Lo sigue haciendo por algún tiempo hasta que la idea ha penetrado tu cerebro y se aloja en tu subconsciente. Cuando despiertas, sientes una tendencia a hacer o modificar algo en tu comportamiento causada por aquello que han estado diciéndote mientras dormías.

A esto se le llama: "Hipnosis de Sueño". Es una técnica usada hace muchísimo tiempo que, entre otras cosas, puede ayudar a las personas con diferentes tipos de desórdenes de tipo emocional a recuperarse después de un evento traumático.

La Intuición Espiritual es parecida a la hipnosis de sueño. Pero en este caso quienes nos "susurran" al oído no son personas de nuestro plano, sino aquellos amigos espirituales que habitan en otra esfera y que, de esa forma nos ayudan ante determinadas situaciones.

Esto es diferente a aquello que sucede durante la emancipación del alma, donde como ya hemos visto, nuestro espíritu se separa del cuerpo físico por un espacio de tiempo que puede ser de unos minutos hasta varias horas, dependiendo del tiempo que dure nuestro sueño.

Lo que sucede con esto es una influencia directa a nuestro cerebro físico, donde quedarán grabados los "mensajes" para que al despertar (y volver al cuerpo físico), éstos sean entonces depositados en el subconsciente.

Recuerda que cuando dormimos y nos separamos del cuerpo, es tan sólo de una manera parcial, ya que siempre estamos unidos a él. Prueba de esto es que, cuando escuchamos un ruido súbito, inmediatamente nos despertamos.

Esto, como ya hemos visto en capítulos anteriores, también sucede mientras estamos despiertos.

La Inteligencia
(Atributo del Alma)

La palabra "Inteligencia" fue usada por primera vez por Cícero, (Filósofo Romano). El origen de esta palabra es la expresión "dia-noesis", creada por Aristóteles. Noesis significa entendimiento, comprensión.

La incipiente escuela psicológica medieval, derivada en gran parte de los conceptos aristotélicos, acabó cristalizando la definición de que la inteligencia es la cualidad abstracta común y característica de los procesos intelectuales.

Herbert Spencer, (Filósofo Inglés) del siglo 19, le dio una interpretación materialista puramente biológica que le daba al hombre la capacidad para resolver, con éxito situaciones nuevas.

Desprovisto de cualquier soporte espiritual, Spencer pensaba que la inteligencia se derivaba esencialmente de los padres.

Hasta el día de hoy, existen todavía corrientes materialistas que comparten esta línea de pensamiento, en la cual se afirma que la inteligencia es algo básicamente genético, hereditaria y desarrollada por la influencia del medio ambiente.

Sigue leyendo y verás las razones por las cuales estas teorías son absurdas y totalmente falsas.

Analicemos un poco más los hechos concernientes a la inteligencia para poder comprender lo que más adelante expondré.

La inteligencia es una facultad especial, que se encuentra en algunos seres orgánicos. Nos da, junto con el pensamiento, la voluntad de actuar, nos hace conscientes de nuestra existencia y de nuestra individualidad. Asimismo, nos permite relacionarnos con el mundo exterior y proveer nuestras necesidades.

Como la inteligencia se encuentra sólo en los seres orgánicos, vamos a ver rápidamente qué son y cómo se dividen estos seres orgánicos:

- Los seres inanimados, formados solamente de materia, sin vitalidad ni inteligencia. Estos son los cuerpos brutos tales como los minerales, el agua, el aire.

- Los seres animados no-pensantes, formados de materia y dotados de vitalidad, pero desprovistos de inteligencia tales como los árboles y las flores.

- Los seres animados pensantes, formados de materia, dotados de vitalidad y que tienen el Principio Inteligente que les da la facultad de pensar tales como los seres humanos.

Este último grupo es al cual pertenecemos tu y yo, y quienes tenemos la responsabilidad de comprender nuestras facultades para así, poder usarlas no solamente para nuestro propio beneficio, sino también para el beneficio común del planeta y ultimadamente de la humanidad en cualquier estado o plano en que se encuentre.

Como hemos visto, la creencia popular es que la inteligencia es un atributo del cerebro, pero no es así.

La inteligencia es un atributo del espíritu. Hemos visto ya que nuestra inteligencia no muere al morir el cuerpo, permanece como parte de nuestra alma y nos acompaña siempre en el camino a por nuestras diferentes jornadas evolutivas.

Ha sido desarrollada a través de nuestras encarnaciones anteriores y no la perdemos aún cuando volvamos con cuerpos imperfectos.

La fuente de la inteligencia es la Inteligencia Universal. Es la facultad propia de cada ser y constituye nuestra individualidad moral. Gracias a ella, es que podemos pensar y discernir y es independiente de la materia.

Hemos visto que un cuerpo puede vivir sin inteligencia, pero la inteligencia, solo por medio de órganos físicos o espirituales puede manifestarse.

El grado de inteligencia que tenemos, es resultado del conocimiento acumulado a lo largo de milenios e innumerables encarnaciones.

Nuestra inteligencia no depende de la suerte que tengamos de poseer una combinación genética afortunada, ni porque nos hayamos desenvuelto en un ambiente adecuado.

La inteligencia depende del conocimiento adquirido a través de los tiempos, las nociones que recibimos, las experiencias que vivimos y los descubrimientos que hagamos.

Todo se incorpora a nuestra memoria, cuyos registros básicos se encuentran en el Peri-espíritu, y aunque se encuentren almacenados en la zona crepuscular del inconsciente, están ahí, a nuestra disposición.

Debes saber que, a mayor sea el conocimiento adquirido en el pasado, más fácil se te hará resolver con éxito situaciones nuevas, ya que cuentas con un banco de datos más basto, que te permitirá construir tu nueva vida sobre bases más sólidas.

Si aplicas el conocimiento que estás adquiriendo conforme lees estas enseñanzas, te darás cuenta de cuán poderosa es tu capacidad para lograr tu felicidad y verdadera paz interior.

La Razón
(La Madre de la Lógica)

La razón es la facultad que nos permite identificar conceptos, cuestionarlos, hallar coherencia o contradicción en los mismos y así inducir o deducir otros distintos de los que ya conocemos.

Se trata de aquel "pensar" que nos permite dilucidar las mejores soluciones a problemas de diferentes índoles que forman parte de nuestra existencia.

Así, la razón nos da la capacidad de establecer o descartar nuevos conceptos y llegar a conclusiones en función de su coherencia con respecto de otras premisas o conceptos de partida.

Una de las principales características de la razón, está relacionada con la lógica. Esta última es una "sub-herramienta" que nos permite usar la razón en torno al patrón de causa-efecto-solución.

Es en base a esto, que la lógica ha podido establecer dos tipos fundamentales de razonamiento en relación a la razón:

> **1.** El Razonamiento Deductivo
> **2.** El Razonamiento Inductivo

El Razonamiento Deductivo
(Raciocinio Rudimentario)

El razonamiento deductivo es aquel que nos permite establecer conclusiones a partir de categorías generales. En términos prácticos, es aquel razonamiento que permite ir de lo general a lo particular. Toma una premisa general y deduce conclusiones particulares.

Un argumento "válido" en el razonamiento deductivo es aquel en el cual la conclusión necesariamente se deriva de una premisa como por ejemplo:

"Todos los hombres son infieles, entonces como Fulano es un hombre, por lo tanto es infiel."

Otro ejemplo sería:

"Todas las mujeres manejan mal, entonces como Sutana es mujer, por lo tanto maneja mal."

Aunque puede resultar posible que Fulano sea infiel, el hecho de ser hombre no necesariamente lo hace infiel. Lo mismo sucede con Sutana. El hecho de que sea mujer no la obliga a manejar mal.

La única debilidad del razonamiento deductivo es la veracidad de sus declaraciones ya que sus conclusiones son únicamente tan buenas como sus premisas.

Es decir, sus presuposiciones siempre determinarán sus conclusiones.

El Razonamiento Inductivo
(Comprendiendo la Realidad)

El razonamiento inductivo es aquel que comienza a partir de algo particular para lograr una generalización. Es decir, se realizan conclusiones generales o leyes a partir de observaciones particulares.

Este tipo de razonamiento se utiliza como el método base de la investigación científica. Sin embargo, cuando se utiliza en conjunto con el razonamiento deductivo, en la mayoría de los casos logra resultados más contundentes.

Según Kant, las acciones del hombre están determinadas por la razón. Pero existen "inclinaciones" como el amor, el odio, la simpatía o antipatía, el orgullo o la avaricia que también ejercen su influencia.

El ser humano reúne en su bagaje la racionalidad, las inclinaciones, las leyes morales y la imperfección subjetiva de la voluntad humana.

A partir de ahí, la buena voluntad se manifiesta en cierta lucha contra estas inclinaciones como una fuerza que parece oponerse. En la medida que el conflicto se hace presente, la buena voluntad llama al deber moral.

Juan Pablo II, demostró maravillosamente la importancia de la razón cuando dijo: "*A la honestidad de la fe, debe corresponder la audacia de la razón.*"

Es por el ejercicio de la razón que podemos escoger entre el bien y el mal. Es una manera de organizar la realidad de manera que se torne comprensible. Ahora, fíjate bien en lo que te voy a decir:

La filosofía siempre ha considerado que la razón opera bajo ciertos principios que ella misma establece y que están en concordancia con la propia realidad.

O sea que el conocimiento racional obedece a ciertas reglas o leyes fundamentales que conocemos por nuestras experiencias vividas y conocimientos adquiridos.

¿Pero, qué pasa con aquellos conceptos que aún no conocemos?

261

¿Dónde quedaría el papel de la razón?

Es por ello que debemos siempre utilizar la lógica aún ante conceptos nuevos que aparentemente se contrapongan a nuestras creencias ancestrales.

Galileo Galilei fue enjuiciado por la Santa Inquisición cuando dedujo que la tierra se movía. Esta teoría era contraria a la de la Iglesia que decía que la tierra era el centro del universo. Por lo tanto, Galileo fue acusado de herejía.

¿Cuantos ejemplos como éste conoces en la historia de nuestro planeta?

¿Qué hubiera pasado si aquellos que han condenado los descubrimientos y las nuevas ideas hubieran apelado a la lógica de aquello que no conocen?

Bueno, tú y yo sabemos que la historia sería diferente. De igual manera, te invito a usar tu razón hasta el punto en el cual tengas que usar la lógica para decidir si algo es posible o no.

A lo largo de tu viaje, por el interior de este libro, has encontrado conceptos que no conocías. Al observarlos bajo la óptica de la razón y la lógica, verás que son hijos de la verdad y de la luz.

Recuerda, no existen las casualidades como tales, pero sí existen las causalidades que son los puntos desde los cuales se originan los acontecimientos.

Es de vital importancia que aprendas a usar esta facultad. De esta forma, junto con las demás facultades, podrás siempre llegar a la verdad.

No tendrás que creer nada por el simple hecho de confiar en la fuente de información de donde provenga.

La razón es el principal enemigo del fanatismo y te permitirá diferenciar la luz de la oscuridad cuando la apliques adecuadamente.

El Libre Albedrío
(Tu Libertad de Decisión)

¿Cuál es tu concepto de libertad? ¿Qué tan importante es para ti "sentirte libre" y que nadie te diga lo que debes hacer?

Vivimos buscando ser libres de ataduras que nos impidan la capacidad de elegir lo que debemos hacer. Es por eso que las cárceles son mundos terribles. Restringen, al menos en el sentido físico, la libertad de un ser humano para hacer aquello que, en otras circunstancias, lo haría sentir feliz y realizado.

¿Qué es la libertad?

Libertad es la capacidad que tenemos de decidir lo que hacemos o no hacemos a lo largo de nuestra existencia. Esta facultad, sin embargo, tiene un precio.

Siempre seremos responsables de nuestros actos. Dios nos ha dado desde nuestra creación, la libertad de acción y pensamiento. A esto, como ahora ya has aprendido, se le llama "Libre Albedrío."

Esta facultad está siempre en conexión con la razón, pero no con el instinto, ya que este último no raciocina. Es por medio del libre albedrío que la razón permite la elección de nuestros actos.

El libre albedrío pertenece a los seres inteligentes. Esto es porque aquellos que no tienen la capacidad de pensar o de razonar, no pueden decidir sobre sus actos libremente.

Inteligencia + Razón = Libre Albedrío

El libre albedrío se desarrolla a medida que nuestro espíritu adquiere consciencia de sí mismo. Siempre gozamos del libre albedrío. Es en virtud de esta libertad, que somos capaces de escoger entre el bien y el mal. Por lo tanto, tendremos la gran responsabilidad espiritual en el momento de vernos ante el tribunal de nuestra consciencia.

Seremos nosotros mismos los primeros en sentir el efecto de nuestros errores o aciertos. Es esta facultad la que nos hace ser "a imagen y semejanza de Dios." Él nos otorgó esta capacidad para tener la oportunidad de crecer y mejorar por medio de nuestros actos.

La práctica del mal no tiene ninguna justificación. Aquel que lo ejerce, sabe perfectamente cuando obra indebidamente. Seremos siempre responsables por el uso o abuso que hagamos de ella.

¿Te das cuenta cómo todas estas herramientas están ligadas? Podemos entender la importancia que tiene el libre albedrío cuando tomamos alguna decisión que incomoda nuestra consciencia. Y es por medio de la inteligencia que podemos entender las consecuencias de nuestros actos.

Recordemos que la consciencia es nuestro propio sensor interno que nos alerta cuando pretendemos hacer mal uso de nuestras capacidades. Recordemos también que el peso de la carga que llevemos a lo largo de nuestras existencias, y la naturaleza de nuestras pruebas y expiaciones serán resultado directo de el uso que hagamos de el libre albedrío.

Es por eso que no debemos confundir libertad con libertinaje. La libertad, cuando se usa sabiamente, puede resultar en obras magníficas que harán patente nuestro nivel espiritual. Pero el libertinaje nos conducirá sin duda a la perdición y al dolor.

Recuerda que libre albedrío no es lo mismo que el derecho. El libre albedrío es la capacidad de escoger entre alternativas diferentes cuya responsabilidad será siempre tuya. El derecho es aquello a lo cual tienes acceso sin necesidad de preocuparte por la moralidad o dignidad del mismo.

Cabe destacar que no tenemos derecho de contrariar las leyes universales de amor y respeto a todos nuestros hermanos o a nosotros mismos. Es por eso que se hace indispensable entender la responsabilidad que implica ser libres de decidir sobre nuestros actos. También es importante aprender a usar estas herramientas para poder tener el privilegio de reclamar aquello que por herencia nos pertenece: la felicidad y la luz.

¡Vamos!

¡Este camino aún tiene maravillosas sorpresas reservadas para ti!

264

CAPÍTULO 18

CONTABILIDAD ESPIRITUAL
(Logrando Un Balance Final a Tu Favor)

Declarando Impuestos en el Plano Espiritual
(¿Tienes Todo Listo?)

La última vez que tuve que ver a mi Contadora para pagar mis impuestos, fui a verla muy orgulloso y satisfecho del gran cuidado que había yo tenido durante el año para mantener mis cuentas en orden.

Llevaba todos los papeles en sus respectivos folders, con sus etiquetitas escritas en cada uno y los estados de cuenta separados por cada mes. Todo lo tenía muy bien preparado para poder hacer este proceso lo más sencillo posible.

Fue grande mi sorpresa cuando me encontré con que, a pesar de haber sido muy disciplinado con mis cuentas, tenía que haber guardado hasta el último recibo de cualquier gasto efectuado sin importar si era relacionado con mi carrera profesional o con mi vida personal.

¡La Contadora me estaba incluso pidiendo recibos de cualquier café que hubiera yo tomado, o de estacionamientos donde hubiera estacionado el carro! ¡Vaya, hasta recibos de taxis quería!

Yo no entendía para qué quería ella los Recibos. Casi siempre había pagado todo por medio de mis tarjetas de crédito y débito. Le estaba presentando también mis estados de cuenta del banco donde se podría corroborar los orígenes y destinos de cualquier depósito o gasto.

Para mí era obvio que por medio de estos documentos se podrían verificar todos mis gastos e ingresos. Pero ella me respondió que, a pesar de haber sido tan cuidadoso durante todo el año, el Fisco del país donde vivo necesita comprobar por medio de papeles, que los créditos y los débitos corresponden a lo que declaro en caso de una auditoría.

Así que me encontré con que todo el trabajo que me había tomado para tener mis impuestos en orden, no me serviría de nada en caso de ser auditado. Al parecer, el Fisco no confía en nadie. Por lo tanto hay que estar preparados para comprobar aquello que afirmamos haber hecho.

En el mundo espiritual también tenemos que declarar los débitos y los créditos que hayamos tenido a lo largo de nuestras vidas. En este caso, el ciclo no dura un año fiscal, sino una encarnación completa. Al final de la misma, nos será tomada la "declaración de impuestos" de aquello que hayamos o no hecho durante nuestro paso por el planeta.

Débitos Vs. Créditos
(Tu Hoja de Balance Espiritual)

Es importante que a partir de ahora empieces a ver tu vida como si tuviera dos columnas, una al lado de la otra. En estas columnas, se irán acumulando aquellos débitos y créditos en los que vayas incurriendo.

Al final de cada ciclo, tendrás un balance de lo que te queda como resultado de tus acciones y comportamiento. Piensa en esta Hoja de Balance de la siguiente forma:

Débitos	Créditos
● Malas acciones	● Buenas acciones
● Egoísmos	● Caridades
● Rencores	● Compasión
● Odios	● Amor a tus semejantes
● Malos pensamientos	● Ayuda desinteresada
● Abuso de tu templo corporal	● Perdón de las ofensas

266

No te esperes a que termine tu ciclo encarnatorio para averiguar si tienes más créditos que débitos. Te pido que hagas esto todos los días mediante el ejercicio que te di en el Capítulo Siete. Acostúmbrate a hacer un recuento de tus acciones cada vez que puedas.

Las empresas más exitosas mantienen finanzas saludables y un progreso económico siempre en ascenso mediante el sistema de evaluación de sus ventas y gastos. De esa manera, pueden ver si están avanzando por buen camino, o si es necesario modificar el plan de trabajo.

De la misma manera, te pido que hagas un balance diario de tu progreso mediante el análisis de tus actos, pensamientos y sentimientos., Repite de forma más amplia cada semana, cada mes, cada tres meses, a la mitad del año y al final.

De esta forma podrás hacer un balance global para ver cómo está tu progreso evolutivo y si has avanzado conforme a los planes que te has propuesto.

Esta Hoja de Balance reflejará el saldo con el cual termines cada vez que hagas este ejercicio. Podrás entonces tener consciencia de las modificaciones que deberás realizar. Y siempre sabrás con precisión en qué has mejorado y en qué debes esforzarte aún más.

Tus Comprobantes de Compra
(El Cosmos Como Testigo)

Conoces bien lo que es bueno para ti y lo que hará que te estaciones en el progreso que te has propuesto realizar.

No necesitas "guardar recibos" de aquello positivo que hagas en tu trayecto. Cualquier acción, ya sea buena o mala, siempre quedará plasmada en tu mapa Peri-espiritual con lujo de detalles.

Nada en el cosmos puede ser ocultado a los ojos de Dios. Una copia fiel de tus actos siempre queda grabada en la Consciencia Universal, así como también en tu propia consciencia individual.

267

Así que ésta es la "fortuna" que debes concentrarte en amasar. Es la única que podrás llevarte cuando termines tu paso por este planeta.

Cuando hacemos algo que se escribirá en la columna de "Acciones de Luz" de tu Hoja de Balance, automáticamente se convierte en riquezas que estarán siempre a salvo en las arcas de tu bagaje espiritual.

Nadie podrá jamás quitártelas ni disminuirán a menos que tú hagas que así suceda mediante acciones negativas.

Recuerda: Puedes estacionar en un nivel de evolución y progreso, pero jamás podrás retroceder, ya que las puertas de la evolución se cierran detrás de nosotros.

El Creador en su infinito amor por nosotros, ha organizado el funcionamiento de los mundos de manera que Sus hijos jamás puedan volver atrás en su camino de avance y felicidad.

Sin embargo, quedarse estacionado en una posición debido a nuestra falta de voluntad de trabajo es algo que sólo te costará sufrimientos y frustraciones. Estarás desperdiciando la oportunidad de ser feliz y llegar a tu meta más pronto.

Una encarnación perdida es una encarnación que habrás de repetir. No dejes de caminar de frente al sol Divino. Aléjate de las ilusiones del mundo material que son efímeras y sólo harán que retrases tu camino.

Los Trabajadores de la Última Hora
(¡Es Nuestro Turno Para Trabajar!)

Esta parábola del Divino Maestre es una de mis favoritas porque contiene las claves para comprender aquello que Dios espera de nosotros. En ella, Jesús nos cuenta que el reino de los cielos es igual a un hombre de familia que salió una mañana muy temprano a ajustar trabajadores para su viña.

Acordó con ellos que les pagaría un denario por día (denario era la moneda que se usaba en aquella época y lugar) a cambio de su trabajo.

Y entonces los puso a trabajar en su viña.

Tres horas después, el mismo hombre vio a otros hombres en la plaza que estaban desocupados. Les ofreció también que trabajaran para él, y a cambio recibirían lo que fuera justo por su trabajo. Ellos aceptaron y se unieron a los primeros que ya estaban trabajando desde más temprano.

Más tarde, cuando habían ya pasado seis horas desde la primera vez en que había salido a buscar trabajadores, volvió a salir. Una vez más, encontró más hombres sin nada que hacer. De la misma forma en que había hecho con todos los anteriores, les ofreció trabajo en su viña.

Éstos también aceptaron y se unieron a los dos grupos de trabajadores que anteriormente ya habían comenzado a trabajar.

Pasó más tiempo, y cuando ya casi la jornada terminaba, salió de nuevo y volvió a encontrar hombres sin trabajo que se encontraban sin hacer nada.

Les preguntó por qué estaban ahí sin hacer nada durante todo el día. Ellos le respondieron que estaban ahí porque nadie les había dado trabajo a pesar de haber estado listos para trabajar desde muy temprano.

Entonces, a ellos también les ofreció trabajo en su viña, a pesar de lo avanzado del día, y que éste estaba por terminar. Así que este grupo de hombres también se dirigió a la viña del hombre de familia y se unieron a los demás grupos que ya estaban ahí trabajando desde más temprano.

Cuando llegó la noche, y con ella, la hora de dar por terminada la jornada de trabajo, el dueño de la viña le dijo a su encargado que llamara a todos los hombres que habían trabajado aquel día para él.

Le pidió que les pagara la jornada, comenzando por los últimos que había contratado y terminando por los primeros.

Así que llegó el grupo de hombres que había sido contratado para trabajar casi al final del día, y el dueño de la viña les pagó a cada uno un denario.

Aquellos que habían estado trabajando desde muy temprano vieron que a los que trabajaron por sólo la última parte del día se les estaba pagando un denario - la misma cantidad que a ellos se les había ofrecido por todo el día. Por lo tanto, pensaron que recibirían una cantidad de dinero más alta que la que habían acordado.

Pero grande fue su sorpresa cuando a ellos, que habían trabajado todo el día bajo el calor del sol, les fue dado sólo un denario a cada uno.

Este grupo de hombres se sintieron inconformes y comenzaron a murmurar entre ellos en contra del hombre que los había contratado. Les parecía injusto que les pagaran lo mismo que les habían pagado a aquellos que tan sólo habían trabajado la última hora.

Entonces, el dueño de la viña les dijo: *"Amigo, ¿acaso no acordamos que te pagaría un denario por tu trabajo durante todo el día? Entonces toma tu denario y sigue tu camino, pues yo quiero pagarle lo mismo a este grupo de hombres que llegaron a trabajar al final del día. ¿Acaso no puedo hacer lo que quiera con mi propio dinero? ¿Acaso mi bondad te hace sentir rencor en contra mía?"*

Esta parábola simboliza que aquellos que comienzan su camino por el sendero de la luz, aunque sea tarde, valdrán tanto como aquellos que lo hicieron desde el primer momento.

Dios es infinito en todos sus aspectos. Su misericordia y amor lo son también.

El Divino Maestre gustaba de los símbolos y los usaba mediante un lenguaje simple y fácilmente entendible por nuestros hermanos de aquella época.

Con esta parábola simbolizó a los profetas como los trabajadores que comenzaron a trabajar desde la primera hora, incluyendo desde Moisés, hasta todos aquellos mensajeros e iniciadores que han sido parte de la evolución del planeta.

Entre ellos están los científicos, filósofos, guías espirituales, líderes religiosos y en general, todos aquellos que han iniciado el cambio planetario marcándonos el camino a seguir para una evolución sin fronteras.

Los Últimos Serán los Primeros
(Aún Hay Tiempo para Triunfar)

Así, podemos ver que "los últimos serán los primeros, y los primeros serán los últimos." Porque, "muchos son los llamados, pero pocos son los escogidos."

Esta parábola es maravillosa porque en ella podemos ver que en realidad los últimos de la fila podrán ser los primeros en recibir su salario espiritual si se esfuerzan y albergan buenas intenciones en su interior.

Dios toma en cuenta la voluntad que tengamos a la hora de pedirle algo. Es fácil querer trabajar y quedarse en casa tan sólo planeando hacerlo. Esto sucede muy a menudo.

Lo podemos ver en la gran cantidad de personas que se pasa la vida hablando sobre sus planes de realizar esto o aquello pero jamás ponen manos a la obra.

Esto es un ejemplo más de aquellos que se estacionan en su progreso espiritual, perdiendo así un tiempo precioso para evolucionar y caminar en pos de su felicidad verdadera.

El caso de los trabajadores que estaban desde temprano buscando trabajo y lo consiguieron, simboliza a aquellos de nosotros que estamos siempre dispuestos a progresar y "madrugamos" para iniciar los trabajos de inmediato.

Dios siempre nos recompensará, como el hombre de familia hizo con los primeros trabajadores que llegaron a su viña.

En el caso de los trabajadores de la última hora, que tan sólo tuvieron que trabajar una hora para recibir el mismo pago que recibieron aquellos que trabajaron todo el día, recordemos que éstos no comenzaron al final del día porque hubieran llegado tarde a buscar el trabajo.

Ellos, al igual que el grupo de trabajadores contratados al principio del día, estuvieron desde muy temprano buscando trabajar pero sólo consiguieron encontrar a quien les contratara al final del día.

Lo que cuenta en este caso es la voluntad y disposición de servir y crecer por medio del esfuerzo y el trabajo positivos.

Si éstos trabajadores de la última hora se hubieran levantado tarde, hubieran descansado parte del día y sólo por la tarde o noche hubieran salido a buscar trabajo, entonces su recompensa hubiera sido muy diferente.

Sólo aquellos dispuestos a vencer, podrán recibir las perlas de la satisfacción de un trabajo exitoso y bien realizado.

Es vital que entiendas que aquellos que no se esfuercen en hacer de su día lo mejor que sus capacidades les permitan, no recibirán su justo salario.

Cada día que tengas la oportunidad de existir y avanzar en tu vida, debes utilizar estas capacidades en algo de provecho.

Pero hay personas que desperdician sus vidas cometiendo actos negativos, perdiendo la oportunidad de hacer el bien, dejando que la pereza se encargue de sus horas vacías y ociosas.

También hay otras que han utilizado sus talentos y capacidades en actos poco loables, han ensuciado el nombre de sus hermanos hablando a sus espaldas y no han aprovechado todo aquello que Dios les dio para su propio mejoramiento espiritual y el de sus hermanos.

Estas personas tendrán que enfrentarse a pruebas expiatorias donde carecerán de aquello que antes les había sido otorgado, para que así lo valoren y hagan buen uso de ello la próxima vez que puedan volver a recuperarlo.

Éstos últimos serán hermanos que llegarán a la última hora, pretendiendo que El Creador los incluya en Su obra del día. Pero les será negada esa oportunidad y tendrán que volver a ganarse el privilegio de que lograron aquellos que estuvieron listos y dispuestos desde el principio del día.

Pero no debes dejar que la angustia te tome por sorpresa. No importa cuánto tiempo que hayas desperdiciado en el pasado.

272

Recuerda que La Divinidad siempre nos da nuevas oportunidades si demostramos arrepentimiento y sincero deseo de reparar nuestras faltas.

¡Sé como los "Trabajadores de la Última Hora", siempre dispuestos a trabajar duro por un justo salario!

¡El pago a tu trabajo será incalculable y majestuoso! Y te sobrará para tus siguientes encarnaciones también.

Hemos sido llamados a trabajar en esta Obra Divina desde hace mucho tiempo.

¡No dejemos esperando a aquel que nos ha mostrado el camino y que es ejemplo de amor infinito, caridad sin fin y verdadera misericordia!

Sigue caminando, estamos cerca...

CAPÍTULO 19

EL CÁNTARO SAGRADO DE TU MENTE
(Un Mundo Interior)

El Maestro Iluminado
(Aprendiendo a Meditar)

Hace muchos años, trabajé en una obra de teatro que se llamó "El Pozo de La Soledad." Ahí conocí a una persona que, al conocer mi pasión por las Artes Marciales, me invitó a conocer a un maestro iluminado del arte y la filosofía del Zen-Do.

El nombre de este maestro era Ejo Takata Sensei.

Toda mi vida he sido un practicante de diferentes Artes Marciales. Cuando era yo muy pequeño, mi padre hizo algo que toda la vida le he agradecido. Me metió a entrenar en la primera de estas artes que fue la disciplina Japonesa del Ju-Do.

Al pasar de los años logré obtener mi Cinta Negra en ese arte marcial. Después me inicié en dos artes marciales Coreanas que son el Tae Kwon Do y el Kum-Do (el arte de la espada Coreana), donde también logré cintas negras.

Peleé Full Contact profesionalmente, que en esa época era una combinación de Tae Kwon Do y box. Incursioné en algunas otras disciplinas para poder complementar mis otros conocimientos.

Las artes marciales siempre han sido para mí un medio de autoconocimiento interior. Por medio de su práctica seria y enorme disciplina, es posible sumergirse en el interior del "Yo" y profundizar en el camino sagrado del Guerrero Interior.

Por medio de estas disciplinas he logrado aprender que no importa cuán difícil nos parezca un reto o cuán grande parezcan los muros que se yerguen ante nosotros en diferentes situaciones de la vida.

Siempre existe un camino para conquistar los obstáculos que se nos presentan. Usualmente las barreras no son tan enormes como lo parecen y son nuestros miedos y complejos los que hacen que veamos los problemas más grandes de lo que en realidad son.

Por eso, ya te imaginarás mi gran emoción al tener la posibilidad de conocer personalmente a una leyenda viva que era Takata Sensei. Y así, un buen día, me recibió en su estudio de Acupuntura en el sur de la Ciudad de México.

Cuando lo conocí, pude entender la grandeza de este maestro iluminado. Lo primero que hizo fue contarme una historia de algo que esa mañana le había acontecido.

Me dijo que unos perros empezaron a ladrarle y a perseguirlo cuando se dirigía a pie a su estudio. Y él, tan sólo con un grito de "hombre desquiciado y cara de loco" (en ese momento demostró el grito y la cara para ilustrar la historia), hizo que los perros se echaran a correr.

Se echó a reír a carcajadas de su propia historia. Su risa, además de contagiosa, era una de las más bellas que había presenciado. Parecía que emanaba luz a través de su alegre energía.

Cada vez que hablaba, con el dedo índice golpeaba la mesa que estaba entre él y yo. Y con cada contacto de su dedo, la mesa temblaba como si hubiera sido golpeada por un pesado mazo.

Así era la fuerza impresionante de este hombre que, además de ser un gigante espiritual, era también un verdadero maestro de diversas artes marciales.

Su parecido con los típicos estereotipos que vemos en las películas - un hombre pequeño y aparentemente insignificante quien resulta ser todo un guerrero con la fuerza de varios hombres y el corazón y la dulzura de un niño - me hizo ver cuán afortunado había sido yo aquel día por haberle conocido.

276

Así pues, después de algún tiempo durante el cual me preguntó muchas cosas sobre mi vida (aunque creo que se estaba divirtiendo conmigo porque él no necesitaba preguntarme nada para desnudar mi alma), terminó aquella entrevista.

Me dijo que me aceptaba como discípulo y que nos veríamos al día siguiente... a las cuatro de la mañana.

En esa época yo no tenía carro. Me transportaba por toda la ciudad de México (la más grande del mundo) en bicicleta. Así que para llegar puntual a la cita con mi nuevo maestro Zen, tendría que salir de mi casa al menos con una hora de anticipación.

Cuando llegué a la práctica del primer día, lo primero que me dijeron era que tenía que barrer las hojas que se acumulaban afuera del estudio. Yo aún no entendía mucho el significado de este recibimiento y lo hice con agrado.

A un maestro de arte marcial no se le dice que no. Además sabía que muchos de ellos empiezan con este tipo de actividades para ir preparando la mente antes de la práctica real.

Después de haber dejado todo limpísimo, me pidieron que entrara al lugar donde habría de iniciar mis meditaciones. Tuve que pasar ahí 3 horas sin moverme, a riesgo de que me dieran con una vara en caso de que así lo hiciera.

Después de un tiempo que parecía interminable, el maravilloso sonido de un gong se escuchó dando así por terminada la sesión del día.

Te imaginarás lo difícil de esta práctica para alguien que en ese entonces no tenía la más mínima experiencia en ningún tipo de meditación. ¡Ni siquiera dormido podía mantenerme quieto!

Después de algún tiempo, mi desempeño fue mejorando. Sin embargo, por varias semanas estuve caminando raro debido a la postura de loto y la falta de movimiento diario durante las meditaciones.

¡Apaga la Televisión!
(El Silencio Es Una Oración)

Qué difícil es estar en silencio, ¿verdad? ¿Cuántas veces llegas a tu casa después de un día de trabajo o estudio, y lo primero que haces es prender el televisor para "acompañarte" aunque no le estés prestando atención? ¿Y qué me dices de las veces que vas en el carro? ¿Acaso no te entra una especie de desesperación si no tienes la radio encendida?

Esto sucede porque nos hemos mal-acostumbrado a evitar el silencio, y por ende, la verdadera compañía de quien ha de estar a nuestro lado la vida entera: Nosotros mismos.

Cuando estamos en silencio, en realidad lo que sucede es que nos quedamos a solas con nuestros pensamientos. Todo el poder de nuestra identidad se hace presente en un instante.

Quienes no están satisfechos consigo mismos usualmente no soportan estar en silencio y mucho menos estar quietos sin moverse. Es por eso que meditar y orar, forman parte esencial de nuestro desarrollo integral, y sobre todo de nuestra evolución espiritual.

Cuando meditamos u oramos, abrimos canales receptores y emisores de comunicación con el mundo espiritual.

Hemos visto que siempre estamos siendo influenciados por nuestros hermanos espirituales. También estamos siempre plasmando pensamientos, emociones e ideas en la Psicoesfera mental.

En el caso de la meditación y la oración, lo que sucede es que estas comunicaciones se hacen de manera consciente. Tenemos el poder de "quitar obstáculos" que "ensucien la transmisión y recepción" de pensamientos e ideas.

Para meditar no necesitas de una práctica tan dura y ortodoxa como la del Zen-Do. Lo que necesitas es comenzar a entender la importancia de estar en silencio y aprender a sentirte cómodo mientras lo haces.

Si alguna vez has intentado meditar, seguramente te has dado cuenta de lo difícil que es lograr aquietar la mente. Usualmente nos llegan montones de ideas de todos tipos, colores y sabores, que no nos permiten relajarnos ni entrar en un estado de paz.

¿Y qué me dices de la súbita comezón que empieza en todo el cuerpo? Pareciera que nos empiezan a subir hormiguitas por todas partes y no conseguimos quedarnos quietos por más de un minuto o dos, ¿verdad?

El silencio es una oración. Al estar en completo silencio, permitimos a nuestra mente "escuchar" mensajes provenientes del plano espiritual, así como también escucharnos a nosotros mismos.

¿Cuántas veces has tenido algún problema que te preocupa, y cuando vas y se lo cuentas a algún amigo, después te sientes mucho mejor?

Esto no sucede solamente porque estés desahogándote. Al hablar de aquello que te está perturbando, te estás al mismo tiempo escuchando. Por lo tanto consigues ver el problema en cuestión desde un ángulo por el cual no habías conseguido verlo antes.

De esa forma, frecuentemente consigues descubrir soluciones que antes no se te habían ocurrido y que muchas veces ocurren sólo a nivel subconsciente para después manifestarse en tu mente consciente.

Lo mismo sucede cuando oramos en silencio. Cuando lo hacemos, tenemos la oportunidad de "escucharnos." Podemos descubrir que al igual que aquellos muros que se ven mayores de lo que en realidad son, desde la mente en oración, las circunstancias de tu vida se transforman en su tamaño real. Esto te permite desahogarte y también encontrar soluciones mediante la influencia de los buenos espíritus.

Por eso te pido que a partir de este momento te comprometas a comenzar a disfrutar de tu compañía en silencio. Entiendo que a veces esto sea imposible debido a las circunstancias de la vida diaria y las personas que vivan con nosotros.

Comienza a darte un tiempo todas las mañanas y todas las noches antes de dormir para que practiques este lapso de tiempo que debe ser sagrado para ti.

No necesitas dedicar demasiado tiempo a esto. Puedes empezar con tan sólo 5 minutos diarios e ir incrementando el tiempo conforme vayas sintiéndote mas cómodo con esta práctica.

Busca momentos en que estés a solas durante el día, tal vez durante un descanso del trabajo o estudio, para que disfrutes del silencio y de la paz que éste trae consigo.

Verás que poco a poco te irás acostumbrando. Podrás iniciar tus meditaciones cada vez más a menudo hasta llegar a dominarlas por completo.

(El Mono Loco)
(Domando La Mente Inquieta)

Dicen que tratar de aquietar la mente es como querer domar a un mono loco que se ha escapado y se ha metido a una tienda de cristales.

Seguramente lo destruirá todo antes de que podamos impedirlo. Pero como todo en la vida, dominar los pensamientos y aquietar la mente a la hora de meditar, es cuestión de paciencia y voluntad.

¿Qué es exactamente la meditación? Bueno, hay muy variados y diferentes tipos de meditación.

Meditar puede ir desde algo tan simple como sentarse en silencio, cómodamente en algún lugar pacífico, hasta algo tan duro y ortodoxo como lo que te conté de mi experiencia en la meditación Zen.

Desde el punto de vista Budista, la meditación es una disciplina espiritual que nos permite algún nivel de control sobre nuestros pensamientos y emociones.

El Budismo nos dice que en un estado mental normal, nuestros pensamientos se descontrolan. Al faltarnos disciplina para dominarlos, no somos capaces de controlarlos. Al igual que el ejemplo del mono loco, van de un lugar a otro sin poder quedarse quietos.

280

Como hemos visto a lo largo de este libro, existe en la Psicoesfera mental una gran cantidad de pensamientos y emociones negativas. Éstos contaminan nuestro entorno y hacen más difícil la práctica de la meditación.

Si pensamos en este ejercicio como una técnica para sacar los pensamientos negativos y reemplazarlos por pensamientos positivos, habremos ganado gran parte de la batalla.

El Cántaro Sagrado
(Calmando las Aguas)

La meta a conseguir será la de tener una mente serena como la de un lago en calma. Al principio será como cuando arrojamos pesadas piedras al agua. Las piedras causan con ello ondas que van del centro donde caen hacia fuera, contaminándolo todo.

Debemos tomar el tiempo suficiente limpiar el cántaro sagrado de nuestra mente, sacando el agua sucia y reemplazándola por agua pura, y asegurarnos de que no se ensucie más.

De esta forma, habremos conseguido purificar el centro de nuestros pensamientos. Así, recibiremos y emitiremos comunicaciones y pensamientos de alto contenido vibracional hacia ambos planos: el material y el espiritual.

Esto es más fácil de lo que ahora te parece. Te aseguro que si comienzas a hacerlo todos los días, poco a poco, y vas aumentando tu meditación conforme a la guía que aquí te estamos entregando, muy pronto habrás domado al "mono loco" y purificado tu "centro de comunicaciones" con efectos maravillosos en ambos tu espíritu y tu cuerpo.

El medio de comunicación del espíritu es la mente. Una mente contaminada o perturbada no podrá comunicar lo que precisa. Y más importante aún, no podrá recibir nítidamente los consejos de aquellos que, desde el plano sublime del mundo espiritual, nos cuidan, guían y protegen en nuestro camino encarnatorio a fines de vernos triunfar y llegar a la meta satisfechos y felices.

Técnica de Meditación
(Enfoca tus Pensamientos)

Una técnica que te propongo, es que escojas un objeto específico y empieces a entrenar tu mente al mismo tiempo que desarrollas la capacidad de mantener la atención concentrada en ese objeto.

Es importante que escojas un objetivo de meditación que no excite ninguna emoción que pueda perturbar tu equilibrio espiritual. Por ejemplo, no medites sobre alguna persona o situación que te causa estrés o de lo contrario, empezarás a generar sentimientos y emociones desagradables y negativos.

Tampoco te concentres en una persona por la cual sientas alguna atracción porque podrías empezar a sentir deseo sexual. Este deseo crearía un efecto contrario al que estarías buscando por medio de este ejercicio.

Busca algo que te haga sentir bien, que te de paz y que te haga vibrar en altos niveles de energía positiva.

¿Recuerdas cuando fue la última vez que te quedaste con la mirada fija, mirando a nada en particular, como si tu espíritu se hubiera ido lejos de ahí? Bueno, pues esa es la capacidad natural de tu espíritu de emanciparse. Tienes que entrenar tu mente para poder controlarlo y hacerlo a voluntad.

Imagínate lo maravilloso que sería si, cada vez que así lo decidiéramos, pudiéramos hablar con nuestros guías espirituales, nuestro ángel de la guarda y todos aquellos espíritus que pueblan el mundo espiritual y el planeta Tierra.

Tendrías la oportunidad de desarrollar tus talentos y todo aquello que te propusieras con semejante "grupo de consejeros" a tu disposición. ¿No crees?

Pero no pensemos en esto como algo que de manera egoísta podríamos usar a nuestro favor y para nuestro beneficio particular. La meditación es un medio poderosísimo para entender el mundo en el que vivimos y el origen de nuestros problemas.

Es también una gran herramienta para hacer verdadero uso de nuestra capacidad de elección en cuanto a las decisiones que deberemos tomar para solucionar esos problemas.

Pero habremos de tomar decisiones acertadas, apoyadas en la sabiduría que haga que nuestro progreso espiritual sea efectuado de la mejor manera posible.

Conforme vayas progresando en tu práctica meditativa, quiero que empieces a cambiar los objetos de tu atención durante la meditación. Quiero que comiences a concentrarte en las "Herramientas Para Ser Feliz" que hemos visto en capítulos anteriores, así como en los demás conceptos que hemos visto a lo largo de este camino que hemos estado recorriendo juntos.

Te invito pues, a que comiences a meditar todos los días por unos cuantos minutos y empieces a disfrutar del proceso.

Te aseguro que será una experiencia muy agradable e interesante para ti. Comenzarás a notar un cambio en tu manera de ver el mundo a tu alrededor.

Tu mirada se hará más amplia y mucho más clara. Las personas que estén cerca notarán que "algo" ha cambiado en ti de manera positiva, sin saber qué es exactamente lo que ha ocurrido.

En cuanto sientas que puedes ya dominar tu mente por algún tiempo, aunque sea corto, quiero que empieces a meditar sobre:

- El Amor
- La Compasión
- La Caridad
- El Perdón
- La Fe
- Piedad

¡Cuida entonces tu "cántaro sagrado" y entrena tu mente para que se convierta, junto con tu alma, en un faro que pueda guiar a aquellos hermanos del planeta a que aprovechen las joyas de sabiduría y virtudes que puedas entregarles!

Aprendiendo a Pensar
(Los 4 Estados de Consciencia)

El hecho de estar leyendo este libro demuestra que tienes la facultad de pensar. Sin esta capacidad, no podrías haber decidido abrirlo y estar leyendo estas palabras. Esta facultad es esencial para el tema que estamos aquí tratando, ya que, junto con el libre albedrío, te permitirán escoger la manera en que has de pensar de aquí para adelante.

Existen 4 estados de consciencia por donde transitan nuestras mentes. Estos estados de consciencia dependerán del grado y nivel de evolución que tengamos, que además puede ser desarrollado por medio de la meditación.

Es de gran importancia entender estos estados de consciencia para poder transferir el equilibrio de uno a otro, al mismo tiempo que mantenemos nuestro bienestar entre ellos.

Nuestro espíritu se vale del cerebro para poder expresar las ideas y, al mismo tiempo, para captar y entender aquellas que nos son transmitidas.

Los 4 estados de consciencia son:

1. La Mente Consciente (Lucidez)	**3.** Consciencia Paranormal
2. La Mente Consciente (Somnolencia)	**4.** Consciencia Mística

La Mente Consciente en Lucidez
(Del la Cintura para Hacia Arriba)

La mente consciente puede existir ya sea cuando estamos despiertos o cuando dormimos.

Este estado de consciencia es resultado de la educación que le demos a nuestra voluntad. Dependiendo de la disciplina y el esfuerzo que hagamos para lograr la lucidez lógica, podremos llegar a evitar las distracciones que nuestra realidad material ejerce sobre nosotros, conquistando así el control sobre nuestra manera de pensar.

A este tipo de personas se les llama "Gente Psicológica." A pesar de que aún no pueden librarse de las funciones orgánicas del cuerpo físico, ya actúan a través de la razón.

Buscan los logros de los ideales que les causan las emociones de aquello que es bello, elevado y que se encuentra en alto nivel vibratorio con las cosas buenas y pertenecientes a la paz espiritual. Este grupo pertenece a quienes viven especialmente del estómago hacia arriba, conducidos principalmente por las funciones mentales.

La Mente Consciente en Somnolencia
(De la Cintura Hacia Abajo)

El estado de somnolencia no tiene nada que ver con estar dormidos o despiertos aunque puede suceder en ambos estados.

Este estado de consciencia es en el cual están la mayoría de las personas. Este estado resulta de la falta de hábito de practicar la meditación superior.

La falta de disciplina referente a nuestros pensamientos y la escasa voluntad sobre nuestros actos y manera de vivir afectan nuestra mente. Causan que ésta se mantenga alejada de las ideas nobles y de pensamientos constructivos al no prepararse ni estudiar.

De tal manera que resulta en una existencia donde la persona vive como ausente, tan sólo "flotando", estacionada en su evolución y viendo pasar la vida frente a sí.

Por eso se le llama "Estado de Somnolencia." La persona, a pesar de estar despierta, pareciera que pasa el tiempo dormida, mientras su vida se le escapa de las manos.

A este tipo de personas se les llama "Gente Fisiológica." Viven alrededor de los placeres y manifestaciones que tengan que ver con las áreas del estómago hacia abajo. Son aquellos que se complacen tan sólo en comer,

285

dormir, procrear y gozar. Funcionan mediante el aparato fisiológico y sus funciones automáticas.

Éstos son quienes aún mantienen los atavismos y no progresan. Guían sus comportamientos por el Instinto Físico y se conducen por las funciones físicas.

Por otro lado, aquellos que pertenecen al grupo de la "Gente Psicológica" controlan con firmeza su vehículo físico, dirigiendo sus manifestaciones instintivas y viviendo para el idealismo.

Consciencia Paranormal
(Estado Mediúmnico)

A medida que la consciencia va despertando, haciéndose más lúcida, el estado de Somnolencia se va transformando hasta avanzar hacia el estado de consciencia Paranormal.

Es en este estado en el cual se encuentran aquellos fenómenos mediúmnicos que requieren de la anulación de la personalidad para poder manifestarse.

Es en este campo vibratorio donde se propicia el intercambio con la realidad paranormal. En este estado, el ser consciente no piensa ni actúa. Se encuentra en una especie de trance.

Pero mantiene la percepción ampliada gracias a la educación mental que le ha abierto aquellos horizontes a los cuales antes no estaba habituado, facilitando así la captación de las ideas provenientes del plano espiritual.

Es en este estado de consciencia que se abre un campo de sintonía con los espíritus desencarnados, gracias a la radiación de sus fuerzas psíquicas, siendo éstas, exteriorizadas a través del Periespíritu.

Para poder llegar a este estado es preciso gran esfuerzo y disciplina que se adquieren por medio de la meditación. De esta forma la consciencia se eleva a la adquisición de una estructura paranormal o mediúmnica.

Consciencia Mística
(Estado de Iluminación)

El último y más alto estado de consciencia al cual podemos llegar en este plano en el cual nos movemos, es el estado de Consciencia Mística.

Por favor no entiendas como Místico, aquella expresión vulgar que se refiere a supersticiones y a contemplación inútil que algunas personas confunden con verdadera evolución espiritual.

La Consciencia Mística es aquella en la cual aquel que haya llegado a ella, podrá comunicarse y moverse libremente a pesar de permanecer aún atado a la cárcel del cuerpo físico.

Esto es porque estará por encima de los límites cerebrales, liberándose así de las pesadas cargas de los anteriores estados de consciencia.

Son muy pocos quienes han logrado llegar a ese estado de consciencia superior. Entre ellos se encuentran: Buda, Krishna, Sócrates, San Francisco de Asís, La Madre Teresa de Calcuta, Allan Kardec, Albert Einstein, Francisco Cándido Xavier, Teresa de Ávila (Santa Teresa de Jesús) y Mahatma Ghandi, por mencionar tan sólo algunos.

Todos ellos, a pesar de las grandes diferencias en cuanto a sus culturas, actividades y conductas, vivían en el estado superior de consciencia mística. Se movían y actuaban en ondas mentales superiores a las de las demás criaturas como resultado de sus conquistas en encarnaciones anteriores.

Es por esa razón que se transformaron en guías y conductores del pensamiento humano. Se caracterizan por su abnegación, renunciamiento a los placeres personales y por la dedicación al bien de todos.

Sin embargo, y muy por encima de ellos, se encuentra el Divino Maestre Jesús, gobernador de este planeta, verdadero ejemplo de elevación moral y espiritual, con consciencia totalmente libre.

Vivió entre los hombres sin abandonarlos en ningún momento mientras se mantenía en perfecta sintonía con las más altas esferas del mundo espiritual.

Los diferentes estados de consciencia nos muestran los variados grados de evolución a los cuales pertenecemos todos los espíritus (encarnados o no).

Sus diferencias principales radican en que mientras todos somos impulsados siempre al progreso espiritual, aún existen muchos que se han quedado estacionados en un estado de atraso moral debido a que todavía no han podido soltarse de las cadenas que atan al cuerpo físico con las pasiones mundanas.

Cuando conseguimos sobreponernos a la pereza mental y nos atrevemos a luchar por nuestro desarrollo mental y espiritual, comenzamos a desarrollar un anhelo de superación. Este deseo de progreso nos hace caminar hacia arriba en camino a superiores estados de consciencia.

Este es un camino que evoluciona escalón a escalón y cuya conquista será de naturaleza interna.

Recuerda que tu avance es inevitable. Dependerá sólo de ti el tiempo que te tome llegar a la cima de la montaña desde donde podrás observar, con gran satisfacción, el camino recorrido y las conquistas logradas.

Cada amanecer trae un nuevo día, y con él, infinitas oportunidades para superarnos y ser mejores en todos aspectos.

¡Despierta! ¡El camino está listo para ser transitado! ¡Haz de este día, el primero del resto de tu vida!

CAPÍTULO 20

LÍNEA DIRECTA CON DIOS
(El Poder de la Oración)

¿Qué Estás Pidiendo?
(Que Quieres Qué?)

C uando yo tenía como 7 años, lo único que yo quería era: una armadura real de la Edad Media, con su espada (también original, por supuesto) y un smoking como el de James Bond.

Siempre pedía esto de cumpleaños y también a Papá Noel en mi lista de Navidad. Lo pedí durante muchos años y por más que insistí nunca lo recibí.

Cuando me hice un hombre y tuve el privilegio de ser padre, comencé a entender que muchas veces los hijos nos piden cosas que ellos desean con toda el alma, pero que no necesariamente son algo benéfico para ellos (o nuestro bolsillo).

Puedo imaginar la cara de mis padres cuando recibían mis peticiones. Seguramente habrán levantado los ojos al cielo y murmurado algo así como: "¡Este niño y sus cosas!"

Para mi limitado conocimiento acerca de las cosas del mundo, en ese entonces, pedir una armadura no tenía nada de extraordinario.

Sólo tenían que ir a la tienda y comprarla, ¿no?

Nunca se me ocurrió que para que mis padres hubieran podido comprar una armadura de la edad media, original con su espada y todo, habrían tenido que vender la casa.

En gran parte de los casos, nuestras peticiones son así de absurdas cuando oramos.

Ahora sabes que tu existencia actual es resultado de tus experiencias anteriores. Estás en un camino en el cual estás pasando por pruebas particulares y reparando faltas del pasado. Hay muchas cosas que pensamos que necesitamos para estar mejor.

Pero Dios, como un padre de infinita sabiduría y amor, sabe mejor que nosotros qué es lo que más nos conviene para estar bien y ser felices.

Por más que pidamos algo que no sería bueno para nosotros, no lo obtendremos. Ahora bien, hay muchas cosas que pedimos que pueden ser otorgadas. Pero primero tenemos que merecerlas juntando créditos en nuestra Hoja de Balance para así ser merecedores de ciertos privilegios.

Pero entendamos algo muy importante: Si bien orar para solicitar algún favor es totalmente aceptable, éste no debe ser el único motivo de nuestras oraciones y acercamiento a Dios.

Pedid, y Se Os Dará...
(Forma Correcta de Orar)

"Pedid, y se os dará; buscad y hallaréis; llamad, y se os abrirá."

Porque todo el que pide recibe; y el que busca, halla; y al que llame, se le abrirán las puertas del templo...

¿Puede existir una declaración más motivante que ésta que el Maestro Jesús nos entregó?

La promesa Divina de que nuestras plegarias sean escuchadas siempre es algo que no tiene punto de comparación con absolutamente nada que pudiera darnos cualquier tipo de felicidad. ¿No es así?

Pero, ¿qué quiso decir Jesús con tan hermosa afirmación?

Para comprender mejor, veamos a continuación una explicación de lo que Jesús quiso expresarnos:

- *"Pedid, y se os dará."* - Pedid la luz que debe iluminar vuestro camino, y os será dada; pedid la fuerza para resistir el mal, y la tendréis.

- *"Buscad y hallaréis."* - Pedid la asistencia de los buenos espíritus, y vendrán a acompañaros, y como el ángel a Tobías, os servirán de guías; pedid buenos consejos y nunca os serán rehusados.

- *"Llamad, y se os abrirá."* - Llamad a nuestra puerta y se os abrirá; pero llamad sinceramente, con fe, fervor y confianza, presentaos con humildad y no con arrogancia: sin esto quedaréis abandonados a vuestras propias fuerzas, y los mismos desengaños que tengáis serán el castigo de vuestro orgullo.

Cuando el Divino Maestre nos reveló la Oración Dominical, también conocida como "El Padre Nuestro", lo hizo tan sólo para darnos un ejemplo de cómo habremos de orar a nuestro Creador.

En esa magnífica y sublime oración, Jesús nos muestra los 3 elementos que toda oración debe contener:

1. Adoración
2. Petición
3. Agradecimiento

Adoración
(De Rodillas ante Él)

Debemos adorar al Señor en todo momento. Es Él quien no solamente nos ha creado sino que nos permite existir y caminar por el sendero de nuestras existencias. Él nos permite mejorar mediante Sus enseñanzas y las de sus Mensajeros Divinos.

¿Qué es adorar a Dios y cómo se consigue? Al elevar nuestros pensamientos hacia Él, conseguimos acercar nuestra alma al Creador.

Esta necesidad de adorar vive inmersa en nuestro código innato dentro de nuestra consciencia. Estamos "programados" para inclinarnos hacia aquellos que pueden protegernos.

Si investigas y analizas la historia, descubrirás que aunque es verdad que algunas personas se han proclamado "ateas", jamás han existido pueblos ateos. Simplemente no está grabado en nuestra esencia.

Para la mayoría de aquellos que aún dicen "no creer en la existencia de Dios", existe otro tipo de motivos que les hacen afirmar un disparate semejante.

Desde la noche de los tiempos, el ser humano ha comprendido que hay por encima de él, un Ser supremo.

Recordemos que para adorar, debe hacerse desde el interior de nuestro ser. La adoración externa, que se hace "para que todos vean", es en realidad una farsa basada en el deseo de mostrar algo que no se tiene.

La verdadera adoración se hace en silencio y con el corazón. Sin manifestaciones externas que anuncien a los demás "lo buenos que somos." Es muy fácil actuar en el camino de la vida, pero ni el mejor de los intérpretes podrá jamás engañar a Dios.

No quiero decir con esto que no podamos mostrar nuestro amor y adoración al Señor. Pero sólo debemos hacerlo si esto sirve de ejemplo y motivación para nuestros hermanos menos ilustrados.

¿Cuántas veces hemos visto a alguien en un templo o iglesia, de rodillas y mostrándose ante los demás como alguien piadoso y sensible y luego lo descubrimos en el mundo exterior siendo prepotente, agresivo o abusando de los demás?

Me recuerdan a los Fariseos de las parábolas de Jesús. En público hacían de todo para aparecer como los más fieles seguidores del Señor y en privado resultaban ser muy diferentes.

Siempre que hagas algo, como en este caso la oración, hazlo pensando que Dios te está mirando.

Petición
(No Pidas lo que No Seas Capaz de Dar)

Cuando pidamos algo, debemos estar seguros que se trata de aquello que realmente nos ayudará a mejorar y seguir adelante en nuestro camino evolutivo.

La oración es agradable a Dios cuando es hecha con fe, fervor y sinceridad. No creas que le conmueve la alguien que en su vida cotidiana haya mostrado ser vano, orgulloso y egoísta, a menos que lo que se está pidiendo sea perdón mediante un acto de sincero arrepentimiento y de verdadera humildad.

Cuando pidamos perdón por alguna falta cometida, deberemos saber que no lo obtendremos a menos que en verdad estemos dispuestos a mudar la conducta equivocada que nos hizo cometer dicha falta.

Las buenas acciones son la mejor oración porque para Dios valen más los actos que las palabras.

El primer elemento de cualquier oración es la sinceridad. La oración debe provenir de lo más profundo del corazón. De nada sirve recitar oraciones aprendidas de memoria. A Dios no le complace una oración dicha con la cabeza y sin sentimiento.

El recitar muchas palabras tampoco hará que nos dé lo que pedimos. La cantidad de palabras es totalmente irrelevante en comparación con la calidad de una oración corta hecha con el corazón.

En vez de pedir dinero para pagar nuestras deudas, pidamos sabiduría y energía para ganarnos ese dinero. En vez de pedir que alguna enfermedad, dolor o tragedia terminen, pidamos fortaleza ante la prueba a la cual nos enfrentamos. Pidamos ser capaces de salir de esta difícil situación sin murmurar contra el cielo.

Cuando pidas algo, asegúrate que eso que estás solicitando no pueda dañar, lastimar, ni hacer sentir mal a nadie. Asegúrate también, de que lo que pides no esté naciendo del egoísmo pero sí de tu deseo sincero de mejorar y cumplir tus obligaciones como transeúnte del Camino de la Luz.

Créeme cuando te digo que existen muchos que estarán escuchando tus súplicas. Ellos estarán también evaluando la justicia y el amor que demuestres para tus semejantes.

Recordemos que no podemos pedir algo que no somos capaces de dar. Así que no pidas a Dios que te perdone por algo si no eres capaz de perdonar a tus enemigos.

No pidas tampoco que te dé algo que no has sido capaz de dar a quien en su momento lo ha necesitado.

Sólo recibiremos aquello que seamos capaces de dar a los demás. Por eso, la Ley marca que mientras más des, más recibirás...

Agradecimiento
(Siempre Hay Algo Que Agradecer)

Normalmente consideramos como algo normal y hasta merecido por nosotros, todo aquello con lo que contamos - las cosas buenas que tenemos, los alimentos que podemos llevarnos a la boca, el trabajo que tengamos o la oportunidad de estudiar, el techo que tenemos para cubrirnos - en general, todas los regalos maravillosos con los que contamos.

Pero en cuanto perdemos alguno de ellos, inmediatamente levantamos la voz al cielo e imploramos desesperadamente por ayuda para que todo vuelva a la normalidad. ¿No es así?

¿Por qué funcionamos con tal egoísmo? ¿Acaso no nos damos cuenta de que en el mismo planeta en el cual vivimos, e inclusive a muy poca distancia de nuestros propios hogares, se encuentran hermanos menos afortunados que nosotros quienes no tienen nada de lo que ahora disfrutamos?

¿Seremos tan ciegos para no ver que el sólo hecho de poder ver, oír, caminar, levantarnos de la cama cada mañana, y tantas otras cosas que consideramos "normales", son verdaderos lujos y hasta fantasías para millones de hermanos?

Debemos comenzar por agradecer cada mañana por el milagro de la vida. No importa cuán difícil sea la situación particular por la cual estemos pasando en ese momento. Existen muchos otros milagros que podemos disfrutar y por los que debemos agradecer.

Cuando te levantes por la mañana, agradece por el nuevo día. Agradece también por la noche de sueño reparador donde tuviste la oportunidad de recuperar tus fuerzas físicas y psíquicas. Siéntete agradecido por las oportunidades que se te presentan a lo largo del día para servir a tus vecinos en este planeta.

Hablando Con Nuestros Guías
(Comunicación Mental)

Orar es la manera de comunicarnos con el mundo espiritual superior por medio de la telepatía impulsada a través de nuestras emociones y sentimientos.

Cuando oramos, entramos en una especie de estado meditativo. Hacemos uso de nuestra energía vital para transmitir pensamientos con otros espíritus, siendo Dios el primero a quien deben ser dirigidas nuestras oraciones.

La oración es una invocación. Las oraciones dirigidas a Dios son escuchadas por aquellos espíritus que están a cargo de ejecutar Su voluntad. Las que se dirigen a nuestro Ángel de la Guarda, nuestros Espíritus Protectores o a cualquier espíritu de luz, son transmitidas a Dios.

Cuando se ruega a otros espíritus como por ejemplo santos, vírgenes, ángeles, etc., sólo es con el titulo de intermediarios o intercesores. Nada acontece sin el permiso de Dios.

Es por eso que las oraciones serán más eficaces cuando tengan una motivación que merezca la aprobación del Señor.

Así como en este plano vivimos en la atmósfera terrestre, también compartimos medios de comunicación con el plano espiritual mediante el fluido universal que ocupa el espacio.

295

Este fluido es el vehículo del pensamiento, de igual forma en que el aire es vehículo del sonido. La diferencia entre ambas radica en que en la primera, el vehículo se extiende hasta el infinito, mientras en la segunda, tiene límites circunscritos por la geografía del planeta.

Esta comunicación se inicia por medio del impulso que le damos con la voluntad. Cuando se establece comunicación entre un espíritu encarnado y un espíritu desencarnado, sucede por medio de una corriente fluídica que comunica los pensamientos de la misma forma que el aire transmite las ondas vibratorias del sonido.

¿Has Olvidado A Tus Hermanos?
(Hacer el Bien Sin Mirar a Quien)

No tiene nada de malo pedir por nosotros pero, ¿y los demás? Si bien Dios escucha nuestros pedidos cuando se hacen para nosotros mismos, le es muy agradable ver que pedimos por nuestro prójimo.

Ahora bien, es obvio que pidamos por nuestros hijos, hermanos carnales, padres y demás familiares y amigos. Pero cuando lo hacemos por completos desconocidos, estamos haciendo un acto de Caridad que es verdaderamente agradable a los ojos de La Divinidad.

Cuando hacemos algo con la motivación y deseo de hacer el bien, atraemos a aquellos espíritus de luz que se asocian al bien que queremos hacer. Tenemos el poder de accionar más allá de nuestra esfera corporal por medio del pensamiento y de la voluntad.

Cuando oramos de corazón y con sinceridad por alguien más, lo que hacemos es llamar a aquellos espíritus buenos que podrán sugerirle a esta persona por quien pedimos, ideas que le permitirán salir delante de sus problemas.

También le darán la fuerza, la entereza y la voluntad de vencer los obstáculos que le están estorbando.

La Oración y Nuestras Pruebas
(El Poder de la Resignación y la Intención)

Nuestras pruebas están en manos del Creador y sólo Él puede modificarlas o hacerlas más ligeras. Cuando oramos con verdadero fervor y sinceridad, Dios toma en cuenta nuestra resignación y las intenciones que motiven nuestras peticiones.

Recuerda: La oración atrae a aquellos espíritus elevados que nos darán fuerza para soportar nuestras pruebas con valor. Su inspiración y motivación harán que las pruebas y expiaciones nos parezcan menos duras.

Digamos que lo peor que puede pasar es que nos fortalezcamos y nos motivemos. Así que nunca se desperdiciará el tiempo que empleemos en orar, pero sólo si cumplimos con los requisitos que hemos hablado ya.

No olvides que Dios no va a cambiar la naturaleza de nuestras pruebas conforme a los caprichos de cada uno de sus hijos. ¿Te imaginas lo absurdo de algo así?

El orden del Universo no puede verse comprometido por peticiones infantiles que además contrarían los planes que se han trazado con anterioridad y, que como ya sabes, has definido tú conforme a tu pasado espiritual.

Pero si empleamos aquella frase que dice: "Ayúdate y el Cielo te ayudará", estaremos en el camino correcto para recibir ayuda del mundo espiritual.

No podemos pretender pedir alguna cosa y echarnos a dormir mientras acontece. De esa manera jamás se realizarán nuestras peticiones. Tenemos que hacer nuestra parte y entregar nuestro esfuerzo y dedicación a aquello que estemos solicitando.

Así que recuerda: No es preciso orar mucho, sino orar bien. Hazlo conforme a lo que aquí has aprendido y verás que los resultados comienzan a suceder frente a tus ojos. Tan sólo ten fe, camina por el sendero del bien y sigue las reglas cósmicas de amor, compasión, caridad y perdón. De esa manera estarás en camino a tu felicidad.

¿Por Qué A Veces No Recibimos Lo Que Pedimos?
(Dios Sabe lo Que Es Bueno para Nosotros)

Estamos acostumbrados a pedirle a Dios toda clase de cosas, situaciones y milagros. Muchas veces éstos no se cumplen. Entonces nos decepcionamos y se generan en nuestra cabeza ideas de que probablemente orar no sirve de nada porque por más que lo hacemos, nada cambia. ¿Te ha pasado esto?

¿Qué sucede cuando pedimos?

¿Será que la facultad de orar se le ha dado al ser humano tan sólo para pedir aquello que no tiene y que considera que necesita?

La oración hecha por una persona de bien tendrá más posibilidades de ser atendida que aquella hecha por una persona apegada a los vicios y la maldad. Usualmente éstos últimos piden tan sólo por medio de la articulación de palabras.

No existen impulsos de amor, caridad ni bondad en sus vibraciones y son estas virtudes las que le dan poder a nuestras peticiones.

Aunque Dios conoce nuestras necesidades y sufrimientos, recuerda que: "A quien no habla, Dios no lo oye." Si "nos ayudamos, Él nos ayudará."

Debemos hacer nuestra parte y expresar arrepentimiento de nuestras faltas. También debemos mostrar amor a la humanidad y un corazón puro que merezca que nos sean otorgadas nuestras peticiones.

Si mi hijo me pidiera una pistola, obviamente no se la daría, ¿verdad? De la misma manera, Dios conoce lo que es bueno para nosotros y lo que nos perjudicará.

Por eso, a veces cuando pedimos algo que a nuestro parecer es necesario para nuestra felicidad, Él sabe que no es así. Si nos lo concediera, sería nuestra perdición.

Usualmente cuando pedimos, tan sólo estamos viendo las necesidades del presente. No somos conscientes de nuestro futuro espiritual el cual no se reduce a unos cuantos años, sino a encarnaciones enteras.

Dios sabe lo que nos conviene. Muchas veces el sufrimiento es necesario para nuestra futura felicidad. A veces una persona enferma tiene que pasar por una dolorosa cirugía para poderse curar. De igual manera a veces nosotros necesitamos pasar por ciertas pruebas que nos permitirán ser felices en el futuro.

Lo que Dios siempre nos concederá, es valor, paciencia y resignación. También nos permitirá recibir medios para que nosotros mismos resolvamos los conflictos y problemas. Para ello nos ha dotado con las Facultades y Herramientas de Origen que hemos visto ya en capítulos anteriores.

El Poder de la Oración
(La Fuerza Está en el Interior)

El poder de la oración radica en el pensamiento. No se limita a las palabras que usemos, al lugar, al ritual ni al momento escogido para hacerla.

Por ello, se puede orar en cualquier parte, a cualquier hora, estando solos o acompañados, con ruido o sin él. Lo que importa son nuestro poder de concentración y la sinceridad del acto en sí.

Por supuesto que será más agradable orar en silencio y en un lugar donde nos sintamos a gusto y en paz. Pero independientemente de las circunstancias y del lugar, siempre se podrá orar a Dios y a los espíritus iluminados.

La oración en común es siempre una opción de gran poder. La asociación de varios corazones en conjunto por una causa elevada como lo es la oración, es muy poderosa por la unión existente entre hermanos a favor del bien común.

Reforma Íntima
(Transformación Espiritual)

De esta forma termina la cuarta parte de este libro. Estoy seguro que ahora tienes ya una visión muy diferente de la que tenías antes de comenzar a leerlo. Te felicito por tu empeño y ganas de conocer más acerca de la realidad espiritual en la que vivimos.

Para terminar este capítulo, quiero pedirte que medites acerca de todo lo que hasta aquí has aprendido. Ahora conoces la importancia de modificar nuestros pensamientos, actos y sentimientos hacia el mundo en general.

A partir de ahora, aléjate de todo aquello que no esté a la altura de la nueva persona en la que te has convertido. Lucha contra las pasiones del cuerpo físico y también contra aquellos defectos de espíritu que aún conservas.

Tu transformación será paulatina y debes mantenerte vigilante para no caer en tentaciones que sólo podrían contribuir a perderte y retrasar tu evolución.

Acércate a Dios, que siempre te espera con los brazos abiertos. Habla con tu Ángel de la Guarda para que te ilumine el camino a seguir.

Aún queda mucho por hacer, pero estás finalmente en el camino correcto. No debes permitir que nada ni nadie te desvíe.

Conviértete en una luz de esperanza, consuelo y abrigo para los corazones que aún se encuentran perdidos en el camino de las sensaciones. No olvides orar cada vez que puedas.

Continúa tus prácticas de meditación. Si no las has iniciado todavía, entonces empieza ya. No hay pretexto que pueda impedirte meditar por unos cuantos minutos cada día.

Analiza tus debilidades y reemplázalas con virtudes por medio de las facultades que Dios te ha dado.

No caigas en la tentación de sexo vulgar ni los deseos inferiores que sólo desgastarán tu energía vital, alejándote de los canales de comuni-

300

cación que tienes disponibles para recibir guía y consejos de tus hermanos mayores del plano espiritual.

Practica el perdón. Poco a poco verás que se hace más fácil la tarea hasta que se convertirá en un verdadero placer hacer el bien. Llegarás a ser capaz de amar a quienes te han hecho mal porque ahora comprendes su inferioridad moral y retraso evolutivo.

Abre tus brazos a los menos afortunados y conviértete en un remanso de paz para aquellos que a partir de ahora te verán con otros ojos. Verás que una luz comienza a generarse de tu interior. Esta luz será notada por quienes tengan la fortuna de compartir sus vidas contigo.

Cultiva la paciencia y sé tolerante con quienes aún permanecen en la oscuridad. Ellos también llegarán al lugar donde tú estás aunque aún les falte mucho por aprender. Abre el camino para quienes vienen detrás.

Que tus oídos sean sordos ante la calumnia. Compadécete de aquellos que precisan llamar la atención sobre sus fallas. Probablemente están tan solo pidiendo ayuda, sin saber como hacerlo. Sé tu quien les ayude a comprender esto.

Confía en Dios por sobre todas las cosas. Él jamás abandona a Sus hijos. Donde haya desarmonía, lleva la paz. Donde exista la tristeza, lleva un corazón alegre. Y cuando sientas que el cansancio te embriaga, recupera tus fuerzas por medio del sueño reparador y la oración. Ahora ya sabes lo que sucede cuando tu alma se emancipa durante el sueño.

¡Sé feliz! ¡Tienes frente a ti un futuro glorioso!

Persevera en tu lucha y no caigas víctima del orgullo. Vigílate siempre para no caer en comportamientos negativos. ¡Perteneces ahora a otro nivel y el camino que ahora transitas es uno de luz y bellezas incomparables!

El Camino de la Luz te da la bienvenida al grupo selecto de trabajadores del bien, cuyas recompensas y salario serán multiplicados conforme a sus obras.

¡Felicidades!

PARTE 4

LA TRANSFORMACIÓN DEL PLANETA

HACIA UNA NUEVA ERA

"No hay camino para la verdad, la verdad es el camino. Si quieres cambiar al mundo, cámbiate a ti mismo".

Mahatma Ghandi

CAPÍTULO 21

2012: ¿APOCALIPSIS O FANTASÍA?
(EL TAN TEMIDO FIN DE NUESTRA ERA)

Introducción a la Transformación de la Tierra
(Los Ciclos de la Vida)

Según cuenta la leyenda, el Ave Fénix es un ave majestuosa que simboliza la inmortalidad y el renacimiento. Es un ave que ha aparecido en varias culturas desde la más remota antigüedad.

Este ser mitológico un ave parecida al águila pero mayor en tamaño y de plumaje rojo anaranjado como el fuego. Es un ser mágico y fabuloso que cada 500 años se retira a lo alto de la montaña para consumirse en el fuego y así, renacer de sus propias cenizas.

De igual manera, todo en el cosmos cíclico. Todo tiene una duración marcada por las tres fases de la vida: nacimiento, desarrollo y muerte. Pero como ahora sabes, la muerte no existe. Y esta "muerte" no es más que un nuevo ciclo que empieza.

Durante mucho tiempo hemos venido escuchado sobre las predicciones acerca del final de nuestro mundo. ¿Te acuerdas cuando dijeron que el planeta se acabaría en el año 2000? Bueno, pues como te habrás dado cuenta, nada sucedió.

Por otra parte, tenemos infinidad de predicciones que apuntan al año 2012 - particularmente el día 21 de Diciembre - como una fecha en la cual algo de enorme magnitud irá a ocurrir.

Desde el apóstol Juan, pasando por los extraordinarios Mayas y las predicciones de Nostradamus, todos nos han advertido sobre un cambio importante que se avecina para el planeta.

La superstición, desinformación y falta de conocimientos han hecho que las personas, cada vez que se avecina algún cambio en sus vidas, imaginen lo peor. Las predicciones con respecto al 21 de Diciembre de 2012 son un claro ejemplo.

Es verdad es que se acerca un cambio de enorme importancia para el planeta. Está terminando un ciclo e iniciando otro. Estamos acercándonos al momento en que nuestro planeta habrá de sufrir una de sus más grandes transformaciones espirituales, y con ella vendrán grandes cambios que desde hace algunos años han venido aconteciendo.

La Transformación del planeta obedece a Leyes Universales y no a acontecimientos místicos ni sobrenaturales. No hay magia envuelta, ni marcianos maldosos, ni tampoco nada de lo que tantas sectas, grupos y demás "gurúes" han venido diciendo por décadas.

Mucha gente en todo el mundo ha interpretado este "cambio" como el fin del mundo y la exterminación de la raza humana. Pero antes de entrar en detalles, vamos a analizar las predicciones y cualquier respaldo científico que éstas puedan tener:

Análisis de las Predicciones
(¿El Fin del Mundo?)

Cuando Jesús nos dijo que *"Veríamos al sol perder su luz"*, vaticinó eventos como los tristemente ocurridos cuando cayeron bombas atómicas en Hiroshima y Nagasaki.

Cuando dijo que *"La luna se teñiría de sangre"*, podríamos decir que cuando se pensó en instalar misiles en la luna durante la famosa corrida armamentista, esto es lo que hubiera sucedido y todavía podría acontecer.

Existen infinidad de otras corrientes y creencias, religiones, doctrinas y demás líneas de pensamiento que han venido hablando sobre lo que se supone que sucederá en el año 2012.

Hay diversos acontecimientos astronómicos que ahora ya son conocidos por la ciencia y que confirman ciertos sucesos por acontecer en la fecha citada. Entre las diferentes predicciones que se han hecho, existen las que afirman que en esa fecha acontecerá el fin del mundo debido a una colisión de la tierra con otro objeto celeste o a un agujero negro que lo absorberá todo a su paso, incluyendo nuestro planeta.

Por su parte, expertos y estudiosos de diferentes disciplinas descartan cualquier tipo de catástrofe basada en estas predicciones, declarando que no existen fundamentos para estas afirmaciones.

De igual manera, astrónomos y científicos de diversas disciplinas han rechazado estos pronósticos apocalípticos, alegando que se trata tan sólo de "pseudo-ciencias" a las cuales no se les debe dar ninguna validez.

¿Qué Vaticinaron los Mayas?
(Profecías Ancestrales)

Los Mayas, conocidos por su extraordinaria precisión para predecir sucesos astronómicos, finalizaron su famoso Calendario Maya el 21 de Diciembre de 2012, que marca el final de un ciclo de 5,125 años de duración.

Las predicciones de la civilización Maya a este respecto están basadas en el hecho de que para ellos, concluye un período de tiempo en su calendario, cuyo nombre es el de B'ak'tun.

En el libro sagrado de los Mayas, que es el Popol Vuh, podemos leer acerca de "Las Edades del Mundo", donde afirman que el grupo étnico Maya Quiché fue el primero que vivió en el cuarto mundo.

Este libro dice que los p rimeros dioses crearon tres mundos que fallaron. Al crear el cuarto mundo, éste fue creado exitosamente y es donde la humanidad habita actualmente.

Este cuarto mundo terminará (según ellos) el 21 de Diciembre de 2012, que es cuando termina su 13° y último B'ak'tun, o ciclo, cuya duración fue de 5,125 años.

Recuerda que los Mayas no dijeron nada acerca del final de un mudo, sino del final de un ciclo. Esto ha sido corroborado por diversos eruditos en la

307

cultura Maya que afirman que la noción de un mundo finalizando es una invención moderna, pero que no proviene de los Mayas de manera alguna.

Lo mismo ha sido ratificado por la comunidad arqueológica. Reiteran que los Mayas no creyeron que el mundo terminaría en 2012, sino que para ellos esto era una celebración que tan sólo marca el fin de un ciclo.

¿Recuerdas que nada termina en la rueda de la vida? Si un ciclo finaliza, es porque uno nuevo comenzará. Esto es importante porque lo abordaremos más adelante.

En el Chilam Balam, que es una serie de historias proféticas de gran importancia de origen Maya, se hace constante mención acerca del decimotercer ciclo que está por terminar.

En una de las traducciones que se le han hecho, se puede leer textualmente:

"Pronto, el decimotercero B'ak'tun vendrá navegando, figurativamente hablando, trayendo los ornamentos que yo he mencionado de tus antepasados. Entonces, el dios vendrá a visitar a sus pequeños. Tal vez, "después de la muerte" será el tema de su discurso".

La Arqueóloga y Astrónoma Maud Worcester Makemson cree que los Mayas se referían al 21 de Diciembre de 2012 como el día en que un evento enormemente importante acontecerá.

Otra traducción de esta misma parte dice así:

"...como la llegada de trece barcos de vela. Cuando los capitanes se visten, sus padres serán tomados."

Como hemos visto, no hay nada concluyente en estos "vaticinios" y tan sólo estamos escribiendo esto para darte una idea más clara del origen de las llamadas "Predicciones Mayas."

El Famoso Nostradamus
(Misteriosos Presagios)

Michel de Nostredame, mejor conocido como Nostradamus, fue una especie de farmacéutico que nació en el año de 1503 en Francia. Cuando estaba en sus cuarenta y tantos años, desarrolló un interés en las ciencias ocultas y se hizo famoso por lo acertadas de sus profecías en aquella época.

Escribió un libro llamado "Las Profecías", que hasta el día de hoy, sigue vendiéndose. Como vivió durante la época en que la Inquisición quemaba a todo aquel de quien se sospechara cualquier comportamiento que no estuviera apegado a lo que ellos consideraran adecuado, tuvo que escribir sus predicciones en una especie de "clave" que tiene que ser descifrada.

Las predicciones de Nostradamus han sido muy populares a través de los tiempos ya que han sido bien interpretadas y aparentemente auguraron con gran precisión los acontecimientos a la Segunda Guerra Mundial, Hitler y así, una serie de eventos más.

Hay quienes, inclusive aseguran que los acontecimientos sucedidos en Nueva York, con la caída de las Torres Gemelas a través de un ataque terrorista, fueron de la misma forma pronosticados por este hombre.

Según los fanáticos de Nostradamus, en el 2012 un cometa chocará contra el planeta o pasará muy cerca de él, causando terremotos y cataclismos de gran envergadura.

A este respecto, Nostradamus escribió: *"En el cielo, serán vistas grandes bolas de fuego arrastrando un rastro de chispas."* Esto parece sugerir que se refiere a un cometa.

Existe otra teoría relacionada con este vidente que dice que lo que va a pasar es que un cometa pasará cerca de la atmósfera de la tierra, causando que un asteroide cambie su curso e impacte la tierra. Un impacto así, dicen quienes apoyan esta teoría, tendría el poder de varias bombas atómicas y causaría destrucción masiva.

Algunos añaden que las súper potencias de la tierra lanzarían misiles atómicos al espacio para destruir semejante asteroide. Pero que aún así, caería una lluvia de fragmentos encendidos al planeta.

Nostradamus añade: *"El Rey del terror vendrá desde el cielo. Él dará vida al Rey de los Mongoles."* La interpretación que se le ha dado a esto es que después de la destrucción que causaría el cometa, habría anarquía en la Tierra y que ciertas naciones tomarían ventaja de las demás, causando una tercera Guerra Mundial. Esto ha sido interpretado como que China ganaría prominencia y podría comenzar a atacar a otros países para ganar supremacía.

En su libro de "Profecías", también agrega: *"La Gran Estrella arderá por siete días"*, queriendo decir que el cometa estará cerca de la Tierra y a la vista, por ese número de días. Después añade: *"El enorme perro aullará por la noche, cuando el gran pontífice cambie de tierras."*

Este "gran perro" ha sido interpretado como la Gran Bretaña, quienes sugieren que será destruida. El "pontífice" se ha dicho que será el papa y que Roma también será destruida.

Como verás, también este famoso vidente y profeta dijo algo con respecto al año 2012. Veamos ahora que dicen algunos otros grupos acerca de esto:

Teorías Astronómicas Apocalípticas
(¿Fantasía o Realidad?)

John Major Jenkins, un investigador independiente que ha dedicado su vida a los estudios cosmológicos y filosóficos sobre la cultura Maya, afirmó que esta cultura tuvo la intención de finalizar su calendario en la fecha mencionada ya que en este día sucederá una alineación galáctica en la cual, la Tierra, el sol y la Vía Láctea estarán alineados por primera vez en 26,000 años.

Existen otras teorías que hablan de las eras astrológicas cuyos ciclos van marcando diferentes etapas en la evolución de la humanidad. En estas tradiciones, se afirma que está por terminar la Era de Piscis y habremos de iniciar la Era de Acuario.

Está la teoría de que el eje de la Tierra cambiará, y con ello vendrán catástrofes terribles.

310

También se dice que en la citada fecha ocurrirá una alineación específica entre constelaciones. Agregando que entre la constelación de Sagitario y la de Escorpio, estaría el centro de la galaxia y en ella una "Gran Grieta", como le llamaban los Mayas, la cual presagiaría una transición espiritual profunda para la humanidad.

Sin embargo, los astrónomos argumentan que el ecuador galáctico es una línea totalmente arbitraria que nunca podría determinarse con precisión, simplemente por la imposibilidad de saber en dónde empieza o termina la Vía Láctea.

Hay quienes afirman que esto ya ocurrió en el año 1998, mientras otros sostienen que aún estaría por ocurrir en un período de 36 o más años.

Existe también la hipótesis de que cuando el alineamiento que Jenkins afirma que ocurrirá en el Solsticio de Invierno, la fecha en cuestión, se creará un efecto gravitacional combinado entre el Sol y un agujero negro increíblemente masivo que se encuentra en el centro de nuestra galaxia y que causará destrucción y grandes calamidades en nuestro planeta.

Están también quienes han sugerido que una alineación semejante fue la causante de la extinción de los dinosaurios. Hay otros que dicen que debido a los efectos de un fenómeno astronómico como el que se augura, podría estrellarse con la tierra un cometa de enormes proporciones, cuyo efecto sería devastador.

También hay quienes afirman categóricamente que un planeta llamado Nibiru colisionará con la tierra, destruyéndolo todo a su paso.

Estos son los mismos que circularon la misma información y aseguraron que ocurriría en el año de 2003. Cuando llegó la fecha y nada ocurrió, la modificaron y la pasaron para "más adelante".

Y como los extraterrestres no podían faltar, te cuento que ciertos grupos de esos que pasan la vida buscando evidencias de la existencia de los extraterrestres, han dicho que se han reportado tres objetos voladores no identificados, cuya longitud es de diez kilómetros cada uno y que podrían llegar a la órbita terrestre para Diciembre de 2012.

311

¿Qué Dice la N.A.S.A. al Respecto?
(Objetividad Científica)

La NASA (Aeronáutica Nacional y Administración Espacial por sus siglas en inglés) que es la agencia de los Estados Unidos que se encarga de la exploración espacial, dice lo siguiente con respecto a las teorías de lo que acontecería en Diciembre de 2012:

- *"El mundo no se va a acabar en Diciembre 21 del año 2012, lo único fuera de lo común que ocurrirá será otro solsticio de invierno."*

- *"Ningún científico serio en el mundo tiene ninguna evidencia con respecto a alguna amenaza asociada con 2012."*

- *"La historia empezó con declaraciones de que Nibiru, un supuesto planeta descubierto por los Sumarios, estaría en trayecto hacia la Tierra."*

- *"Esta catástrofe fue inicialmente pronosticada para Mayo de 2003, y cuando nada sucedió, entonces fue pasada para Diciembre de 2012. "*

- *"Estas dos fábulas están ligadas con el fin de uno de los ciclos, que en el calendario de los antiguos Mayas está predestinado para el solsticio de invierno de 2012."*

- *"El calendario Maya no termina en Diciembre de 2012. Lo único que termina es el ciclo de su calendario relacionado con determinada era (la actual)."*

- *"Esto, al igual que en cualquier calendario normal, tan sólo determina el fin de un ciclo para dar lugar a uno nuevo."*

- *"No hay ninguna alineación de planetas en las próximas décadas. La Tierra no cruzará la galaxia en 2012. Incluso, si eso ocurriera, los efectos sobre la tierra serían insignificantes."*

- *"Cada Diciembre la Tierra y el Sol se alinean con el centro de la Galaxia Vía Láctea. Pero eso es una ocurrencia anual sin ninguna consecuencia."*

- *"Si existiera algún planeta en trayectoria directa a la tierra, sería posible verlo sin la necesidad de algún telescopio o instrumento de precisión. Obviamente no existe."*

- *"Un cambio en la rotación de la Tierra es imposible, existen lentos movimientos en los continentes pero éstos son irrelevantes."*

- *"La tierra siempre ha estado sujeta a impactos de cometas y asteroides, aunque colisiones grandes son muy raras. La última ocurrió hace 65 millones de años y fue causante de la extinción de los dinosaurios."*

- *"Actualmente la NASA tiene un sistema que se dedica a buscar cualquier asteroide que pudiera estar cerca de la tierra para encontrarlos mucho antes de que puedan llegar."*

- *"Se ha determinado que no hay ningún asteroide que pueda amenazarnos que sea tan grande como el que extinguió a los dinosaurios."*

Como verás, la NASA no tiene evidencia de nada que pueda ser científicamente comprobable y que pueda estar amenazando la tierra desde un punto de vista astronómico.

Hemos visto ya las diversas teorías, predicciones y corrientes de pensamiento que han estado en boga por muchos años y que forman parte de la cultura popular.

Hasta han sido tema principal de innumerables películas, sitios de Internet, revistas y demás medios de comercio que han hecho un excelente negocio a expensas de la poca (o nula) información que tiene la gente.

Antes de terminar este tema, me gustaría contarte algo muy interesante que leí sobre lo que un Arqueólogo Maya dijo. *"Si fuéramos a cualquier comunidad Maya actual y le preguntáramos sobre lo que pasará en el 2012, seguramente dirían: ¿Que el mundo se va a acabar? ¡Sí, como no! ¡Nosotros tenemos asuntos que son realmente importantes en estos días, como la lluvia!"*

Con esto te quiero dar a entender que no debes perder el tiempo con teorías sensacionalistas ni predicciones sin fundamento.

A continuación veremos la realidad sobre el cambio que se avecina, sin fantasías ni declaraciones sensacionalistas. Podrás usar tus facultades y analizar por medio de tu inteligencia, de la lógica y la razón, para decidir qué es lo que en verdad significa la transformación de la Tierra que está por suceder.

Informaciones de Luz
(Perlas de Sabiduría)

"También oiréis hablar de guerras y de rumores de guerras; pero tratad de que no os perturbéis, porque es necesario que esas cosas sucedan; pero todavía no será el fin, pues se verá a un pueblo levantarse contra otro, y un reino contra otro reino; y habrá pestes, hambre y temblores de tierra en diversos lugares, y todas esas cosas serán apenas el comienzo de los dolores."

San Mateo, 24: 6 a 8.

Podemos ver la diferencia en el lenguaje y la manera de avisarnos del momento que, desde hace más de dos mil años, Jesús nos ha venido diciendo.

El Divino Maestre nos dio los primeros avisos al predecir la era de renovación que habría de iniciarse para la humanidad y que determinaría el fin del viejo mundo.

Él dijo claramente que vendría acompañada por fenómenos extraordinarios, temblores de tierra, flagelos diversos, señales en el cielo. Estos fenómenos son solamente meteoros y no se apartan en absoluto de las leyes naturales.

A pesar de la claridad de Sus avisos, los pueblos ignorantes a través de la historia le han dado diferentes interpretaciones a ésta y muchas otras predicciones que han coincidido con la de Jesús y que nos han sido reveladas constantemente.

Pareciera que es mucho más fácil creer en fenómenos maravillosos y sobrenaturales que en aquellos que están en perfecta lógica, no sólo con las leyes de la naturaleza, sino con las leyes universales que hemos ya citado aquí.

314

Veamos algunas predicciones más, basadas en las palabras del Sublime Maestro:

"Entonces el hermano entregará a su hermano para que sea muerto, y el padre a los hijos; los hijos se levantarán contra sus padres y sus madres, y los harán morir. Y seréis odiados de todos por causa de mi nombre; pero aquel que persevere hasta el fin será salvo."
San Marcos 13:12 y 13.

Recordemos que a través de diferentes encarnaciones, hemos sido hijos, padres y madres en diversas ocasiones. Muchas veces, estos parentescos han sido con las mismas personas.

Quienes hoy son tus enemigos, podrían haber antes sido tus familiares. A esto se refiere Jesús cuando nos avisa de lo que ha de suceder.

"Cuando veáis que la abominación de la desolación, que fue predicha por el profeta Daniel, está en el lugar sagrado (es importante entender lo que está diciendo aquí entre líneas); entonces, los que estén en Judea, huyan hacia las montañas; el que esté en el tejado, no descienda para llevar alguna cosa de su casa; y el que esté en el campo no vuelva para tomar sus ropas.

"¡Ay de las que estén encintas o amamantando en esos días! Pedid a Dios que vuestra fuga no se dé durante el invierno ni en día sábado, porque la aflicción de ese tiempo será tan grande como no la hubo igual desde el comienzo del mundo hasta el presente, y como nunca más la habrá.

"Y si esos días no fuesen abreviados, ningún hombre se salvaría; pero esos días serán abreviados en atención a los elegidos."
San Mateo 24:15 a 22.

¿A qué te recuerdan las tres anteriores citas?

¿Ves las impresionantes similitudes con acontecimientos de nuestro tiempo?

Lo primero que se me viene a la mente son aquellas escenas vistas tantas veces por televisión referentes a las tragedias acontecidas en el Tsunami que azotó Indonesia en 2004.

También me hacen recordar la destrucción que causó el huracán Katrina en Nueva Orleans, Estados Unidos en el 2005 o en el tsunami que destruyó grandes regiones en Japón en el 2011.

De igual manera, nos hacen pensar en las guerras que el día de hoy parecen propagarse cual enfermedades contagiosas alrededor del mundo.

Esto provoca desplazamientos de ancianos, mujeres y niños que tienen que abandonar sus hogares ante la inminencia del horror de las batallas por el poder.

"Inmediatamente después de esos días de aflicción, el Sol se oscurecerá, y la Luna dejará de dar su luz; las estrellas caerán del cielo, y las potencias de los cielos serán sacudidas.

"Entonces, la señal del Hijo del hombre aparecerá en el cielo, y todos los pueblos de la tierra entrarán en llanto y en gemidos, y verán al Hijo del hombre que vendrá sobre las nubes del cielo con gran majestuosidad.

"Él enviará a sus ángeles, que harán oír el sonido retumbante de sus trompetas, y reunirán a sus elegidos de las cuatro regiones del mundo, de un extremo al otro del cielo.

"Aprended una comparación tomada de la higuera: Cuando sus ramas ya están tiernas y dan hojas, sabéis que se acerca el verano. Del mismo modo, cuando veáis todas esas cosas, sabed que el Hijo del hombre está cerca, que se encuentra a las puertas.

"Os digo, en verdad, que esta raza no pasará sin que todas esas cosas se hayan cumplido."

San Mateo, 24:29 a 34.

Podemos observar en estas 5 citas anteriores que se anuncia un nuevo amanecer. Esto es la llegada de la Nueva Era que permitirá la regeneración del planeta.

Veamos como a continuación se nos anuncia el fin de la era de oscuridad en la cual hasta ahora se ha desarrollado la humanidad en la Tierra:

316

"Y sucederá con el advenimiento del Hijo del hombre lo que sucedió en los tiempos de Noé, porque como en los tiempos que precedieron al diluvio los hombres comían y bebían, se casaban y daban en casamiento a sus hijos, hasta el día en que Noé entró en el arca; y no se dieron cuenta hasta que vino el diluvio y arrebató a todos, así también será en el advenimiento del Hijo del hombre."

San Mateo 24:37 a 39.

"En cuanto a ese día y esa hora, nadie lo sabe, ni aun los ángeles que están en el cielo, ni el Hijo, sino solamente el Padre."

San Marcos 13:32.

"En verdad, en verdad os digo, que lloraréis y gemiréis, y el mundo se regocijará; estaréis tristes, pero vuestra tristeza se transformará en dicha.

"Una mujer, cuando da a luz, tiene dolor porque ha llegado su hora; pero después de que ha dado a luz al hijo, ya no se acuerda de los malestares que sufrió, por la dicha de haber traído un hombre al mundo. Ahora vosotros también estáis tristes; pero os veré de nuevo y vuestro corazón se regocijará, y nadie os quitará vuestra dicha."

San Juan 16:20 a 22.

"Se levantarán muchos falsos profetas, que engañarán a muchas personas; y porque abundará la iniquidad, la caridad de muchos se enfriará; pero el que persevere hasta el fin, ese será salvo. Y este Evangelio del reino se predicará en toda la Tierra, para dar testimonio a todas las naciones. Entonces vendrá el fin."

San Mateo, 24:11 a 14.

Como hemos visto, Jesús usó alegorías de gran fuerza y potentes imágenes para impresionar a las inteligencias de quienes en esos tiempos aún eran poco cultos. El Divino Maestre se dirigía principalmente a las personas menos ilustradas e incapaces de entender la grandeza de Su mensaje.

Para poder llevar estos conocimientos a la población de la época, era necesario usar símbolos impresionantes y ricos en color e imágenes. Para nuestros hermanos poco evolucionados de esa época, la imagen de un Dios omnipotente, omnisciente y omnipresente debía ser entregada por medio de hechos sobrenaturales, maravillosos y extraordinarios.

317

Recordemos que los judíos esperaban la llegada del Mesías como un rey de la Tierra que fuera más poderoso que cualquier otro rey. Ellos no podían aceptar de modo alguno que Jesús, siendo el humilde hijo de un carpintero, sin bienes materiales ni autoridad financiera, fuera el tan esperado Mensajero Divino.

Mientras más imposible fuera aquello que se narraba, más aceptaba el pueblo que fuera probable que sucediera. Así fue como estas mentes simples y sin educación necesitaban recibir la Palabra Sagrada.

El hecho de que Él no hubiera llegado entre trompetas de ángeles, apareciendo de la nada en medio del cielo, les hacía difícil aceptar tan solo su autoridad moral.

Sin embargo, aquel humilde hijo de María y José, se convirtió en el más grande entre los grandes - el Gobernador de este planeta. De igual forma hay espíritus únicos que gobiernan otros planetas.

Estos espíritus, de elevadísima moral y pureza espiritual, son a quienes Dios les ha dado la misión de guiar a sus hijos hacia un camino de luz y salvación.

Jesús cumplió su misión y es un soberano mayor entre los más poderosos reyes que el planeta haya visto jamás.

Sólo con su amor, compasión y ejemplo, y junto con unos cuantos pescadores de elemental y humilde procedencia, revolucionó al mundo.

Es por eso que Su mensaje, y en lo que nos concierne en este capítulo, es de gran relevancia para entender la transformación que nuestro planeta y la humanidad entera sostendrán en poco tiempo.

Aquellos mensajes de los discípulos que hemos visto, donde se habla de temblores de tierra y oscurecimiento del sol, así como todos aquellos fenómenos relacionados con las predicciones, eran necesarios para darles fuerza a Sus mensajes.

Pero no caigamos en el error de no entender aquellas verdades ocultas que se encuentran debajo de estas alegorías.

318

Primero que nada tenemos aquellas desgracias que azotarán a la humanidad, que son consecuencia de la lucha entre el bien y el mal, así como entre la fe y la incredulidad, o las ideas progresivas y las ideas retrógradas.

¿Qué quiso decir Jesús con "...*reino del bien...*? Bueno pues se refiere a la paz y la fraternidad universales, que como bien sabes, hacen urgente falta en nuestro planeta.

Tampoco olvidemos que él dijo: "*Después de los días de aflicción vendrán los de dicha*".

¿Recuerdas que te pedí que no olvidaras que cuando un ciclo finaliza, es porque uno nuevo comenzará?

Bueno pues ahora entenderás que su importancia radica en saber que al estar terminándose un ciclo para la humanidad y nuestro planeta, es porque se anuncia el inicio de otro glorioso.

Este nuevo ciclo habrá de transformarnos en un planeta que será superior al que hemos estado acostumbrados hasta ahora.

Cuando se le preguntó al Divino Maestre acerca de cuándo se producirían esos acontecimientos, Él contestó: "*Nadie lo sabe, ni siquiera el Hijo*".

Se nos dijo que cuando se acerque el momento, la humanidad habría de recibir avisos de diversa índole. Pero se nos dijo también que esos avisos no estarían ni en el sol ni en las estrellas, sino en el estado en que la humanidad se encuentra en su orden moral.

Bueno pues dichos avisos se han estado dando desde hace algunas décadas y en los últimos diez años se han venido incrementando de una manera extraordinaria.

"*Cuando el Evangelio sea predicado en toda la Tierra, entonces vendrá el fin*". No obstante, para llegar, ese fin ocasionará una lucha. Y de esa lucha sobrevendrán los males que Él había previsto.

Con esto sabemos que se acerca el final. Pero no te estoy hablando del final del planeta sino del final del viejo mundo.

En este antiguo mundo las pasiones del cuerpo, el egoísmo, el fanatismo, la codicia y la ambición desmedida han gobernado por mucho tiempo.

Ha llegado el momento en que estos comportamientos habrán de abrir paso al Nuevo Mundo del cual te hablaré en el siguiente capítulo.

Nada, ni el suspiro de un copo de nieve, ni la caída de una hoja, sucederá sin que Él haya dado su permiso para ello.

No temas, si sigues por el sendero correcto, estarás a salvo y podrás reclamar tu lugar en el remanso de paz y amor que está reservado para los trabajadores de la luz.

Ven, acompáñame. ¡Estamos llegando a la culminación de este viaje!

CAPÍTULO 22

LA TRANSFORMACIÓN DEL PLANETA
(Orden Sobre el Caos)

¿Qué Tipo de Planeta Es la Tierra?
(Planeta de Pruebas y Expiaciones)

Hemos visto a lo largo de este libro que la Tierra es un planeta de Pruebas y Expiaciones. Es aquí donde tenemos la oportunidad de reparar nuestros errores cometidos en el pasado, así como a aprender y progresar.

Han sido millones de años de evolución en los que hemos venido a evolucionar constantemente logrando llegar al punto en el cual nos encontramos hoy.

Existen otros planetas habitados cuya constitución física es muy diferente a la de la Tierra. Esos planetas están sujetos a las mismas leyes de evolución y progreso que las que rigen nuestro mundo.

Dependiendo del grado de evolución de cada planeta, unos serán inferiores, otros iguales y otros superiores en diversos grados a nuestro planeta.

Así como la Tierra es un planeta de pruebas y expiaciones, también hay otros planetas donde más que pruebas, existen tan sólo expiaciones. Estos planetas son inferiores al nuestro y las condiciones de vida son mucho más difíciles que las que tenemos aquí.

De igual manera, existen otros niveles de evolución donde la vida es muy diferente a la nuestra y donde no existen ya las bajas pasiones. En estos planetas, los cuerpos físicos no rigen más el comportamiento humano ni son el motor que mueve a sus habitantes.

321

Inclusive, los cuerpos físicos son más ligeros y las cualidades y las facultades son otras muy distintas y elevadas comparadas con las que tenemos aquí.

Como sabes ya, estamos en vías de progreso espiritual, y para ello, el planeta también debe cambiar. Dependiendo de la casa, serán sus habitantes.

Así que nuestro planeta se ve obligado por la Ley de Progreso a dejar de ser un Planeta de Pruebas y Expiaciones y convertirse en un Planeta de Regeneración.

¿Qué es un planeta de regeneración? Este es un tipo de planeta donde expiar ha dejado de ser necesario. Si bien, en este tipo de planeta seguimos pasando pruebas, el sufrimiento ya no es tan grande porque aquellos espíritus causantes del mal han sido expulsados hacia otros mundos donde tendrán que seguir aprendiendo las lecciones hasta el momento todavía no comprendidas, y por supuesto expiando y reparando sus faltas.

El Fin de Nuestra Era
(La Ley del Progreso)

Primero que nada, déjame dejarte claro que el mundo no se va a terminar. Dios es todo amor, y la Providencia Divina jamás permitiría la destrucción de sus hijos ya que esto derogaría las leyes más elementales de la creación Divina.

Pero tampoco debes tomarlo a la ligera porque los cambios que se avecinan te conciernen grandemente. De ellos depende tu futuro espiritual y lo que sucederá con tus siguientes encarnaciones y felicidad por venir.

Todo en el cosmos está en armonía perfecta, desde el más mínimo detalle hasta las más grandes galaxias que te puedas imaginar.

Dios lo ha previsto todo y nuestro planeta no es una excepción a esa regla.

Elimina de tu mente cualquier idea de arbitrariedad o castigo ya que nada de lo que Dios ha creado para nosotros está en armonía con ninguno de estos dos conceptos.

Una de las leyes universales de las cuales te estoy hablando es la Ley de Progreso. Y nuestro planeta, así como todo lo que existe en el universo, son regidos por ella.

Hemos hablado ya sobre el hecho de estar sujetos a evolucionar, progresando de encarnación en encarnación. Así como cada uno de nosotros estamos sujetos a esta ley, nuestro planeta también lo está.

El planeta progresa de dos maneras:

1. Físicamente: Su progreso se da de manera física mediante la transformación de los elementos que lo componen.

2. Moralmente: Esto sucede por medio de la purificación de los espíritus encarnados y también de los espíritus desencarnados que lo pueblan.

Estos dos progresos se realizan en forma paralela, ya que el mejoramiento del hábitat físico está en relación directa con quienes habitan en él.

La Tierra ha sufrido varias transformaciones sucesivas. La ciencia nos ha dicho, que al principio era un lugar inhóspito e inhabitable, y poco a poco se fueron dando las características necesarias para que pudiera iniciarse la vida en él.

Al mismo tiempo que nuestro globo terráqueo ha ido mejorando a través de los tiempos de manera material, también ha ocurrido el progreso por medio de los esfuerzos de los seres humanos.

Por medio de la inteligencia la humanidad ha hecho posible crear un planeta habitable donde existen comunicaciones entre todos sus habitantes. El ser humano ha hecho productiva la tierra donde antes tan sólo había piedras y lodo.

En general, hemos contribuido a hacer de este planeta, un lugar donde hemos podido desarrollarnos por siglos ya.

¿Recuerdas que mencionamos que los tres procesos del ciclo de la vida eran nacimiento, desarrollo y muerte para después renacer?

Bueno pues estamos llegando a un punto en el cual nos vemos forzados a someternos a la Ley del Progreso, donde nada retrocede y todo tiene que seguir su curso de evolución.

Nuestro planeta se ve forzado a realizar este cambio debido a una serie de circunstancias que más adelante te iremos explicando.

Orden Sobre el Caos
(Limpiando la Casa)

Si bien las Leyes Divinas son inmutables, esto no quiere decir que Dios deje al planeta y a la humanidad seguir su curso y se mantenga indiferente a él, retirándose a la inactividad.

Dios vela en todo momento por sus hijos y por la ejecución de Sus leyes. Recuerda que los espíritus iluminados que pueblan el cosmos son quienes se encargan de ejecutar los designios Divinos. Estos espíritus iluminados son quienes, con gran cuidado y precisión, se dedican a actuar en función de sus graves responsabilidades.

Somos una cantidad incontable de almas las que poblamos el universo. Y cada uno está en el planeta o plano en el que debe estar, según su nivel de evolución particular.

Todas estas inteligencias juntas, forman un inmenso gobierno en el que cada uno tiene una función específica. En este gobierno, todos participamos de una forma u otra bajo la mirada del Padre Celestial, quien mantiene la unidad en todo el universo.

Siendo nuestra visión e inteligencias limitadas, a veces podría parecernos que existen imperfecciones, injusticias o irregularidades en el funcionamiento de todo lo existente. Pero las Leyes Divinas son perfectas y todo es regulado hasta en su más mínimo detalle por Dios.

324

Cualquier "irregularidad" o "imperfección" son tan solo aparentes, ya que forman parte de un gran plan que está en perfecta armonía con Sus designios y con la perfección y armonía cósmicas.

Ahora bien, para que exista la calma, primero debe existir la tormenta. Para plantar semillas nuevas y poder cosechar alimentos de primera calidad, primero habremos de labrar la tierra y arrancar cualquier raíz que pueda ser dañina para la nueva cosecha.

Un cambio de la importancia que se avecina no puede darse sin que exista conmoción. Es inminente la llegada de perturbaciones que serán temporales para poder dar a luz al Nuevo Mundo.

Por supuesto que junto con esta transformación de la humanidad, también habrán cataclismos y catástrofes como lo hemos venido viendo cada vez más seguido desde los últimos años. Estos cambios se han venido gestando desde hace milenios.

Es sólo después del caos que el orden se forma. Y para crear algo nuevo, muchas veces hace falta destruir lo que estaba antes.

Será sólo después de grandes conmociones y destrucciones que habremos de ver el equilibrio restablecido. El final del mundo que tanto se ha venido anunciando, no se refiere a nuestro mundo material.

Se refiere al mundo en el cual la humanidad se ha venido desenvolviendo por miles de años y que requiere de un ascenso a una escala superior de evolución. Es por eso que diversas profecías se refieren a esto como "El fin del mundo conocido". En la palabra "conocido" está la clave, ya que lo que hasta ahora hemos vivido, ciertamente cambiará.

Señales de Cambio
(El Anunciado Armagedón)

Estamos viviendo tiempos terribles en los cuales pareciera que la maldad ha tomado las riendas de la humanidad.

Por todas partes nos enteramos del incremento de los crímenes cometidos en cualquier planeta del orbe. Si bien, la humanidad desde su

325

inicio se ha visto flagelada por el crimen causado por el bajo nivel de evolución de la humanidad, en las últimas décadas hemos visto este fenómeno crecer como una enredadera y abarcándolo todo.

El crimen de ahora ya no es tan sólo el de un alma perturbada robando o matando por estar bajo el efecto de las drogas o bajo la influencia de sus bajos instintos. Ahora vemos que esto ha escalado a grados de crueldad nunca antes vistos ni registrados en la historia de la humanidad.

El aumento de comportamientos cobardes y viles como la pedofilia, la violación y el abuso en cualquiera de sus formas llena las páginas informativas. Ahora no es posible ver un noticiero o leer un periódico sin contaminarse con infinidad de pésimas noticias que vienen de todos los rincones del orbe.

Pareciera que algunos espíritus encarnados (con la ayuda de los desencarnados) se han emborrachado de ambiciones egoístas, y se han dejado dominar por los placeres inmediatos, sin importarles nada aquellos que destruyen a su paso.

Vemos crisis de todo tipo alrededor del mundo. Por todas partes vemos gente que gasta en banalidades lo suficiente como para acabar con el terrible flagelo del hambre que todos los días causa incontables víctimas que mueren en las peores condiciones de dolor, humillación y olvidados por quienes se dicen "inteligentes".

Los problemas psicológicos aumentan en todas partes, las enfermedades físicas también, causando la muerte prematura de millones de seres humanos.

La depresión ha aumentado a grados jamás imaginados, causando tragedias e infelicidad en billones de hogares.

La taza de desempleo es la peor de la historia y los suicidios aumentan de manera escalofriante.

¡Tan sólo en China ocurren 280,000 suicidios anuales!

Lo más desolador de esto, si es que puede ser peor aún, es que está también en aumento el número de casos de suicidio en niños.

326

Las guerras por la supremacía y el control están ya en todos los continentes. Miles de hombres, mujeres y niños mueren todos los días bajo las llamadas "bombas inteligentes" - de inteligentes no tienen absolutamente nada.

El terrorismo parece haber crecido sin control. Es evidente que aquellos fanáticos que forman parte de este tipo de grupos han perdido todo control sobre la realidad, siguiendo ciegamente a quienes planean los más despiadados ataques en contra de una población inocente y desprotegida.

Los fondos utilizados para cubrir gastos que efectúan las superpotencias en armamento podrían pagar: servicios de salud, agua potable, investigación y cura de enfermedades hasta ahora incurables; así como

también se podrían utilizar esos recursos para acabar con el hambre en el planeta y muchas otras cosas más.

Pero al hombre de hoy le importan más el status y el poder, olvidándose que "lo que hoy está arriba, mañana estará abajo."

Vemos familias desestructuradas en todas partes, violencia doméstica que aumenta alarmantemente. Y en general, la "ley del más fuerte" se impone en todas las latitudes.

Todas estas señales son los Síntomas Morales de la transformación del planeta a la que nos estamos acercando. Veamos ahora los Síntomas Físicos:

Hemos abusado de los recursos naturales sacrificando e irrespetando de manera imperdonable los recursos naturales. Un importante ejemplo es el Amazonas que es "el pulmón del planeta."

Esta región ha sido depredada sin piedad por quienes sólo se interesan en "cobrar su oro", olvidando que están dejando a sus hijos y futuras generaciones enteras sin un lugar para vivir ni un medio de limpiar su aire.

En la Tierra hay absolutamente todo lo necesario para cubrir las necesidades de la población entera del mundo.

Pero desafortunadamente en este planeta de pruebas y expiaciones aún no hemos aprendido las lecciones ni aprovechado las oportunidades de mejorar y salvarnos de futuras reparaciones por medio del dolor.

Nuestro planeta reacciona y pareciera que está pidiendo a gritos la transformación de sus habitantes. Nos grita por medio de Tsunamis, Erupciones Volcánicas, Terremotos, Huracanes, Inundaciones e infinidad de manifestaciones y desastres naturales todos los días.

Por más que intentemos perturbar las leyes cósmicas, éstas se revelarán siempre causando desastres naturales para "reabsorberse" y seguir su curso.

Nunca antes fuimos testigos de semejante actividad del planeta. Todo esto, aunado a la gran necesidad de mejoramiento moral de la humanidad, son síntomas de que el "Gran Cambio" está por llegar.

Hemos sido víctimas de nuestro complejo de superioridad, creyendo que todo lo podemos y que somos superiores a las otras especies.

Hasta los animales salvajes han mostrado en infinidad de ocasiones que la falta de Libre Albedrío a veces parece una mejor opción para algunos humanos sin escrúpulos ni sentimientos nobles.

Es por eso que vemos por todas partes personas con infinidad de problemas de nacimiento. Ellos en el pasado fueron aquellos gobernantes, jefes de grandes empresas, y guías sociales que hicieron terrible uso del poder y privilegios que Dios les permitió tener. Ahora están de regreso reparando sus faltas por medio del dolor.

Así nos damos cuenta de la urgencia que tenemos en transformar este planeta que hemos convertido en un lugar difícil y lamentable en muchos aspectos.

Pero no todos los síntomas del cambio son de carácter negativo, existen también señales de luz que vienen a iluminar el camino hacia el nuevo mundo que está por llegar.

328

Una Luz de Esperanza
(Los Apóstoles de la Nueva Era)

Hemos visto los signos claros e inequívocos de que nos estamos acercando a un momento crucial en la historia de la humanidad en esta fase de su evolución.

Así como podemos constatar todos aquellos síntomas negativos de aquello que marca el final de nuestra era, también podemos ver por todas partes que nacen intentos de reformar aquello que está equivocado.

Vemos infinidad de personas que han ya despertado del sueño egoísta en el que vivían, y han dedicado su tiempo a ideas y obras de bondad y misericordia. Proyectos que antes se veían truncados por falta de apoyo, ahora están ganando adeptos que logran conseguir que sean concretizados.

En cada lugar podemos constatar que nacen y crecen instituciones de caridad, organizaciones de ayuda a los menos privilegiados, grupos que protegen desde los animales, hasta los niños desamparados, ancianos, mujeres y en general, a todos aquellos sectores de la población que necesitan de ayuda y protección.

Vemos también que las leyes penales del planeta poco a poco se van civilizando y con ello van aboliendo usanzas medievales como la pena de muerte y el aborto.

Todos los días nacen hombres y mujeres que están predestinados a la gran obra de regeneración de nuestro planeta y quienes a su modo y dentro de sus posibilidades van creando, como las hormigas, un sistema que permita el bienestar de todos en el futuro.

Podemos notar el crecimiento de movimientos espirituales y espiritualistas que demuestra que poco a poco la repulsión instintiva contra las ideas materialistas empieza a germinar en los corazones de muchas personas.

Por todas partes parecen multiplicarse aquellos que "tienen sed" de saber sobre su realidad espiritual y que quieren dejar atrás la vida material que los ha controlado hasta el momento.

Cada día vemos que los sentimientos humanitarios se van adhiriendo a diferentes sectores de la sociedad y del gobierno.

Los prejuicios con respecto a los niveles sociales, culturales, económicos y raciales se van debilitando constantemente y poco a poco empezamos a percibir que muchas personas empiezan a considerarse como lo que somos: Una gran familia universal.

Nos enteramos constantemente también de los esfuerzos de incontables personas que forman parte de los sectores artísticos y culturales, quienes usan su influencia para llevar mensajes de paz y crear consciencia por medio de apoyo o de la creación de fundaciones que ayuden a los más desprotegidos.

Poco a poco el cambio se está gestando. Pero todavía faltan bases morales que hagan que todos estos esfuerzos, ejemplos e iniciativas sean aceptadas por las masas, permitiendo así que prosperen y alcancen con sus brazos de paz, amor y caridad a todos los hermanos de este planeta.

Es por ello de gran importancia que nos unamos por medio de una gran corriente de bondad, amor, tolerancia, compasión y sobre todo caridad, y perdón para nuestros semejantes.

Entendamos que debemos seguir los mandatos del Sublime Maestro que dijo: "Amad a vuestros enemigos" ya que en esta conquista radica el verdadero triunfo sobre la oscuridad de la era que termina.

¿Sientes la lluvia de flores invisibles cayendo sobre tu cabeza?

Cierra los ojos por un momento y medita sobre lo que aquí has leído.

¿Serás parte de esta transformación?

Mi mano y la de millones de hermanos y hermanas está extendida para que la tomes y sigas adelante. ¡Muy pronto serás testigo de un nuevo y glorioso amanecer!

330

CAPÍTULO 23

LOS HEREDEROS DEL PLANETA
(LOS TRABAJADORES DE LA LUZ)

Muchos Serán Los Llamados...
(¿Estarás Entre los Escogidos?)

Muchos serán los llamados, pero pocos** los escogidos."
Estas palabras del Divino Maestre cobran sentido total, ahora
que estamos frente a las puertas del "Nuevo Mundo".

La Tierra y sus habitantes hemos llegado al momento de ascender a
otro nivel. Debido al catastrófico nivel moral que prevalece en la Tierra,
es necesario que se haga una "limpieza".

Esto permitirá que aquellos que aún no estén preparados para vivir
en un mundo de regeneración, sean exiliados a otras regiones planetarias donde puedan continuar su proceso de aprendizaje. Y así, cuando
estén preparados para volver, les sea otorgado el privilegio de formar
parte de un mundo más feliz.

Quienes hayan cumplido su misión, y hayan juntado suficientes "créditos" en su "Hoja de Balance" serán llamados a continuar su existencia
en el nuevo planeta de Regeneración que será un mundo feliz.

Este privilegio no implica que quien pueda volver a reencarnar en
este planeta vaya a estar inactivo y sin producir, sino todo lo contrario.

Los afortunados tendrán la oportunidad de trabajar sin descanso en
la reconstrucción moral de nuestro globo Terráqueo.

¡Una recompensa semejante será grandiosa!

¿Tendrás que Preparar Maletas?
(¿A qué Grupo Perteneces?)

Están todavía reencarnando espíritus muy primarios, que por su atraso no pudieron venir antes y sólo hasta ahora que las condiciones son adecuadas han podido volver.

Se trata de espíritus inferiores que hace siglos estuvieron en nuestro planeta, y que debido a su comportamiento fueron exiliados a otras regiones.

Después de incontables encarnaciones en su planeta anterior, ahora encuentran en la Tierra condiciones genéticamente favorables para su progreso espiritual.

Muchos de ellos están reencarnando en tribus y pueblos muy elementales donde aún existen costumbres tormentosas de auto-tortura como perforaciones, modificaciones corporales y extensos y dolorosos tatuajes que les cubren gran parte del órgano epidérmico.

Esto es para estos espíritus una manera de castigarse por la subconsciencia de saberse culpables de crímenes ancestrales. Son espíritus primitivos en fase elemental que se distinguen también en otros lugares geográficos y socialmente más elevados por sus ropajes rasgados, abandono general de sí mismos, y otras manifestaciones que dejan ver su lamentable estado de espíritu y bajo nivel de evolución.

Estos síntomas revelan el estado interior de espíritus como estos, quienes se complacen en la violencia, el sexo violento y sin compromiso, comportamientos vulgares y poco o nulo interés en cuestiones más elevadas concernientes a la cultura, las artes o cualquier tipo de medio de progreso intelectual, social o cultural.

Desde los años sesenta hemos estado viendo este tipo de espíritus reencarnar en el planeta y han estado proliferando hasta el día de hoy. Eso está a punto de cambiar notablemente aunque ya ha comenzado su emigración paulatina desde hace algunos años.

Aquellos espíritus que sean exiliados del planeta, no volverán por un largo tiempo. Recordemos que Dios es todo justicia y equilibrio, y nos da toda clase de oportunidades para mejorar y modificar nuestros

332

comportamientos cuando éstos son equivocados. Pero si insistimos en ellos, habremos de pagar las consecuencias para así, ser asistidos con oportunidades nuevas para re-educarnos y reformarnos.

Existen también aquellos espíritus a quienes se les ha dado la oportunidad de progresar desde niveles más avanzados. Entre ellos podemos ver a muchos de los políticos y gobernantes de hoy quienes han tenido la oportunidad de guiar a sus votantes para una vida mejor.

También hay infinidad de figuras que forman parte de las artes como cantantes y actores de gran fama, a quienes se les ha dado la opción de usar la influencia que el arte y la atención del público les da para llevar mensajes de bien a sus diversos públicos.

Como estos, puedo darte muchos ejemplos en diversos sectores que no sólo forman parte de las artes, la cultura o la política. También están las personas comunes, quienes tienen la ocasión de hacer su parte en el camino del bien, y hacer un trabajo fundamental para el triunfo de la Gran Obra.

Desafortunadamente existen muchos de estos hermanos y hermanas que todavía no han entendido la grave responsabilidad y el limitado tiempo que tienen para cumplir su misión y están fallando en ella.

Entre ellos habrá un gran número de aquellos que habrán de ser retirados del planeta para seguir pasando sus pruebas en otras partes.

Por otra parte, están aquellos que están abiertamente apegados a la maldad y al vicio. Estos son, en su mayoría, los causantes del estado moral del planeta. Estos serán expulsados sin remedio para que tengan la oportunidad de enfrentarse a los males que han causado y puedan de esa forma reparar, aprender, y algún día volver al nuevo planeta de regeneración que será la Tierra.

Todos estos hermanos y hermanas, lucharán sin cuartel para defender su reinado de oscuridad. Aunque seguirán causando desgracias, guerras, crímenes y otras tragedias, no podrán hacerlo por mucho más tiempo ya que, como bien sabes, no habrá más oportunidades para ellos.

Esta lucha está de antemano perdida. Serán barridos como el viento se lleva las hojas muertas para abrir paso a las hojas que están por renacer.

El progreso es inminente y no puede ser retrasado más. Es la lucha entre las criaturas humanas que aún se inclinan a la maldad, y su Padre Creador que ha señalado el fin de los viejos tiempos de oscuridad y bajos instintos.

La multiplicación de las causas de destrucción nos hace ver que estamos ya viviendo tiempos de reorganización de la raza humana.

Ha llegado ya el tiempo de cosecha, ya que la humanidad, como las estaciones, tienen ciclos que han de marcar los fenómenos cíclicos que permiten el progreso de la vida.

Para aquellos que nada saben, y están todavía apegados a la materia, la destrucción de la que estamos siendo testigos significan catástrofes sin sentido. No se dan cuenta que todo forma parte del plan Divino de regeneración del planeta.

Pero para aquellos que ahora saben que la muerte no destruye más que tan sólo la envoltura física y deja al alma inmortal continuar su viaje de progreso, estos fenómenos no son más que consecuencias lógicas a los tiempos en que hemos vivido por muchos años.

No debemos tener miedo ante lo inevitable, ya que tan sólo se trata de mejorar, jamás de estar peor. Estamos viviendo tiempos maravillosos donde aún tenemos la oportunidad de modificar nuestras consciencias y modificar el rumbo hacia el Camino de la Luz.

Entendamos que la muerte del cuerpo es ineludible y algo a lo que no debemos tenerle miedo. Esta transición es una experiencia libertadora que siempre anuncia tiempos mejores cuando se da por causas que formen parte del plan universal.

Por supuesto que habrán aquellos que se reirán de estas declaraciones y no creerán lo que aquí estamos manifestando. Sin embargo, digan lo que digan y piensen lo que piensen, no podrán escapar a su destino y caerán, al igual que tantos otros han caído en el pasado, víctimas de su orgullo e ignorancia.

¿Quiénes Heredarán el Planeta?
(Última Oportunidad)

Nada de esto debe asustarte. Como te hemos dicho antes, no es nada que no forme parte de aquello que has venido viviendo por miles de años.

Afortunadamente hay millones de almas listas para trabajar en el nuevo planeta que habremos de tener. Son espíritus con cualidades importantes. Tú puedes estar entre ellas si sigues los consejos que has leído a lo largo de estas páginas.

Haz uso de tus Facultades y Herramientas de Origen para modificar tu conducta y para efectuar una verdadera reforma íntima que te permita estar entre los "pocos que serán elegidos".

Hay millones de seres humanos que han realizado incontables progresos ayudando al progreso y el bienestar de los pueblos. Pero aún nos queda un trabajo inmenso por realizar, y con tu ayuda podremos lograrlo.

Debemos hacer que la Caridad, la Fraternidad y la Solidaridad se manifiesten en todas nuestras acciones. Sólo así podremos garantizar un bienestar moral para quienes aún se encuentran rezagados en esta encarnación.

Todavía quedan vestigios de creencias y comportamientos que en otras épocas de la historia de la humanidad causaron tanto mal. Debemos modificar las consciencias y la forma en que vemos la vida.

Alejémonos de instituciones que se interesan más por el dinero que dejemos en sus arcas y avancemos hacia aquellas que tan sólo se ponen la mano en el bolsillo de sus virtudes y consciencias para sacar algo que dar a sus semejantes.

Aquellas instituciones que en su momento sirvieron a un fin específico, sólo fueron útiles debido a la época particular en la cual se encontraba la humanidad. Sin embargo, esas instituciones son ahora obstáculos para el progreso espiritual y la transformación de nuestro planeta.

Es momento de despertar y ver el horizonte que deja ya adivinar la cercanía del cambio que nos espera.

Es hora de importante transición en el cual habremos de vivir experiencias que nunca antes tuvimos.

Por medio de la inteligencia y nuestras otras facultades, podemos avanzar en el camino de progreso de nuestra presente encarnación, pero necesitamos también elevar nuestros sentimientos para que el avance suceda también a nivel espiritual.

Para ello, debemos aniquilar cualquier vestigio de egoísmo y orgullo. Sólo así garantizarás tu permanencia en este planeta.

Recordemos que los cambios que se avecinan no son particulares a un solo pueblo o a la raza humana. Se trata de una transformación global de la humanidad entera que se realizará en el sentido del progreso moral.

¿Qué Clase de Guía Eres?
(Orientando a los que Vienen Detrás)

Es imprescindible que comprendamos estas verdades y entendamos la importantísima responsabilidad que tenemos en lo que concierne a la educación de nuestros hijos.

Ahora ya sabes lo que está en el futuro de tus hijos, y los hijos de tus hijos. Dependerá de ti inculcar en ellos, aquellos valores morales que les permitirán ser parte del grupo de quienes permanecerán en este planeta.

Como hemos visto, los medios de comunicación han decaído cada vez más en sus funciones educadoras y son responsables en gran parte de la cultura con la que las nuevas generaciones están creciendo.

Debemos contrarrestar la influencia negativa de algunos medios, empezando por poner el ejemplo en casa con respecto a la calidad de aquello que dejamos entrar en ella.

Si no quieres que tus hijos hablen mal de las personas, no veas programas donde esto es una práctica común.

Si quieres evitar que tus hijos crezcan con valores incorrectos con respecto al uso de las drogas y el sexo promiscuo, no podrás evitar que vean o reciban alguna de esta información por medio de amigos o cuando no estás mirando.

Pero si plantas en ellos la semilla del ejemplo, verás cómo tarde o temprano germinará y ellos recordarán esto como un comportamiento a seguir.

Si no quieres que un hijo tuyo caiga en los peligros del alcohol y otras sustancias tóxicas, enseña con el ejemplo no fumando ni bebiendo para que no vean este comportamiento como algo "normal" y "aceptable".

El mejor maestro predica con el ejemplo. Es con tu comportamiento que tendrás una herramienta de gran poder que será capaz de causar una impresión lo suficientemente poderosa como para cambiar sus inclinaciones cuando éstas sean negativas.

En la actualidad, están reencarnando espíritus avanzados que cuentan con aptitudes y facultades más avanzadas y predisposición para hacer el bien.

Entre estos niños especiales hay quienes son espíritus superiores que cuentan con un avance emocional e intelectual elevado y que vuelven al planeta. De ellos te hablaré en el siguiente capítulo.

Estas criaturas se caracterizan por una gran hiperactividad y por tener una cierta madurez que no corresponde a su edad.

Son niños característicos de la Nueva Era y debemos propiciar una educación diferente a la normal para desarrollar sus capacidades y aptitudes al máximo.

No hay que confundirlos con los llamados "Niños Índigo" o con los "Niños Cristal" que no necesariamente son espíritus superiores en su moralidad aunque se pueden encontrar en grandes cantidades entre los espíritus que están reencarnando para hacer posible la renovación planeta.

Lo que se ha podido observar en cuanto a los llamados "Niños Índigo", es que si bien encarnan con cierta superioridad intelectual, no siempre lo hacen con superioridad moral.

En el caso de los llamados "Niños Cristal", se trata de niños que entre sus facultades están las de la inteligencia desarrollada así también como una moral a un nivel más elevado de desarrollo.

Pero estas aptitudes de nada les servirán si no les ayudamos a canalizarlas. Recuerda que Dios no nos ha dado hijos como regalo. Nos los ha entregado en resguardo por un período de tiempo en el que habremos de cumplir la misión sagrada de educarlos y ayudarlos en sus particulares pruebas y expiaciones por medio del amor inmenso que tenemos por ellos.

Pero de igual manera que nos ha confiado esta gran responsabilidad, también nos pedirá cuentas en caso de que nuestros hijos caigan en el camino a causa de una deficiente educación, malos ejemplos o débil entrenamiento moral para las pruebas de la vida.

Ahora bien, tengo que advertirte que no sólo porque un niño se comporta diferente o es hiperactivo, es un niño Índigo o Cristal. El nombre o título es irrelevante, y no es garantía de que logrará llegar a donde puede.

Cristal o no, Índigo o no, todos tenemos la capacidad de hacer el bien y cooperar para la construcción del Nuevo Mundo.

¡Si tienes hijos o no, eso es totalmente irrelevante, ya que tenemos "hijos" en todas partes!

Tan sólo mira a ese niño que en la calle no tiene algo que llevarse a la boca. O a esa jovencita que está en las discotecas sin supervisión o control de alguien que la ame. Esta vulnerable joven probablemente podría salvarse de caer si tuviera una mano amiga que la guiara al camino correcto.

Seamos guías de la humanidad. No pensemos tan sólo en aquellos que forman nuestro núcleo familiar. Recuerda que formas parte de una gran familia universal. Y quien hoy es tu vecino, podría haber sido tu amado hijo en el pasado.

Todo está conectado. ¡Haz lo correcto y empieza hoy tu renovación moral!

CAPÍTULO 24

DE CAMINO AL PARAÍSO
(Hacia un Mundo de Regeneración)

El Nuevo Mundo
(Hacia Un Mundo Feliz)

Te hemos dicho ya que para poder alcanzar la felicidad en nuestra Tierra, es necesario transformarnos y estar entre espíritus buenos, tanto encarnados como desencarnados.

Hemos vivido en un planeta que está dejando de ser adolecente y que está entrando en la edad adulta. La madurez de nuestro planeta requiere que cambie los errores del pasado y comience a construir el hogar del futuro.

Para ello, no sólo contamos con la información, las herramientas y las enseñanzas que te hemos dado a lo largo de éstas páginas. También contaremos con la llegada de espíritus superiores que volverán a la Tierra en misión de regeneración para ayudarnos a realizar la transformación del planeta.

Esta nueva generación de espíritus ha empezado a llegar ya desde hace algún tiempo. Cada vez veremos más y más espíritus de luz como lo son: la Madre Teresa, Mahatma Ghandi, Francisco Cándido Xavier, Martin Luther King y tantos otros hombres y mujeres maravillosos que hicieron de este un planeta mejor de lo que era.

Pero para que estos espíritus de luz puedan tomar sus puestos de dirección en las diversas áreas del planeta, es preciso que haya una emigración de los habitantes actuales que no tienen el nivel moral adecuado para ayudar en esta importante misión.

Esta emigración se está ya dando en diversas formas. En su mayoría, todos aquellos espíritus que deban ir a otros planetas a continuar su aprendizaje, irán desencarnando uno a uno y no volverán a reencarnar aquí por algún tiempo.

Otros, se están yendo por medio de desastres naturales de gran magnitud, guerras, accidentes de grandes proporciones y otros fenómenos que causan la muerte de cientos y a veces miles de personas en un solo evento.

Esto no quiere decir que absolutamente todos los que desencarnan, por ejemplo en un tsunami, sean espíritus que serán exiliados del planeta. Pero sí quiere decir que las leyes universales están usando este tipo de acontecimientos como una herramienta de limpieza para sus fines de renovación moral y transformación planetaria.

Muchas veces puede ocurrir que al igual que a un niño lo separan sus padres de un grupo de amigos que le están causando una mala influencia, Dios a veces hace que un grupo más o menos grande de gente desencarne al mismo tiempo para separarlos de las malas influencias que pudieran estar sufriendo y contra las cuales aún no estarían preparados para defenderse.

Así, los manda a "la escuela" en otros mundos para que continúen su preparación y cuando "se gradúen" puedan volver al planeta en el cual nos vamos a transformar.

Pero esta "escuela" no necesariamente tendrá que ser en un mundo inferior. A veces podrán seguir preparándose y adquiriendo madurez espiritual en el plano sublime, donde antes de reencarnar recibirán los consejos y enseñanzas adecuadas para modificar sus consciencias.

Aquellos que hacen el mal por el puro placer de hacerlo, algunas veces escapan a las leyes de los hombres, pero no escaparán a las leyes del Creador.

Al no ser dignos de formar parte de la transformación del planeta, tendrán que ser excluidos de tan sublime misión para evitar que contaminen los esfuerzos de renovación que se estarán dando en todas partes.

Serán pues, enviados a mundos inferiores, entre razas más atrasadas. Ahí podrán llevar los conocimientos superiores que han adquirido en su paso por la Tierra. Y al mismo tiempo, se verán obligados a aprender

340

de sus errores del pasado y también podrán cooperar en el progreso de dichos planetas.

Actualmente existen entre nosotros muchos que han sido exiliados de otros mundos más elevados - espíritus que han tenido que venir a la Tierra para reaprender las lecciones y algún día merecer la oportunidad de volver hacia allá.

Los espíritus que tengan que irse, serán reemplazados por espíritus mejores que se encargarán de que la justicia, la paz y la fraternidad reinen sobre la tierra.

Recordemos que esto ha estado sucediendo gradualmente y que no acontecerá ninguna desgracia como las que vemos en las películas donde una raza entera es eliminada.

Pero el tiempo se acaba y hay que aprovecharlo en nuestra renovación moral. No lo perdamos en elucubraciones inútiles ni buscando opciones alternativas ya que nada detendrá la evolución de los mundos.

¿Cuánto Durará este Proceso?
(Llegó la Hora)

Como hemos dicho, el proceso de transformación y progreso de la humanidad es gradual. Pero sólo en la parte que concierne a su evolución a través de los siglos, donde las mejoras en el comportamiento, las leyes y las costumbres han sido graduales y sólo pueden percibirse con el paso del tiempo a largo plazo.

Pero también existe la transformación rápida, brusca y súbita que ocurre en el transcurso de unos cuantos años.

Ésta última es la que estamos experimentando ahora y que podemos ver con las reformas morales que están ocurriendo en diversos sectores de la sociedad en todas partes.

Esto lo puedes comprobar si has vivido lo suficiente en esta encarnación. Hace muchos años los cambios eran graduales, pasaban

341

muchos años y todo parecía igual. Pero a últimas fechas, cada década es completamente diferente a la anterior y sus diferencias son asombrosas.

¡Llegan los Refuerzos!
("Limpieza" y Reemplazo Espiritual)

Los nacimientos y muertes físicas serán efectuados de la misma manera.

La diferencia radicará en que los bebés que vayan naciendo, en vez de ser espíritus atrasados, inclinados al mal o que estén en vías de expiación, serán bebés que albergarán espíritus adelantados.

Aparte de aquellos "Niños Índigo" y "Niños Cristal" que mencionamos en el capítulo anterior, nacerán espíritus de gran superioridad moral e intelectual que ya estuvieron en este planeta y hayan dejado marcas de progreso y desarrollo en diversas áreas.

No se tratará de una nueva generación de cuerpos diferentes, sino de espíritus de moral elevada y las características físicas del vehículo físico serán las mismas.

Serán muchos y muy grandes los nobles espíritus que regresarán en esta misión de amor que La Divinidad les ha encomendado.

Volverán aquellos espíritus elevados del período de Pericles del siglo V, hombres excelentes en la política, filosofía, arquitectura, escultura, historia, literatura, y en general en todas aquellas disciplinas que le permitieron a ese período griego ser llamado el "Siglo de Oro."

Llegarán también aquellos filósofos y padres de las ciencias empíricas que revolucionaron al mundo en sus diferentes etapas.

Volverán los grandes pensadores del periodo pre-cristiano, idealistas de la escuela neo-platónica de Alejandría.

Vendrán de igual manera los grandes renacentistas y científicos que a partir del siglo XVI y XVII revolucionaron el curso de la historia.

Estarán de vuelta también los técnicos de las áreas de la ciencias profundas como la Nanotecnología, Holografía, la Astrofísica, y tantas otras ciencias, artes y disciplinas que han hecho posible que este planeta viva momentos de verdadero adelanto en sus diferentes niveles.

Todos ellos reencarnarán de nuevo en la Tierra para promover la regeneración del planeta al lado de grandes y nobles espíritus.

Por sus Obras les Conoceréis
(Identificando Caracteres)

El apóstol Mateo nos dijo: *"Por sus frutos los conoceréis"*. Y así como se puede identificar a un árbol dependiendo del fruto que dé para así poder clasificarlo, de la misma manera podemos saber cuál es la esencia de una persona conforme a su comportamiento y las obras que haga durante su vida.

Ambas generaciones, aquellas que se están yendo exiliadas de la Tierra y las que están arribando de planos superiores, se mezclan en esta época de transición. Quienes aquí estén para quedarse serán testigos de las diferencias y puntos de vista tan opuestos entre ambos grupos y podrán presenciar la partida de una generación y la llegada de otra.

Podremos distinguir a tan eminentes espíritus desde temprana edad ya que manifestarán una inteligencia y madurez precoces, así como una disposición intuitiva y natural que hará imposible confundirlos.

De igual manera, la inclinación de los espíritus que arriban para participar en la transformación del planeta, serán obvias por su bondad y propensión a la vida espiritual y creencias espiritualistas.

Estas características constituyen de por sí una característica inconfundible de progreso anterior.

La mencionada generación que llegará no será compuesta sólo de espíritus superiores, sino también de aquellos que ya tengan un cierto nivel de desarrollo y progreso y que sean capaces de apoyar los trabajos de regeneración.

En cuanto a los espíritus inferiores que tendrán que irse, es posible identificarlos por su rebeldía contra Dios y sus designios, así como por

su negación ante los mensajes Divinos que nos han sido entregados a través de milenios por eminentes espíritus elevados en todas partes.

Podemos distinguirlos también por sus inclinaciones hacia las bajas y degradantes pasiones. De igual manera, los podemos identificar porque son personas que viven una vida de egoísmo, envidia, celos y sentimientos anti fraternos. Son eternos ausentes en labores de caridad. Su ejercicio del amor es nulo y su gran apego a las cosas materiales es grande.

Estas son personas que fomentan los rencores, las venganzas, los chismes y maledicencias al hablar mal y criticar a sus semejantes. Personas cuya ambición y avaricia no permite la entrada a la compasión, y cuyos vicios y apego a la sensualidad son parte fundamental de su comportamiento diario.

Todos ellos serán irremediablemente expulsados de planeta ya que en su nueva modalidad de planeta de regeneración, no cabrán semejantes sentimientos, emociones ni pensamientos que contaminen la Psicoesfera del planeta.

E contacto con semejantes espíritus para quienes viven por el bien de la humanidad sería incompatible con sus obras sublimes. Y quienes insistan en vivir para el mal, tendrán que aprender por la ruta del dolor. Esta es la Ley.

¿Puedes imaginarte lo que será nuestro planeta sin semejantes personas ni comportamientos?

¡Tanto que la humanidad ha buscado llegar al paraíso y lo tenemos aquí mismo al alcance de nuestras manos!

El poder para lograrlo está en ti. Nadie puede quitarte ese maravilloso porvenir si tienes el valor de modificar tu vida y te decides a caminar por el Camino de la Luz.

La Montaña de Cristal Azul no será más una utopía ni un símbolo de cuento de hadas y se convertirá en un glorioso amanecer que durará para siempre.

¡Hay Perlas en el Fango!
(Misión de Rescate)

Antes de condenar a quienes han equivocado el camino, hagamos todo lo que esté en nuestro poder para quitarles la venda de la ignorancia y la confusión espiritual en la que viven.

Tu puedes salvar a tus hermanos y hermanas de tener que continuar expiando sus culpas. El uso de las bellas virtudes de las cuales hemos hablado en "Herramientas de Origen" son poderosas palancas que podrán levantar el pesado fardo de dolor y egoísmo que habita en aquellos que aún pueden ser salvados.

Ayuda a tus semejantes de todas las formas posibles. Pero antes, deberás sumergirte en tu interior y mirarte al espejo de tus propios defectos para así ser capaz de identificarlos y transmutarlos por virtudes y sentimientos elevados.

Es momento de trabajar, pero no sólo por nosotros mismos. Dios está esperando que entendamos Sus mensajes y nos está dando todavía una última oportunidad para hacer lo correcto.

De esta forma podremos mudarnos a un mundo feliz, donde habremos de vivir en armonía, fraternidad y acariciados por la suave brisa del amor y las bellezas creadas por el infinito amor que Él tiene por nosotros.

Lee y relee este libro cuantas veces sean necesarias. Lee también aquellos libros que sugiero en "Lectura Sugerida" y también visita frecuentemente la página de Internet donde podrás encontrar siempre la motivación necesaria para seguir en la ruta que te has trazado.

Demos una mano a quienes tanto la necesitan. Busca una manera de ayudar a tus semejantes sin importar si parece importante o no. En la intimidad de tu ser sabrás que estarás haciendo lo correcto.

¡Ayuda a los demás y estarás ayudándote a ti! No necesitas seguir sufriendo.

¡Tienes el poder para transformar tu vida en algo maravilloso!

Despierta a esta nueva realidad que ha estado ahí, frente a ti, por siempre. Llegó el momento de hacerla tuya.

Somos hijos del mismo Padre. No importa la religión que profeses ni las creencias particulares que tengas. Tampoco es relevante el nombre que cada uno le dé a La Divinidad. Ésta es la misma para todas las razas, nacionalidades y orígenes.

Somos hermanos de una misma familia y podemos subir tomados de la mano por la ruta de la felicidad.

Hemos llegado al fin de este camino. Te invito a que conviertas este libro en tu libro de estudio y lo consultes cada vez que necesites luz sobre alguna situación en particular.

Aún queda mucho por hacer, pero estamos ya en el camino correcto: El Camino de la Luz.

Gracias por acompañarme. Ha sido un privilegio caminar a tu lado. Sé que seguiremos en contacto. No caigas y persevera en el progreso de tu espíritu.

Recuerda que la vida no es corta como todos dicen... Las oportunidades de realizar el bien pueden pasarte de largo si no vigilas tu comportamiento.

¡Hasta muy pronto!

FIN

LECTURA RECOMENDADA

De varios autores espirituales, codificados por Allan Kardec
El Evangelio Según El Espiritismo
El Libro De Los Espíritus
La Génesis
El Cielo Y El Infierno
El Libro De Los Médiums
Introducción a la Filosofía Espírita
Qué Es el Espiritismo

De André Luiz, psicografiados por Francisco Cándido Xavier
Nuestro Hogar
Los Mensajeros
Misioneros de Luz
Obreros de la Vida Eterna
En el Mundo Mayor
Liberación
Entre la Tierra y el Cielo
En los Dominios de la Mediumnidad
Acción y Reacción
Evolución en Dos Mundos
Mecanismos de la Mediumnidad
Sexo y Destino
Y la Vida Continúa...

De varios autores espirituales, psicografiados por Francisco C. Xavier
Buena Nueva, Humberto de Campos
Jesús en el Hogar, Neio Lúcio
De Emmanuel, psicografiados por Francisco Cándido Xavier
El Consolador
Camino de la Luz
Hace 2000 Años
La Religión de los Espíritus
Pan Nuestro
Así Vencerás
Paulo y Esteban

De Joanna de Angelis psicografiados por Divaldo Franco
Vigilancia
Dimensiones de la Verdad
El Despertar del Espíritu
Floraciones Evangélicas
Después de la Tormenta
En el Umbral del Infinito

De varios autores espirituales, psicografiados por Divaldo Franco
Sublime Expiación, Víctor Hugo
Parias en Redención, Víctor Hugo
Compromisos Iluminativos, Bezerra de Meneses
Transición Planetaria, Manoel Philomeno de Miranda
Hacia las Estrellas, Diversos autores
Sembradío del Bien, Diversos autores

De varios autores espirituales, psicografiados por Raul Teixeira
Para Uso Diario, por Joanes
En Nombre de Dios, por José Lopes Neto
Desafíos de la Vida Familiar, por Camilo

Varios Autores
Transformando La Mente, Dalai Lama
Después de la Muerte, Léon Denis
Tao Te King, Lao Tse
El Evangelio en Casa, Sociedad Educacional Allan Kardec
Hablando con los Muertos, Barbara Weisber

Te recomiendo también
Cualquier biografía sobre Madre Teresa, Ghandi, Dalai Lama, Francisco Xavier, Paulo de Tarso y el Nuevo Testamento con historias sobre Jesús.

ART&SOUL
PUBLISHING COMPANY

*Where books from the soul
are made through art…*

FORMA PARA ORDENAR EL LIBRO

Si usted desea ordenar el libro y recibirlo por correo, puede hacerlo de las siguientes maneras:

- La manera más rápida para ordenar este libro es por medio de la página www.TuVidaElLibro.com.

- Por Correo Electrónico: Ventas@TuVidaElLibro.com.

- Por teléfono llamando gratis dentro de los Estados Unidos: 1-800-857-1341. Extensión 8.

- Por teléfono desde cualquier parte del mundo: +1 (310) 933-4457.

- Por fax: +1 (310) 933-4448.

- Giros Postales: Art & Soul Publishing Company 287 S. Robertson Blvd., Beverly Hills, CA 90211-2810. Por favor verifique en nuestra página Web o por teléfono el importe por impuestos y gastos de envío.

Nombre: ....

Dirección: ....

Ciudad:

Estado: .... Código Postal: ....

Delegación, Urbanización o Municipio: ....

Teléfono:..

Correo Electrónico: ....

ART&SOUL
PUBLISHING COMPANY

FORMA PARA ORDENAR EL LIBRO

Si usted desea ordenar el libro y recibirlo por correo, puede hacerlo de las siguientes maneras:

- La manera más rápida para ordenar este libro es por medio de la página www.TuVidaElLibro.com.

- Por Correo Electrónico: Ventas@TuVidaElLibro.com.

- Por teléfono llamando gratis dentro de los Estados Unidos: 1-800-857-1341. Extensión 8.

- Por teléfono desde cualquier parte del mundo: +1 (310) 933-4457.

- Por fax: +1 (310) 933-4448.

- Giros Postales: Art & Soul Publishing Company 287 S. Robertson Blvd., Beverly Hills, CA 90211-2810. Por favor verifique en nuestra página Web o por teléfono el importe por impuestos y gastos de envío.

Nombre: ⋯⋯⋯⋯⋯⋯⋯⋯⋯⋯⋯⋯⋯⋯⋯⋯⋯⋯⋯⋯⋯⋯⋯⋯⋯⋯

Dirección: ⋯⋯⋯⋯⋯⋯⋯⋯⋯⋯⋯⋯⋯⋯⋯⋯⋯⋯⋯⋯⋯⋯⋯⋯⋯

Ciudad:

Estado: ⋯⋯⋯⋯⋯⋯⋯⋯⋯⋯⋯ Código Postal: ⋯⋯⋯⋯⋯⋯⋯⋯⋯

Delegación, Urbanización o Municipio: ⋯⋯⋯⋯⋯⋯⋯⋯⋯

Teléfono: ⋯⋯⋯⋯⋯⋯⋯⋯⋯⋯⋯⋯⋯⋯⋯⋯⋯⋯⋯⋯⋯⋯⋯⋯⋯⋯

Correo Electrónico: ⋯⋯⋯⋯⋯⋯⋯⋯⋯⋯⋯⋯⋯⋯⋯⋯⋯⋯⋯⋯

ENLACES DE INTERÉS

Tu Vida No Tiene Que Ser Una Novela

Prensa
Prensa@TuVidaElLibro.com

Ventas
Ventas@TuVidaElLibro.com

Facebook
www.Facebook.com/TuLibro

Página oficial
www.TuVidaElLibro.com

Ricardo Chávez

Twitter
www.Twitter.com/RicardoChavez

Página Oficial
www.RicardoChavez.com

Facebook
www.Facebook.com/RicardoChavezActor